普通高等教育"十四五"规划教材

 教师教育"课证融合"系列教材

中学语文课程与教学论
（第二版）

主　　编	周小蓬　林　晖				
副 主 编	古晓君　方相成				
参　　编	（按姓名拼音排序）				
	蔡锦姿	陈楚敏	郭春曦	郭跃辉	韩　后
	江海燕	李丽华	李曙光	李旭山	李　轶
	刘义民	娄红玉	罗小娟	马　琳	欧治华
	邵长思	石了英	孙　琪	王敏媛	王　萍
	吴篮鹏	夏永声	肖康舒	谢　诚	谢翌梅
	杨慧琴	余新明	曾　洁	张宝华	张家波
	张嘉蓉	张　然	郑文富	郑有才	周小华
	周　璇	周　颖	周　周		
本书编写	耿卫红　尹逊才　王卫丽　王　立　胡进才				
顾问团	杨　丽				

图书在版编目(CIP)数据

中学语文课程与教学论 / 周小蓬,林晖主编. -- 2版. -- 北京：北京大学出版社,2024.8. -- (教师教育"课证融合"系列教材). -- ISBN 978-7-301-35270-0

Ⅰ.G633.302

中国国家版本馆CIP数据核字第2024K4E202号

书　　　　名	中学语文课程与教学论（第二版）
	ZHONGXUE YUWEN KECHENG YU JIAOXUELUN（DI-ER BAN）
著作责任者	周小蓬　林　晖　主编
策 划 编 辑	周　丹
责 任 编 辑	周　丹
标 准 书 号	ISBN 978-7-301-35270-0
出 版 发 行	北京大学出版社
地　　　　址	北京市海淀区成府路205号　100871
网　　　　址	http://www.pup.cn　　新浪微博：@北京大学出版社
电 子 邮 箱	编辑部 zyjy@pup.cn　　总编室 zpup@pup.cn
电　　　　话	邮购部 010-62752015　发行部 010-62750672　编辑部 010-62704142
印 刷 者	三河市北燕印装有限公司
经 销 者	新华书店
	787毫米×1092毫米　16开本　19.25印张　505千字
	2020年9月第1版
	2024年8月第2版　2024年8月第1次印刷　（总第8次印刷）
定　　　　价	63.00元

未经许可，不得以任何方式复制或抄袭本书之部分或全部内容。
版权所有，侵权必究
举报电话：010-62752024　电子邮箱：fd@pup.cn
图书如有印装质量问题，请与出版部联系，电话：010-62756370

教师教育"课证融合"系列教材

编 委 会

主 任 蒋 凯

副 主 任 陈建华 傅建明

编 委（按姓名拼音排序）

陈春莲 程晓亮 寸晓红 董吉贺

范丹红 胡家会 李姝芳 李 琦

刘恩允 罗兴根 皮翠萍 漆 凡

孙 锋 王俏华 肖大兴 谢先国

叶亚玲 虞伟庚

教师教育"课证融合"系列教材

第二版总序

  教师教育"课证融合"系列教材牢牢把握教材建设的政治方向和价值导向,将党的教育方针全面体现到教材中,注重思想性与专业性的结合,强化教师教育"课证融合",及时、准确反映学科发展最新成果,引导学生在掌握教育教学知识与技能的同时,提高思想政治素养,自觉践行社会主义核心价值观,实现知识掌握、能力培养与价值塑造的协同发展。

  教师教育"课证融合"系列教材第一版出版后,受到了相关院校师生的充分肯定和欢迎,我们为之感到欣慰和鼓舞。本次修订深入贯彻落实党的二十大精神,坚持以习近平新时代中国特色社会主义思想为指导,在教材编写思路和理念上保持了原有特点,增加了学科理论与实践改革的最新成果和课程思政等内容,充分吸纳广大师生在教学中的意见和建议。

一、编写背景与意图

  党的二十大报告指出,"教育、科技、人才是全面建设社会主义现代化国家的基础性、战略性支撑。必须坚持科技是第一生产力、人才是第一资源、创新是第一动力",我们要"完善人才战略布局,坚持各方面人才一起抓,建设规模宏大、结构合理、素质优良的人才队伍"。培养造就大批德才兼备的高素质人才,是国家和民族长远发展大计,也是我国当前重要且迫切的任务。提升教育质量,培养优秀教师,又是培养人才的前提和基础。

  2000年9月23日教育部颁布《〈教师资格条例〉实施办法》,标志着教师资格制度在全国正式实施。该实施办法规定:"国务院教育行政部门负责全国教师资格制度的组织实施和协调监督工作"(第四条),"依法受理教师资格认证申请的县级以上地方人民政府教育行政部门,为教师资格认定机构"(第五条)。这个阶段教师资格认定的具体工作由地方政府教育行政部门负责。

  2011年我国开始在浙江和湖北试行教师资格国家统一考试制度,并于2013年8月15日发布《中小学教师资格考试暂行办法》《中小学教师资格定期注册暂行办法》,明确规定,"教师资格考试实行全国统一考试"。

  如此,师范生的培养将面临专业养成与资格证书获得的双重任务。师范院校就不得不思考一系列问题:职前教师教育与教师资格考试如何有机融合?教师教育的课程设置与教学方式应该如何适应国家教师资格考试?现有的教学大纲和内容如何与国家教师资格考试大纲相融合?职前教师教育的评估与考试如何进行?……为了应对上述问题,北京大学出版社经过多年的实地调查与理性论证,审慎地决定编写一套"教师教育'课证融合'系列教材",力图保证教师教育专业的学术品位,同时又能兼容国家教师资格考试的考试大纲内容。

出于这样一种思路,"教师教育'课证融合'系列教材"在深入地分析了《教师教育课程标准(试行)》《幼儿园教师专业标准(试行)》《小学教师专业标准(试行)》《中学教师专业标准(试行)》,以及国家教师资格考试标准、教师资格考试大纲等若干文件的基础上,结合现有的师范院校全日制本科生及研究生所开设的相关教师教育类必修课程的知识结构梳理出编写框架,希望其既能具有学科的逻辑体系,又能覆盖教师资格考试大纲的知识要点,让师范生在获得毕业证的同时又能够获得教师资格证书;既能符合师范类各专业人才的培养目标,适应当前我国对教师教育领域的人才需求,又能满足国家教师资格考试的要求,帮助师范生在获得教师教育专业知识与技能的同时获得从事教师职业的资格。

二、编写原则与体例

(一)编写原则

"教师教育'课证融合'系列教材"在编写过程中,遵循以下三个原则:

1. 专业知识与应试技能相结合

尽管帮助读者通过国家教师资格考试是本套教材所追求的目标之一,但通过考试并不是最重要的目标。更重要、根本性的目的是通过本套教材的学习能够让学生系统地掌握教育的基本原理,理解并能运用教育的基本规律与原则,获得从事基础教育工作的基本技能与技巧,为成为一名优秀的人民教师奠定坚实的理论与技能基础。因此,我们在编写时既注意学科知识与原理的系统介绍,也重视资格考试知识点的梳理与解释,更加关注教育教学能力的培养与解决问题能力的形成,使本套教材既能用于正规的课堂教学,又适用于学生应对国家教师资格考试。

2. 理论思维与实战模拟相结合

一名优秀的人民教师需要有深厚的教育理论修养,必须具备教育学的思维,因此我们在编写时特别注意对学生进行教育学思维的培养,强调教育基本逻辑与基本范式的学习,使学生能够运用教育学的思维阐释教育现实问题,进而形成自己的教育思想。但"有知识的人不实践,等于一只蜜蜂不酿蜜"(古波斯诗人萨迪语),因此,我们在编写时特别注意理论知识与实践操作之间的联结,每节都有原理与知识点的概括,并有针对性的案例分析、试题举例和学习方法导引等。概括地说,本套教材既强调教育原理运用于解释现实问题的方法论引导,又注重教师资格考试的针对性训练。

3. 课堂讲授与课外练习相结合

教材是教师和学生用于教与学的材料,是师生双方共同使用的材料,只有师生配合才能获得最大的效益。任何优秀的教材都有两个特点:内容安排科学,符合教学规律,教师使用方便,即"能教";学科知识逻辑清晰,练习形式多样,即时练习资源丰富,即"能学"。因此,本套教材在编写时既强调要方便教师的教(配套的教学课件、重点知识提示等提供了这个方便),又强调要方便学生的实践运用和复习巩固(配套的同步练习与模拟考试卷提供了这个保障),保证教师指导作用和学生主观能动性的充分发挥,有助于避免"教师只讲不听,学生只听不练"的弊端。

（二）编写体例

在编写体例上,"教师教育'课证融合'系列教材"由学习目标、学习重点、学习导引、正文、知识结构等部分组成。学习目标,让师生明确教学的方向与标准;学习重点,明确知识的逻辑结构与核心知识点;学习导引,指明学习路径与学习方法;正文,系统地呈现相关知识;知识结构,简明地呈现本章的知识要点。正文部分,首先由一个简短的案例导入,引出本章的学习主题,激发学习者思考的兴趣。每小节在介绍相应的知识体系外,都有相关的试题样例供学生思考与练习。每节最后都有本节重要知识点的概括,并有相关的学习方法提示。每章最后都有一个简短的小结,让读者对本章的思路有一个总体的把握。

三、教材特色与使用建议

（一）教材特色

"教师教育'课证融合'系列教材"具有以下四个特色：

1. 内容体系完整

本套教材依据学科的逻辑结构,结合教师教育课程标准、教师专业标准、国家教师资格考试标准、教师资格考试大纲等进行编写,内容体系既保证有严密的学科逻辑,又保证国家政策文件规定的知识点的落实,力图将它们科学地加以融合,既保证学科内容体系的完整性,又兼具资格证考试的针对性。

2. 备考实用性强

本套教材在原有教材"学术性"的基础上增加"备考性",即为通过国家教师资格考试做准备。教材通过真题的诠释,详尽细实地介绍各学科考试的基本内容、命题特点、考试题型、答题技巧、高分策略等,让考生对国家教师资格考试有一个具体而接地气的了解;书中罗列的真题与解析、练习题、模拟试题、知识结构图等,为考生提供模拟的考试环境,帮助考生在实战演练中提升自己的能力。

3. 考点全面覆盖

本套教材中知识点的选择基于两种路径：一是依据学科知识结构和教师资格考试大纲选择,二是根据对历年国家教师资格考试真题的考点梳理。据此梳理和确定每章每节的知识点,而后再根据学科的逻辑结构进行组织与编写。因此,本套教材几乎涵盖了国家教师资格考试的所有考试内容。

4. 线上线下融合

本套教材是一套创新型"互联网＋"教材。教材在内容上力图融合学科内容与考试大纲规定的知识点;在体例上,坚持以学生为本,为学生掌握学科知识和应对教师资格考试提供支持;在呈现方式上,应用现代网络技术,教学资源立体配套,使教师和学生能够运用手机、计算机等电子设备随时随地学习。除了线下教学之外,手机二维码、微视频、在线咨询等拓宽了学生的学习时空。

（二）使用建议

"教师教育'课证融合'系列教材"是团队合作的产物，由北京大学出版社组织全国数十所高等学校联合编写，由于各校情况迥异，因而在使用时学校可以因校制宜，选择适合自己的方案。下面的使用建议仅供使用者参考。

1. 课时安排

课程	周课时	总课时	备注
教育学基础(中学)	2	36	不包括实践类课时
心理学(中学)	2	36	不包括实验课时
教育学基础(小学)	3	54	不包括实践类课时
心理学(小学)	3	54	不包括实验课时
学前教育学	3	54	不包括实践类课时
学前儿童发展心理学	3	54	不包括实验课时
学科课程与教学论	3	54	根据学科性质调整

2. 教学方式

建议以讲授与讨论为主。讲授时注意：①讲清学科逻辑结构，给学生一个完整的理论框架；②梳理每章的知识逻辑，特别注意根据知识的内在逻辑讲授各知识点，教给学生特定的教育学思维；③讲授过程中注意方法论的引导，讲清各种题型的答题技巧；④每次课后灵活运用国家教师资格考试历年真题进行同步练习，并即时分析与评价，让学生在实战中理解与运用解决问题的技巧。

3. 考核评价

课程考核由三大类组成：平时成绩（主要是课堂表现、练习册完成的数量与质量）、课程论文与社会实践或实验、期末闭卷考试。

计分采用百分制。平时各类成绩占60%，期末成绩占40%。

希望本套教材的出版，能够帮助考生顺利通过国家教师资格考试，并为国家培养教师教育领域的优秀人才作出我们应有的贡献。

教师教育"课证融合"系列教材编委会
2023年7月

第二版前言

党的二十大报告中提出："培养什么人、怎样培养人、为谁培养人是教育的根本问题。"全面贯彻党的教育方针、落实立德树人的根本任务是我们教育工作的应有之义。语文课程与教学论是中文师范专业学生的必修课，本书是该课程的教学用书。为响应党的二十大报告中关于"深化教育领域综合改革，加强教材建设和管理"的号召，本书做了更新完善。

本书在改版时做了一些修订，特别是增加了一些新课标的有关内容。本书凝聚了大学语文课程与教学论教师和中学一线优秀语文教师的教学经验，并积极体现中小学教师资格考试大纲、《教师教育课程标准（试行）》、《义务教育语文课程标准》（2022年版）、《普通高中语文课程标准》（2017年版2020年修订）等文件的相关内容，可以帮助学生在获得教师教育专业知识与技能的同时通过教师资格考试，获得从事教师职业的资格。本书在编写时，努力体现如下几个特色：

（1）体系完整：从语文教育的基础理论，到如何进行语文听、说、读、写教学设计及语文教学评价，再到语文教师素养，形成了体系完整的学习内容。

（2）指导性强：为了更好地帮助学生自学，本书每个章节前设置有导读板块，每个章节结尾处设置有总结和练习板块，为学生复习巩固和考试提供帮助。

（3）内容精要：语文教学的理论和实践内容非常丰富，本书不能一一列举，所以本书的内容尽量做到精心筛选，为学生学好这类内容起到有效的示范作用。

（4）实操性强：本书除了要帮助学生打好语文教育理论的基础外，还试图帮助学生形成语文教育的实操能力。本书尽量突显语文听、说、读、写教学的实操能力内容。

（5）通俗易懂：本书的语言力求精要好懂，通俗明白。

总之，本书通过内容和形式的优化，希望能更好地帮助中文师范生及各方人士形成对语文教育的科学认识，提高语文教育能力，并尽可能帮助大家通过国家各阶段语文教师资格考试。

主编周小蓬

2024年4月

学习建议

本书编写的主要目的是帮助学习者初步掌握从事语文教学的基本知识和能力,为他们成为合格的中小学语文教师打下基础。我们希望学习者在阅读本书时,能注意从以下几个方面来提高学习的质量:

(1)建议学习者注意把握全书的结构,读懂各章内容所选取的角度,认识各章节之间的关系,最好能够用自己的话语来阐述整本书的基本架构和主要内容。

(2)建议学习者对书中涉及的概念和理论做准确的理解,并以此为基础,查阅相关资料,对这些概念和理论进行辨析式和扩展式学习。

(3)建议学习者对本书的内容和文字进行精读,划出重要的词语和句子,最好能做必要的批注。

(4)建议学习者在学习本书内容的过程中,始终要思考这些内容对做语文教师的意义何在,它能帮助"我"做什么。

(5)建议学习者阅读本书时,能紧密联系一线语文教学实际,结合本书配套的体现新课程标准理念的教学实例,这会对加深领会本书的内容有积极帮助。学习者可在学习第五章、第六章、第十章、第十二章时参考右侧二维码中的教学实例。

(6)语文教学是一门科学,也是一门艺术,学习本书时,还应多从科学和艺术这两个方面去讨论如何实施具体教学,去领会如何在语文实际教学中实现科学和艺术的完美统一,以帮助学生切实形成语文素养。

总之,在学习本书时,学习者不能仅仅满足于对字面意思的理解和把握,更要采用理论联系实际的学习方法,只有这样才能真正学有所获、学有所用!

本书配套资源

本书配有课堂教学实录视频、教学课件及其他相关教学资源,如有老师需要,可扫描右侧二维码关注北京大学出版社微信公众号"北大出版社创新大学堂"(zyjy-pku)索取,或加入QQ群(279806670)申请获取。

目 录

第一章　中学语文课程的性质与目标
第一节　中学语文课程的性质 …………………………………………… 2
第二节　中学语文课程的目标 …………………………………………… 7

第二章　中学语文课程标准与课程资源
第一节　中学语文课程标准 ……………………………………………… 21
第二节　中学语文课程资源 ……………………………………………… 30

第三章　中学语文教学与学生的发展
第一节　中学语文教学与学生智力的发展 ……………………………… 42
第二节　中学语文教学与学生非智力因素的培养 ……………………… 55
第三节　中学语文教学与学生元认知发展 ……………………………… 63

第四章　中学语文教师的专业发展
第一节　中学语文教师专业发展的内容 ………………………………… 74
第二节　中学语文教师专业发展的内涵 ………………………………… 80
第三节　中学语文教师专业发展的途径 ………………………………… 82

第五章　中学语文教学设计与教案编写
第一节　中学语文教学设计概述 ………………………………………… 91
第二节　中学语文教学设计的内容与要求 ……………………………… 101
第三节　中学语文教案编写的内容与原则 ……………………………… 107

第六章　中学的阅读教学
第一节　中学阅读教学的目标与内容 …………………………………… 118
第二节　中学阅读教学的过程与方法 …………………………………… 120
第三节　中学阅读能力的构成要素与评价 ……………………………… 125
第四节　各类文体的阅读教学 …………………………………………… 132
第五节　中学阅读教学基本技能 ………………………………………… 138

第七章　中学的写作教学

　　第一节　中学写作教学的目标与内容 …………………………… 149
　　第二节　中学写作教学的类型与方式 …………………………… 153
　　第三节　中学生写作能力的构成要素与评价 …………………… 157
　　第四节　中学写作教学的科学序列 ……………………………… 164
　　第五节　中学写作教学的过程与课例 …………………………… 173

第八章　中学的口语交际教学

　　第一节　中学口语交际教学的意义与目标 ……………………… 182
　　第二节　中学口语交际教学的途径与方式 ……………………… 188
　　第三节　中学口语交际能力的构成要素与评价 ………………… 193

第九章　中学语文综合性学习

　　第一节　中学语文综合性学习的目标与内容 …………………… 202
　　第二节　中学语文综合性学习的实施与评价 …………………… 207

第十章　中学语文学习方法指导

　　第一节　中学语文学习方法指导的目标与意义 ………………… 219
　　第二节　中学语文学习方法指导的内容与方法 ………………… 227
　　第三节　中学语文学习方法指导的原则与途径 ………………… 239

第十一章　中学语文现代教学媒体的运用

　　第一节　现代教学媒体概述 ……………………………………… 248
　　第二节　中学语文现代教学媒体的功能与选用 ………………… 254
　　第三节　语文多媒体教学课件制作的理论基础与策略 ………… 259

第十二章　中学语文说课与评课

　　第一节　中学语文说课的含义与类型 …………………………… 268
　　第二节　中学语文说课的内容与价值 …………………………… 271
　　第三节　中学语文评课的依据与内容 …………………………… 276
　　第四节　中学语文评课的原则与类型 …………………………… 285

后记

第一章

中学语文课程的性质与目标

☞ 学习目标

识记:"语文"的含义,语文学科发展的历史,中学语文课程目标的概念和确立依据。

理解:中学语文课程的性质,中学语文课程目标的框架和内涵,语文学科核心素养的含义。

运用:在开展语文教学的过程中能正确把握工具性和人文性的统一,能够落实中学语文课程目标。

☞ 学习重点

◎ 把握语文课程工具性和人文性统一的基本特点。
◎ 理解中学语文课程目标的框架和内涵,并学会将之落实到实际教学中。
◎ 理解语文学科核心素养的含义。

☞ 学习导引

历年来的国家教师资格考试都注重考查语文课程的性质与目标,考生应在熟练、准确掌握、记忆这些知识点的同时,树立语文能力目标与人文教养目标相统一的教学理念,并运用相关知识去解决实际语文教学活动中存在的问题。

【引子】

"语文"这门学科与其他学科相比而言有点特殊,稍有不慎就会出现"种了别人的田,荒了自家的园"这种现象,比如把语文课上成了政治课或历史课,然而我们几乎没有听说过把数学、物理等课上成其他课的现象。例如,教学《晋祠》就成了通过视频参观晋祠这处名胜,教学《木兰诗》就成了欣赏美国人的电影《花木兰》,教学《北京胡同》就成了北京风情展……这类语文教学现象依然存在于课堂。那么,实践中怎样才能避免语文课的跑偏现象呢?在学习完本章内容后,你将获得关于这个问题的正确认识。

第一节 中学语文课程的性质

语文课程的性质是语文课程区别于其他课程的本质属性,是语文课程开发、实施和评价等全部课程活动的出发点,对语文课程和教学起着规范和制约的作用。因此,对语文课程性质的把握是我们对语文课程与教学认识的理论起点。

一、语文的含义

知识点1:语文的含义

中国古代没有独立的语文课程,语文教育是和经学、哲学、史学、伦理学等融为一体的。古代语文具有综合性的特点。除此之外，识字写字、阅读、写作等方面也是不做切割的，具有整体性，还有培养"立言者"的实践性特点。直到清朝末年，废科举，兴学堂，实施分科教学，语文才从多学科的融合中分化出来。不过，作为学科名称，它当时还不叫"语文"。1903—1949年，语文的学科名称曾使用过"中国文字""中国文学""讲经读经""国语""国文"等；直到1949年中华人民共和国成立，才使用"语文"这一名称。1904—1919年，语文处于文学设科期，名称表述为"中国文学"，标志着语文成为正式学科；1919—1949年，语文处于国语、国文期，小学为"国语"，中学为"国文"；1949—1958年，语文处于定名期，从"国语""国文"转变为"语文"，正式定名；1958—1978年，语文处于波折期；1978—2001年，语文处于革新期；2001年至今处于新课改阶段。

什么是语文？叶圣陶曾做解释："平常说的话叫口头语言，写到纸面上叫书面语言。语就是口头语言，文就是书面语言。把口头语言和书面语言连在一起说，就叫语文。"[①] "'语文'一名，始用于1949年华北人民政府教科书编审委员会选用中小学课本之时。前此中学称'国文'，小学称'国语'，至是乃统而一之。彼时同人之意，以为口头为'语'，书面为'文'，文本于语，不可偏指，故合言之。亦见此学科'听''说''读''写'宜并重，诵习课本，练习作文，固为读写之事，而苟忽于听说，不注重训练，则读写之成效亦将减损。"[②] 这番话不仅解释了什么是语文及"语文"一名的由来，而且阐释了口头语言与书面语言的关系，说明了如何训练学生的听说读写能力。

从"语文"一词的本义得知，语文是以教学生学习和运用祖国语言文字为己任的一门课程，是中华民族共同语（即母语）的基础课。

二、语文课程的基本性质

知识点2：语文课程的基本性质

由于语文课程性质的复杂性，加之不同时期的社会、历史和文化影响，出现过不同的语文课程性质观。整个20世纪前期，在语文课程性质问题上，占主流的认识主要有两种：一是从语文独立设科至20世纪20年代的"实用性"观点；二是从20世纪30年代至40年代的"工具性"观点。我国当代语文教育史上，有过三次关于语文课程性质的大讨论：第一次，发生在20世纪50年代末期至60年代初期；第二次，发生在20世纪70年代末期至80年代初期；第三次，从20世纪80年代中后期开始一直延续到90年代末期。这三次讨论分别围绕文与道的关系、工具性与思想性的关系、工具性与人文性的关系展开，对澄清语文课程性质有着重要意义。

在语文课程性质这个问题上，目前已取得了接近或一致的看法。《义务教育语文课程标准》（2022年版）指出："语文课程是一门学习国家通用语言文字运用的综合性、实践性课程。工具性与人文性的统一，是语文课程的基本特点。"《普通高中语文课程标准》（2017年版2020年修订）对语文课程性质的界定更严谨，它指出："语言文字是人类社会最重要的交际工具和信息载体，是人类文化的重要组成部分。……语文课程是一门学习祖国语言文字运用的综合性、实践性课程。工具性与人文性的统一，是语文课程的基本特点。"

---

① 叶圣陶.叶圣陶语文教育论集[M].北京：教育科学出版社，1980：138.
② 同①：730.

（一）语文课程的工具性

（1）语文课程的工具性源于语言的工具性。

① 语言是人类社会最重要的交际工具和文化载体。语言是人类在必须交流以实现合作的情形下产生的，因而交际就是语言的特定功能。人类的一切活动都需要运用语言实现交流，人们凭借语言来组织社会生活，维持社会的存在和发展。文化在很大程度上也需要语言作为载体进行整理、保存、传播和发展。

② 语言是人类思维的工具。人们借助语言进行思维，人类思维的成果也要依靠语言的帮助才能得以巩固和发展。人们通过语言将抽象的思维具象化，将无形的思想转化为有形的符号和文字，从而使思维得以传递、记录与延续。正如建筑需要砖瓦和水泥，思维也需要语言这一坚实的基石来支撑其结构，确保其稳固与持久。思维通过语言得以表达和交流，而语言则通过思维得以丰富和发展，二者相互依存、相互促进，这种辩证关系要求我们在实践中不断寻求语言和思维的平衡与协调，以实现人类智慧的不断提升和进步。

（2）语文是一门基础工具性学科，语文是学习和工作的基础工具。《义务教育语文课程标准》（2022年版）明确指出："语文课程致力于全体学生核心素养的形成与发展，为学生学好其他课程打下基础；为学生形成正确的世界观、人生观、价值观，形成良好个性和健全人格打下基础；为培养学生求真创新的精神、实践能力和合作交流能力，促进德智体美劳全面发展及学生的终身发展打下基础。"语文是人类学习其他学科的工具，任何学科的课程内容都必须以语言文字的形式呈现出来。中学语文学科所要培养的语文能力着重于基础能力，这种能力是语文能力向高层次发展的基础，也是学生学习其他学科的基础，更是他们将来走向社会生活的基础。叶圣陶说："语文是工具。自然科学方面的天文、地理、生物、数、理、化，社会科学方面的文、史、哲、经，学习、表达和交流都要使用这个工具。"①学生毕业后参加工作，也离不开语文这个工具，上网、读书、看报、交际、书面表达等，随时随地都需要语文。新教材采用"双线组织单元结构"，体现了语文教学的工具性。"部编版"语文教材按照"内容主题"和"语文素养"组成两条线索，其中"语文素养"包括基本的语文知识、必需的语文能力、适当的学习策略和学习习惯，以及写作、口语训练等，分布并体现在各个单元的课文导引或习题设计之中。②

（3）语文是发展认识能力，特别是发展观察能力和思维能力的工具。由于语言是思维的工具，在语文教学中培养学生理解语言和运用语言的能力总是和发展其思维能力紧密结合在一起的。《义务教育语文课程标准》（2022年版）指出："语言是重要的交际工具和思维工具，语言发展的过程也是思维发展的过程。"在核心素养的四个方面中，"语言运用"是基础，是语文学科的根本，"思维能力""审美创造""文化自信"蕴含在语言中，并在学生个体语言经验发展过程中得以体现。由于语言是认识事物的工具，而认识的门户是观察，因而掌握语言工具、认识事物、扩展知识、发展思维都是以观察能力为基础的。

（4）语文课程学习的着眼点既在内容又在形式。语文教学要遵循"文道统一"的原则，其中，文是文章形式，道是文章内容，"文道统一"即把分析文章形式和理解文章内容辩证统一起来。语文课程的工具性，还可以从它不仅要求学生学习课本的内容，而且还

---

① 叶圣陶. 叶圣陶语文教育论集[M]. 北京：教育科学出版社，1980：150.
② 温儒敏. 温儒敏语文讲习录[M]. 杭州：浙江人民出版社，2019：97.

要求学习它的形式这一角度来理解。政治、历史、数学、物理等也有内容和形式，但教学生理解和运用其内容是唯一的目的。而语文课程的着眼点既在内容也在形式，即要突出其工具性的一面。例如，李镇西老师在教学《荷塘月色》时，引导学生"读读这篇文章最打动自己的文字"，讨论《荷塘月色》所抒发的思想感情。此外，李镇西老师还让学生学习朱自清的写作特色，透彻地讲解了"通感"这一手法，揭示了文中荷塘月色之美景与作者高洁之品格的相通之处。① 在语文的课本里，《在马克思墓前的讲话》不是政治课文，《鸿门宴》不是历史课文，教它们的基本目的，既在于学习它们的内容，也在于学习其表达形式。这是语文课程在性质上与其他课程不同的地方。

（二）语文课程的人文性

（1）语文课程的人文性源于语言的文化性。语言文字不仅是文化的载体，也是文化的一个重要组成部分。英国语言学家帕默尔（L. R. Palmer）说："语言忠实地反映了一个民族的全部历史、文化，忠实地反映了它的各种游戏和娱乐、各种信仰和偏见。"②在人们凭借语言来认识和阐释世界的过程中，民族的思维方式、价值理念、风俗习惯都会给语言留下深刻的文化印迹。以语言学习为主的语文课程，作为人类文化的重要组成部分，也以各种形式反映了语言背后所蕴藏的丰富文化。

（2）语文课程的人文性源于语文课程人文内涵的丰富性。《义务教育语文课程标准》（2022年版）指出："义务教育语文课程突出内容的时代性……强调内容的典范性，精选文质兼美的作品，重视对学生思想情感的熏陶感染作用，重视价值取向，突出社会主义先进文化、革命文化、中华优秀传统文化。"文质兼美的语文教材与其他教材相比有着得天独厚的育人因素，它们以深刻的思想、生动的形象反映生活，揭示人生的真谛，赞颂真善美，鞭挞假恶丑，对学生形成正确的世界观、人生观和价值观起着重要作用。语文教材承载着人文科学和自然科学领域各门类的知识，如哲学、军事、经济、文化、艺术、民族、地理、历史等，教材内容的丰富性和广泛性，在影响学生成长的诸多因素中具有独特优势。

（3）语文课程的人文性源于语文课程育人的根本任务。语文课程围绕立德树人的根本任务，充分发挥其育人功能。语文课程在对学生语文基本能力培养的过程中，必然要注重优秀文化对学生的熏陶，学生情感、态度与价值观，以及道德修养、审美情趣的提升，尊重和发展学生的个性，培养学生健全的人格。例如，小学生识字写字，既是一种能力训练，也是一种文化熏陶，更是一种习惯、修养的生成，教师应在教学中培养学生热爱祖国语言文字的感情。

（三）工具性与人文性的统一

工具性和人文性不是彼此独立的，工具性是人文性的基础，人文性是对工具性的升华。《义务教育语文课程标准》（2022年版）明确说明：义务教育阶段的语文课程应"使学生初步学会运用国家通用语言文字进行交流沟通，吸收古今中外优秀文化成果，提升思想文化修养，建立文化自信，德智体美劳得到全面发展"。这样，就把工具性与人文性统一起来了。我国教育专家温儒敏提到，这一理念能更好地体现素质教育的精神，更加丰

---

① 李镇西.听李镇西老师讲课[M].上海：华东师范大学出版社，2010：226.
② L. R. 帕默尔.语言学概论[M].李荣，王菊泉，周焕常，等译.吕叔湘，校.北京：商务印书馆，1983：139.

富语文课程的价值追求,促进学生在语文知识、能力、情感、态度、思想观念多方面和谐发展。①

工具性强调了语文课程作为基础学科的特征,明确了语文本身的工具特性;人文性强调了语文所负载的思想内容与文化内涵,明确了语文本身的思想特性与文化特性。语文课程工具性与人文性的统一体现为:语文课程必须面向全体学生,使学生通过语文实践活动,切实掌握阅读、写作和口语交际的基本技能,从而获得基本的语文素养,为学生今后的学习生活服务;同时,语文课程要关注学生在语文学习过程中的情感、态度和生活的亲身体验,培养学生自主、合作、探究性的学习行为和学习方式,形成正确的世界观、人生观和价值观,完善学生的心理品质、人格和审美情趣,为其终身发展奠定基础。

在工具性和人文性的问题上,不能厚此薄彼,更不能机械地脱离一方去谈另一方,因为没有脱离人文性的单纯的工具性,也没有脱离工具性的单纯的人文性。过分强调语文课程的工具性已经遭到了批评,同样,我们应该避免走向片面夸大语文课程人文性的另一个极端。另外,把语文的工具性和人文性有机地统一起来,是就语文课程的整体设计来讲的,所谓统一,并不是要求每节课工具性与人文性都各占50%,而是要求教师必须有一个明确的、统一的思想认识,某一节课更多地偏向工具性或人文性都是可以的。

(四) 语文课程的综合性

《义务教育语文课程标准》(2022年版)指出,语文学习应"注重语文与生活的结合,注重听说读写的内在联系""促进知识与能力、过程与方法、情感态度与价值观的整体发展"。综合性学习既符合语文教育的传统,又具有现代社会的学习特征。一方面,语文课文中除了语言文字知识外,还包含着广泛的社会科学知识和自然科学知识;另一方面,就语言文字本身来说,它综合着各种语文知识、各项语文训练,培养着多项语文能力。从中可以看出语文学科具有"超学科"的特点,语文教学的内容几乎涉及所有的知识领域。因此,学生不仅要学习语言文字的运用规律,掌握听说读写的知识与能力,还要从所学习的语文材料中汲取其中涉及的科学、艺术、文化等多种信息。

(五) 语文课程的实践性

语文课程的实践性包含两层意思:第一,语文课程要培养的是语文实践能力;第二,培养语文实践能力的基本途径是语文实践。语文能力就是理解语言和运用语言的实践能力,在"能力"前面加"实践"二字本没有必要,但其意在强调:语文课程要培养的是学生实际运用语言的能力,而不是从理论上分析、研究语言的能力。如果没有大量语言材料的积累和反复多次的语言实践活动,要提高理解语言和运用语言的能力是不可能的。

(六) 综合性和实践性的统一

《义务教育语文课程标准》(2022年版)指出:"语文课程是一门学习国家通用语言文字运用的综合性、实践性课程。"学习资源和实践机会无处不在、无时不有。因而,应该让学生多读多写,日积月累,在大量的语文实践中体会、把握运用语言的规律。因此,我们

---

① 温儒敏.温儒敏语文讲习录[M].杭州:浙江人民出版社,2019:31.

要树立语文"生活化"和学生生活"语文化"的指导思想。在教学过程中,教师要主动联系生活,自然而然地为自己的教学过程注入生活内容和"时代的活水",让学生在学习语文的同时也学习生活、感受生活,丰富人生经历。

> **练习题**

1. (多项选择题)语文课程的性质包括( )。
   A. 工具性　　B. 人文性　　C. 综合性　　D. 实践性　　E. 社会性
2. (简答题)如何理解语文课程的工具性与人文性?
3. (论述题)下面是两个时期语文教学大纲关于"语文课程性质"的表述,请从其中各自的特点或从比较的角度,谈谈你的看法。
   (1) 1992年《九年义务教育全日制初级中学语文教学大纲(试用)》:语文是学习和工作的基础工具。语文学科是学习其他各门学科的基础。学好语文,不但对于学好其他学科十分必要,而且对于将来从事工作和继续学习会产生深远的影响。
   (2) 2000年《九年义务教育全日制初级中学语文教学大纲(试用修订版)》:语文是最重要的交际工具,是人类文化的重要组成部分。语文学科是一门基础学科,对于学生学好其他学科、今后工作和继续学习,对于弘扬民族优秀文化和吸收人类的进步文化,提高国民素质,都具有重要意义。
4. (论述题)结合具体教学案例,谈谈在语文教学中如何把工具性和人文性统一起来。

第二节　中学语文课程的目标

在基础教育阶段,各学科均有其课程目标,语文课程目标是从语文学科的角度规定的语文课程人才培养的具体规格和质量要求。中学语文课程的目标是中学语文课程编制、课程实施和课程评价的准则和指南,是中学语文教育全部工作的出发点和归宿,指导和制约着中学语文教育的一切活动。因此,要保证中学语文教学的质量和效率,必须全面把握中学语文课程的目标。

一、中学语文课程目标的概念

知识点1:中学语文课程目标的概念

关于目标,一般辞书都解释为:想要达到的境地或标准。按这个意思,再结合教育的原理,中学语文课程目标就可以解释为:按照国家的教育方针,根据中学阶段学生的身心发展规律,通过完成中学语文课程规定的学习任务和教育任务,学生达到的语文素养发展水平。它是中学教育阶段对人才语文素质培养的具体标准和质量要求。

理解这个概念,至少要明确以下两点:

(1) 中学语文课程目标描述的是学生完成中学语文课程学习任务、接受相关教育后具有的素养及其表征。在中学语文课程的学习活动开展之前,中学语文课程的目标只可能是作为一种观念存在于教育者与受教育者的头脑中,而不是一种事实。这种对未来理想的描述相对于尚未开展课程教育活动之前受教育者的发展现状来说是非常美好的,因而它是教育者与受教育者共同追求的境界。中学语文课程的一切活动都将朝着这个境界去努力。

（2）完成中学语文课程规定的学习任务和教育任务是实现学生语文学科核心素养发展的前提条件。中学语文课程目标是随着中学语文课程规定的学习任务和教育任务的完成而逐步实现的,没有这一过程就没有中学语文课程目标的实现。

二、中学语文课程目标确立的依据

知识点2：中学语文课程目标确立的依据

中学语文课程目标的确立是由多种因素决定的。国家的教育方针、中学阶段的教育目的、中学生发展的需要、语文课程性质与语文学科核心素养等,都是确立中学语文课程目标时必须考虑的重要因素。

1. 国家的教育方针

教育方针是国家根据政治、经济的要求,为实现教育目的所规定的教育工作总方向,它明确了把受教育者培养成为什么样的社会角色和使受教育者具有什么样素质的根本性质问题。中学语文课程是中学教育内容体系乃至整个国家学校教育大系统中的一部分,因此中学语文课程必然受到国家教育方针的制约,以保证国家教育方针的贯彻落实和教育目的的最终实现。

《基础教育课程改革纲要（试行）》指出："新课程的培养目标应体现时代要求。要使学生具有爱国主义、集体主义精神,热爱社会主义,继承和发扬中华民族的优秀传统和革命传统；具有社会主义民主法制意识,遵守国家法律和社会公德；逐步形成正确的世界观、人生观、价值观；具有社会责任感,努力为人民服务；具有初步的创新精神、实践能力、科学和人文素养以及环境意识；具有适应终身学习的基础知识、基本技能和方法；具有健壮的体魄和良好的心理素质,养成健康的审美情趣和生活方式,成为有理想、有道德、有文化、有纪律的一代新人。"这是当前我国基础教育方针的具体阐释。《义务教育语文课程标准》（2022年版）课程理念的第一条指出："义务教育语文课程围绕立德树人根本任务,充分发挥其独特的育人功能和奠基作用,以促进学生核心素养发展为目的,以识字与写字、阅读与鉴赏、表达与交流、梳理与探究等语文实践活动为主线,综合构建素养型课程目标体系。"

2. 中学阶段的教育目的

中学语文课程是中学教育结构中的一部分,直接担负着实现中学阶段教育目的的重要使命。在中学教育中,初中属于国家义务教育的范畴。我国实行义务教育的根本目的,就是要使儿童、少年在品德、智力、体质等方面全面发展,为提高民族素质,培养有理想、有道德、有文化、有纪律的社会主义建设人才奠定基础。《义务教育语文课程标准》（2022年版）指出语文教学还应该"面向全体学生,突出基础性,使学生初步学会运用国家通用语言文字进行交流沟通,吸收古今中外优秀文化成果,提升思想文化修养,建立文化自信,德智体美劳得到全面发展"。《普通高中课程方案》（2017年版2020年修订）指出："普通高中教育是在义务教育基础上进一步提高国民素质、面向大众的基础教育。普通高中教育的任务是促进学生全面而有个性的发展,为学生适应社会生活、高等教育和职业发展作准备,为学生的终身发展奠定基础。"《义务教育语文课程标准》(2022年版)明确指出:"语文课程在推广普及国家通用语言文字、增强凝聚力、铸牢中华民族共同体意识、建立文化自信、培育时代新人,实现中华民族伟大复兴等方面具有不可替代的优势。语文课程的多重功能和奠基作用,决定了它在九年义务教育中的重要地位。"中学语文课程的目标必须反映中学阶段教育目的的基本精神,以使中学语文课程的实施为实现中学阶段教育目的发挥应有的作用。

3. 中学生发展的需要

中学语文课程目标的确立还应该从有利于学生全面发展的需要出发,考虑学生的心理特征、知识水平和语文能力等因素。同时,还要考虑学生的现有水平和期望水平的关系,以利于学生现阶段的学习能力和可持续发展能力的培养。心理学研究表明,处于中学阶段的青少年是身心发展最为活跃的一个年龄群,他们内心充满着各种各样的矛盾,比如渴望独立与依赖师长之间的矛盾、热爱创造与学识有限之间的矛盾等。中学生的知识水平和语文能力往往通过教育测量与评价的结果来体现。

4. 语文课程性质与语文学科核心素养

语文课程性质与语文学科核心素养的基本内涵是确立中学语文课程目标的内在依据。语文课程工具性和人文性相统一的性质特点,决定了语文课程的目标是培养学生理解和运用祖国语言文字的能力,培养学生爱国主义情感、社会主义道德品质,而这就需要把知识和能力、文化品位和审美情操、人生态度和价值观一起列入课程目标之中。《普通高中语文课程标准》(2017年版2020年修订)提出,语文学科核心素养主要包括"语言建构与运用""思维发展与提升""审美鉴赏与创造""文化传承与理解"四个方面,这决定了中学语文课程目标的统整与重构。《义务教育语文课程标准》(2022年版)也提出:"核心素养是学生通过课程学习逐步形成的正确价值观、必备品格和关键能力,是课程育人价值的集中体现。义务教育语文课程培养的核心素养,是学生在积极的语文实践活动中积累、建构并在真实的语言运用情境中表现出来的,是文化自信和语言运用、思维能力、审美创造的综合体现。"

三、中学语文课程目标体系

(一)初中语文课程目标

知识点3:初中语文课程目标的表述框架

课程目标体现语文课程的整体性和阶段性,整个义务教育语文课程目标系统分为总体目标和学段目标(四个学段)两部分,初中(七至九年级)属于第四学段。课程目标以核心素养的四个方面统领课程,分别为文化自信、语言运用、思维能力、审美创造。在学段目标的表述方面,只要是比较具体明确、便于操作和评价的目标,尽可能采用行为目标(以事先规定的行为期望为中心)来表述;某些目标的实现,难有达成度的测量,往往体现在学习的过程与方法之中,采取描述性的表述,于是呈现为展开性目标(以学习过程为中心)和表现性目标(以学生在学习中的表现为中心)。《义务教育语文课程标准》(2022年版)提出:"义务教育语文课程内容主要以学习任务群组织与呈现。""语文学习任务群由相互关联的系列学习任务组成,共同指向学生的核心素养发展。"义务教育语文课程分三个层面设计学习任务群,即"基础型学习任务群""发展型学习任务群""拓展型学习任务群",如图1-1所示。其中第一层设"语言文字积累与梳理"一个基础型学习任务群,第二层设"实用性阅读与交流""文学阅读与创意表达""思辨性阅读与表达"三个发展型学习任务群,第三层设"整本书阅读""跨学科学习"两个拓展型学习任务群。根据学段特点,学习任务群安排有所侧重。理解不同学段学习任务群的目标要求,在开展语文课程的过程中合理安排学习任务,对落实初中语文的课程目标有重要意义。

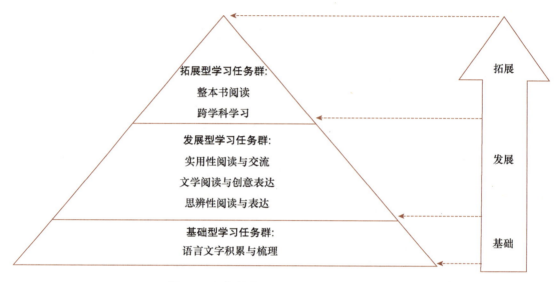

图1-1　义务教育语文课程学习任务群设计

1. 语文课程的目标

知识点4:语文课程的目标

《义务教育语文课程标准》(2022年版)在课程目标中明确提出:"语文课程围绕核心素养,体现课程性质,反映课程理念,确立课程目标。""义务教育语文课程培养的核心素养,是学生在积极的语文实践活动中积累、建构并在真实的语言运用情境中表现出来的,是文化自信和语言运用、思维能力、审美创造的综合体现。"

(1) 文化自信。

文化自信是指学生认同中华文化,对中华文化的生命力有坚定信心。通过语文学习,热爱国家通用语言文字,热爱中华文化,继承和弘扬中华优秀传统文化、革命文化、社会主义先进文化,关注和参与当代文化生活,初步了解和借鉴人类文明优秀成果,具有比较开阔的文化视野和一定的文化底蕴。

(2) 语言运用。

语言运用是指学生在丰富的语言实践中,通过主动的积累、梳理和整合,初步具有良好语感;了解国家通用语言文字的特点和运用规律,形成个体语言经验;具有正确、规范运用语言文字的意识和能力,能在具体语言情境中有效交流沟通;感受语言文字的丰富内涵,对国家通用语言文字具有深厚感情。

(3) 思维能力。

思维能力是指学生在语文学习过程中的联想想象、分析比较、归纳判断等认知表现,主要包括直觉思维、形象思维、逻辑思维、辩证思维和创造思维。思维具有一定的敏捷性、灵活性、深刻性、独创性、批判性,有好奇心、求知欲,崇尚真知,勇于探索创新,养成积极思考的习惯。

(4)审美创造。

审美创造是指学生通过感受、理解、欣赏、评价语言文字及作品,获得较为丰富的审美经验,具有初步的感受美、发现美和运用语言文字表现美、创造美的能力;涵养高雅情趣,具备健康的审美意识和正确的审美观念。

核心素养的四个方面是一个整体。语言是重要的交际工具和思维工具,语言发展的过程也是思维发展的过程,二者相互促进。语言文字及作品是重要的审美对象,语言学习与运用也是培养审美能力和提升审美品位的重要途径。语言文字既是文化的载体,又是文化的重要组成部分,学习语言文字的过程也是学生文化积淀与发展的过程。在语文课程中,学生的思维能力、审美创造、文化自信都以语言运用为基础,并在学生个体语言经验发展过程中得以实现。

2. 语文课程的总目标

知识点5:初中语文课程的最终目标

《义务教育语文课程标准》(2022年版)在第三部分课程目标中规定了九条总目标。初中是义务教育阶段的终端,所以义务教育语文课程的总目标反映了初中语文课程所要达到的最终目标。九条总目标如下:

(1)在语文学习过程中,培养爱国主义、集体主义、社会主义思想道德,逐步形成正确的世界观、人生观、价值观。

(2)热爱国家通用语言文字,感受语言文字及作品的独特价值,认识中华文化的丰厚博大,汲取智慧,弘扬社会主义先进文化、革命文化、中华优秀传统文化,建立文化自信。

(3)关心社会文化生活,积极参与和组织校园、社区等文化活动,发展交流、合作、探究等实践能力,增强社会责任意识。感受多样文化,吸收人类优秀文化的精华。

(4)认识和书写常用汉字,学会汉语拼音,能说普通话。主动积累、梳理基本的语言材料和语言经验,逐步形成良好的语感,初步领悟语言文字运用规律。学会使用常用的语文工具书,运用多种媒介学习语文,初步掌握基本的语文学习方法,养成良好的学习习惯。

(5)学会运用多种阅读方法,具有独立阅读能力。能阅读日常的书报杂志,初步鉴赏文学作品,能借助工具书阅读浅易文言文。学会倾听与表达,初步学会用口头语言文明地进行人际沟通和社会交往。能根据需要,用书面语言具体明确、文从字顺地表达自己的见闻、体验和想法。

(6)积极观察、感知生活,发展联想和想象,激发创造潜能,丰富语言经验,培养语言直觉,提高语言表现力和创造力,提高形象思维能力。

(7)乐于探索,勤于思考,初步掌握比较、分析、概括、推理等思维方法,辩证地思考问题,有理有据、负责任地表达自己的观点,养成实事求是、崇尚真知的态度。

(8)感受语言文字的美,感悟作品的思想内涵和艺术价值,能结合自己的经验,理解、欣赏和初步评价语言文字作品,丰富自己的情感体验和精神世界。

(9)能借助不同媒介表达自己的见闻和感受,学习发现美、表现美和创造美,形成健康的审美情趣。

九条总目标和旧课标中的相比,优化了课程内容,增强了指导性。更加强调在语文学习过程中培养爱国主义、集体主义、社会主义思想道德,逐步形成正确的世界观、人生观、价值观。在四个学段目标的结束部分都有一段文字标识这一个学段在育人导向上的具体要求,这更凸显出语文课程在推广普及国家通用语言文字,增强凝聚力,铸牢中华民族共同体意识,建立文化自信,培育时代新人,实现中华民族伟大复兴等方面具有不可替代的优势。

3. 初中学段语文课程目标

知识点6:义务教育阶段语文课程学段目标(七至九年级)

(1) 识字与写字。

① 能熟练地使用字典、词典独立识字,会用多种检字方法。累计认识常用汉字3500个左右。

② 写字姿势正确,保持良好的书写习惯。在使用硬笔熟练地书写正楷字的基础上,学写规范、通行的行楷字,提高书写的速度。临摹、欣赏名家书法,体会书法的审美价值。

(2) 阅读与鉴赏。

① 能用普通话正确、流利、有感情地朗读。养成默读习惯,有一定的速度,阅读一般的现代文,每分钟不少于500字。能较熟练地运用略读和浏览的方法,扩大阅读范围。

② 在通读课文的基础上,理清思路,理解、分析主要内容,体味和推敲重要词句在语言环境中的意义和作用。对课文的内容和表达有自己的心得,能提出自己的看法,并能与他人合作,共同探讨、分析、解决疑难问题。

③ 在阅读中了解叙述、描写、说明、议论、抒情等表达方式。能区分写实作品与虚构作品,了解诗歌、散文、小说、戏剧等文学样式。

④ 欣赏文学作品,有自己的情感体验,初步领悟作品的内涵,从中获得对自然、社会、人生的有益启示。能对作品中感人的情境和形象说出自己的体验,品味作品中富于表现力的语言。

⑤ 阅读简单的议论文,区分观点与材料(道理、事实、数据、图表等),发现观点与材料之间的联系,并通过自己的思考,作出判断。阅读新闻和说明性文章,能把握文章的基本观点,获取主要信息。阅读科技作品,还应注意领会作品中所体现的科学精神和科学思想方法。阅读由多种材料组合、较为复杂的非连续性文本,能领会文本的意思,得出有意义的结论。

⑥ 诵读古代诗词,阅读浅易文言文,能借助注释和工具书理解基本内容。注重积累、感悟和运用,提高自己的欣赏品位。背诵优秀诗文80篇(段)。

⑦ 每学年阅读两三部名著,探索个性化的阅读方法,分享阅读感受,开展专题探究,建构阅读整本书的经验。感受经典名著的艺术魅力,丰富自己的精神世界。

⑧ 随文学习基本的词汇、语法知识,用以帮助理解课文中的语言难点;了解常用的修辞方法,体会它们在课文中的表达效果。了解课文涉及的重要作家作品知识和文化常识。

⑨ 能利用图书馆、网络搜集自己需要的信息和资料,帮助阅读。学会制订自己的阅读计划,广泛阅读各种类型的读物,课外阅读总量不少于260万字。

(3) 表达与交流。

① 注意对象和场合,学习文明得体地交流。耐心专注地倾听,能根据对方的话语、表情、手势等,理解对方的观点和意图。

② 自信、负责地表达自己的观点,做到清楚、连贯、不偏离话题。注意表情和语气,根据需要调整自己的表达内容和方式,不断提高应对能力,增强感染力和说服力。

③ 讲述见闻,内容具体、语言生动。复述转述,完整准确、突出要点。能就适当的话题作即席讲话和有准备的主题演讲,有自己的观点,有一定说服力。讨论问题,能积极发表自己的看法,有中心,有根据,有条理;能把握讨论的焦点,并能有针对性地发表意见。

④ 多角度观察生活,发现生活的丰富多彩,能抓住事物的特征,为写作奠定基础。写作要有真情实感,表达自己对自然、社会、人生的感受、体验和思考,力求有创意。

⑤ 写作时考虑不同的目的和对象。根据表达的需要,围绕表达中心,选择恰当的表达方式。合理安排内容的先后和详略,条理清楚地表达自己的意思。运用联想和想象,丰富表达的内容。正确使用常用的标点符号。

⑥ 写记叙性文章,表达意图明确,内容具体充实;写简单的说明性文章,做到明白清楚;写简单的议论性文章,做到观点明确,有理有据;能根据生活需要,写常见应用文。能从文章中提取主要信息,进行缩写;能根据文章的基本内容和自己的合理想象,进行扩写;能变换文章的文体或表达方式等,进行改写。尝试诗歌、小小说的写作。

⑦ 注重写作过程中搜集素材、构思立意、列纲起草、修改加工等环节,提高独立写作的能力。根据表达的需要,借助语感和语文常识修改自己的作文,做到文从字顺。能与他人交流写作心得,互相评改作文,以分享感受,沟通见解。作文每学年一般不少于14次,其他练笔不少于1万字,45分钟能完成不少于500字的习作。

(4) 梳理与探究。

① 按照一定的标准分类整理学过的字词句篇等语言材料,梳理、反思自己语文学习的经验,努力提高语言文字运用能力,增强表达效果。

② 学习跨媒介阅读与运用,体会不同媒介的表达特点,根据需要选用合适的媒介呈现探究结果。

③ 自主组织文学活动,在办刊、演出、讨论等活动过程中体验合作与成功的喜悦。关心学校、本地区和国内外大事,就共同关注的热点问题搜集资料,调查访问,相互讨论,能用文字、图表、图画、照片等展示学习成果。

④ 能提出学习和生活中感兴趣的问题,共同讨论,选出研究主题,制订简单的研究计划。能从书刊或其他媒体中获取有关资料,讨论分析问题,独立或合作写出简单的研究报告。掌握查找资料、引用资料的基本方法,分清原始资料与间接资料,学会注明所援引资料的出处。

《义务教育语文课程标准》(2022年版)还特别提出:"在落实以上要求的过程中,注重理解中华优秀传统文化蕴含的核心思想理念、中华人文精神和传统美德,表达自己作为中华民族一员的归属感和自豪感;体会中国共产党在长期奋斗历程中培育形成的崇高精神和人格风范,体认英雄模范忠于祖国和人民的优秀品质,培育民族气节和爱国主义情怀。"

综上,《义务教育语文课程标准》(2022年版)将原来的识字与写字、阅读、写话/习作、口语交际、综合性学习整合为识字与写字、阅读与鉴赏、表达与交流、梳理与探究四种语文学科实践活动,从中也可以看出核心素养在语文教学目标中的渗透。例如,强调阅读是个性化行为,尊重学生的阅读感受;强调写作中不同环节的写作方法指导和能力培养等。

（二）学科核心素养与高中语文课程目标

1. 学科核心素养

知识点 7：学科核心素养

学科核心素养是学科育人价值的集中体现，是学生通过学科学习而逐步形成的正确价值观念、必备品格和关键能力。语文学科核心素养是学生在积极的语言实践活动中积累与构建起来，并在真实的语言运用情境中表现出来的语言能力及品质；是学生在语文学习中获得的语言知识与语言能力，思维方法与思维品质，情感、态度与价值观的综合体现。语文学科核心素养主要包括"语言建构与运用""思维发展与提升""审美鉴赏与创造""文化传承与理解"四个方面。

（1）语言建构与运用。

语言建构与运用是指学生在丰富的语言实践中，通过主动的积累、梳理和整合，逐步掌握祖国语言文字特点及其运用规律，形成个体言语经验，发展其在具体语言情境中正确有效地运用祖国语言文字进行交流沟通的能力。

（2）思维发展与提升。

思维发展与提升是指学生在语文学习过程中，通过语言运用，获得直觉思维、形象思维、逻辑思维、辩证思维和创造思维的发展，促进深刻性、敏捷性、灵活性、批判性和独创性等思维品质的提升。

（3）审美鉴赏与创造。

审美鉴赏与创造是指学生在语文学习中，通过审美体验、评价等活动形成正确的审美意识、健康向上的审美情趣与鉴赏品位，并在此过程中逐步掌握表现美、创造美的方法。

（4）文化传承与理解。

文化传承与理解是指学生在语文学习中，继承和弘扬中华优秀传统文化、革命文化、社会主义先进文化，理解和借鉴不同民族和地区的文化，拓展文化视野，增强文化自觉，提升中国特色社会主义文化自信，热爱祖国语言文字，热爱中华文化，防止文化上的民族虚无主义。

语文学科核心素养的四个方面是一个整体。语言是重要的交际工具，也是重要的思维工具；语言的发展与思维的发展相互依存，相辅相成。语言文字是文化的载体，又是文化的重要组成部分；学习语言文字的过程也是文化获得的过程。语言文字作品是人类重要的审美对象，语文学习也是学生审美能力和审美品质发展的重要途径。语言建构与运用是语文学科核心素养的基础，在语文课程中，学生的思维发展与提升、审美鉴赏与创造、文化传承与理解，都是以语言的建构与运用为基础，并在学生个体言语经验发展过程中得以实现的。

2. 高中语文课程目标的整体设计思路

知识点 8：高中语文课程目标的整体设计思路

学生通过阅读与鉴赏、表达与交流、梳理与探究等语文学习活动，在语言建构与运用、思维发展与提升、审美鉴赏与创造、文化传承与理解几个方面都获得进一步的发展；坚定文化自信，自觉弘扬社会主义核心价值观，树立积极向上的人生理想，为全面发展和终身发展奠定基础。

普通高中语文课程由必修、选择性必修、选修三类课程构成。必修课程，每名学生必须修习;选择性必修课程,学生根据个人需求与升学考试要求选择修习;选修课程,学生可自由选择学习。这三类课程分别安排7~9个学习任务群(见表1-1),并在每个学习任务群下设任务群学习目标。比如,学习任务群1"整本书阅读与研讨"的学习目标与内容为:

(1) 在阅读过程中,探索阅读整本书的门径,形成和积累自己阅读整本书的经验。重视学习前人的阅读经验,根据不同的阅读目的,综合运用精读、略读与浏览的方法阅读整本书,读懂文本,把握文本丰富的内涵和精髓。

(2) 在指定范围内选择阅读一部长篇小说。通读全书,整体把握其思想内容和艺术特点。从最使自己感动的故事、人物、场景、语言等方面入手,反复阅读品味,深入探究,欣赏语言表达的精彩之处,梳理小说的感人场景乃至整体的艺术架构,理清人物关系,感受、欣赏人物形象,探究人物的精神世界,体会小说的主旨,研究小说的艺术价值。

(3) 在指定范围内选择阅读一部学术著作。通读全书,勾画圈点,争取读懂;梳理全书大纲小目及其关联,作出全书内容提要;把握书中的重要观点和作品的价值取向。阅读与该书相关的资料,了解该书的学术思想及学术价值。通过反复阅读和思考,探究该书的语言特点和论述逻辑。

(4) 利用书中的目录、序跋、注释等,学习检索作者信息、作品背景、相关评价等资料,深入研读作家作品。

(5) 联系个人经验,深入理解作品;享受读书的愉悦,从作品中汲取营养,丰富自己的精神世界,逐步形成正确的世界观、人生观和价值观。用自己的语言撰写全书梗概或提要、读书笔记与作品评介,通过口头、书面形式或其他媒介与他人分享。

表 1-1 普通高中语文课程结构及学分

课程类型	学习任务群	
必修(8学分)	学习任务群 1	整本书阅读与研讨(1学分)
	学习任务群 2	当代文化参与(0.5学分)
	学习任务群 3	跨媒介阅读与交流(0.5学分)
	学习任务群 4	语言积累、梳理和探究(1学分)
	学习任务群 5	文学阅读与写作(2.5学分)
	学习任务群 6	思辨性阅读与表达(1.5学分)
	学习任务群 7	实用性阅读与交流(1学分)
选择性必修(6学分)	学习任务群 4	语言积累、梳理和探究(1学分)
	学习任务群 8	中华传统文化经典研习(2学分)
	学习任务群 9	中国革命传统作品研习(0.5学分)
	学习任务群 10	中国现当代作家作品研习(0.5学分)
	学习任务群 11	外国作家作品研习(1学分)
	学习任务群 12	科学与文化论著研习(1学分)
选修(任选)	学习任务群 13	汉字汉语专题研讨(2学分)
	学习任务群 14	中华传统文化专题研讨(2学分)
	学习任务群 15	中国革命传统作品专题研讨(2学分)
	学习任务群 16	中国现当代作家作品专题研讨(2学分)
	学习任务群 17	跨文化专题研讨(2学分)
	学习任务群 18	学术论著专题研讨(2学分)

说明:选修性必修课程和选修课程中,整本书阅读与研讨、当代文化参与、跨媒介阅读与交流三个学习任务群不设学分,穿插在其他学习任务群中。

3. 高中语文课程总目标

知识点9：高中语文课程总目标

（1）语言积累与建构。积累较为丰富的语言材料和言语活动经验，形成良好的语感；在已经积累的语言材料间建立起有机的联系，在探究中理解、掌握祖国语言文字运用的基本规律。

（2）语言表达与交流。能凭借语感和对语言运用规律的把握，根据具体的语言情境和不同的对象，运用口头和书面语言文明得体地进行表达与交流；能将具体的语言文字作品置于特定的交际情境和历史文化情境中理解、分析和评价。

（3）语言梳理与整合。通过梳理和整合，将积累的语言材料和学习的语文知识结构化，将言语活动经验逐渐转化为具体的学习方法和策略，并能在语言实践中自觉地运用。

（4）增强形象思维能力。获得对语言和文学形象的直觉体验；在阅读与鉴赏、表达与交流、梳理与探究活动中运用联想和想象，丰富自己对现实生活和文学形象的感受与理解，丰富自己的经验与语言表达。

（5）发展逻辑思维。能够辨识、分析、比较、归纳和概括基本的语言现象和文学现象，并有理有据地表达自己的观点和阐述自己的发现；运用基本的语言规律和逻辑规则，判别语言运用的正误，准确、生动、有逻辑地表达自己的认识；运用批判性思维审视语言文字作品，探究和发现语言现象和文学形象，形成自己对语言和文学的认识。

（6）提升思维品质。自觉分析和反思自己的语文实践活动经验，提高语言运用的能力，增强思维的深刻性、敏捷性、灵活性、批判性和独创性。

（7）增进对祖国语言文字的美感体验。感受祖国语言文字独特的美，增强热爱祖国语言文字的感情。

（8）鉴赏文学作品。感受和体验文学作品的语言、形象和情感之美，能欣赏、鉴别和评价不同时代、不同风格的作品，具有正确的价值观、高尚的审美情趣和审美品位。

（9）美的表达与创造。能运用祖国语言文字表达自己的审美体验，表达自己的情感、态度和观念，表现和创造自己心中的美好形象；讲究语言文字表达的效果及美感，具有创新意识。

（10）传承中华文化。通过学习运用祖国语言文字，体会中华文化的博大精深、源远流长，体会中华文化的核心思想理念和人文精神，增强文化自信，理解、认同、热爱中华文化，继承、弘扬中华传统文化和革命文化。

（11）理解多样文化。通过学习语言文字作品，懂得尊重和包容，初步理解和借鉴不同民族、不同区域、不同国家的优秀文化，吸收人类文化的精华。

（12）关注、参与当代文化。关注并积极参与当代文化传播与交流，在运用祖国语言文字的过程中，坚持文化自信，提高社会责任感，增强为中华民族伟大复兴而奋斗的使命感。

练习题

1. （多项选择题）下列哪些属于义务教育语文课程七至九年级的学段目标？（　　　　）

　　A. 累计认识常用汉字3500个左右。
　　B. 默读有一定的速度，默读一般读物每分钟不少于300字。
　　C. 注重积累，背诵优秀诗文80篇（段）。

D. 写作训练,5分钟能完成不少于500字的习作。
E. 学会制订自己的阅读计划,广泛阅读各种类型的读物,课外阅读总量不少于260万字。

2. (简答题)简述中学语文课程目标确立的依据。
3. (评述题)评价如下《大自然的语言》的核心素养教学目标。

语言建构与运用:通过具体品析文章中准确的字词、多元的手法、精妙的句子,理解生动有趣的语言风格。

思维发展与提升:通过梳理文章的脉络,了解物候和物候学相关知识,明确说明文逻辑清晰的结构特点。

审美鉴赏与创造:欣赏南北方在经纬、海拔等方面的景观差异,提高审美鉴赏能力。

文化传承与理解:发掘古诗词、民谚中"大自然的语言",弘扬中华优秀传统文化,同时加深对文章的理解。

4. (论述题)结合教学实例,谈谈如何在语文教学中落实学科核心素养。

☞ 本章小结

明确语文课程的性质是从事语文教育的出发点。语文课程标准对"工具性与人文性的统一"的定性,统一了人们对语文课程性质的认识,使语文教育界摆脱了长期以来关于语文课程性质的争论。

中学语文课程目标是中学语文教育实施的基本依据。初中语文课程目标纵向以文化自信、语言运用、思维能力、审美创造四个方面核心素养统领课程,横向以"识字与写字""阅读与鉴赏""表达与交流""梳理与探究"四个领域表明了课程学习范围。高中语文课程目标以"阅读与鉴赏""表达与交流""梳理与探究"三个板块明确了课程学习活动,以"语言建构与运用""思维发展与提升""审美鉴赏与创造""文化传承与理解"四个方面表明了课程目标体系,以18个学习任务群确定了课程学习的范围与内容。

☞ 本章知识结构

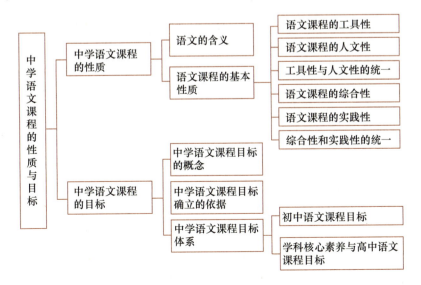

☞ 本章参考文献

[1] 陈建伟.中学语文课程与教学论[M].2版.广州：暨南大学出版社,2008.
[2] 黄绮华,李求真.语文教学论[M].广州：新世纪出版社,1996.
[3] 李山林.语文课程与教学论案例教程[M].长沙：湖南师范大学出版社,2006.
[4] 李镇西.听李镇西老师讲课[M].上海：华东师范大学出版社,2010.
[5] 钱加清.语文课程与教学论[M].济南：山东人民出版社,2008.
[6] 王玉辉,王雅萍.语文课程与教学论[M].北京：北京师范大学出版社,2012.
[7] 温儒敏.温儒敏语文讲习录[M].杭州：浙江人民出版社,2019.
[8] 中华人民共和国教育部.普通高中语文课程标准(2017年版2020年修订)[S].北京：人民教育出版社,2020.
[9] 中华人民共和国教育部.义务教育语文课程标准(2022年版)[S].北京：北京师范大学出版社,2022.
[10] 朱绍禹.语文课程与教学论[M].长春：东北师范大学出版社,2005.

第二章

中学语文课程标准与课程资源

☞ 学习目标

识记：中学语文课程纲领性文件的历史沿革；中学语文课程标准的内容结构；语文课程资源的特点，语文教材的构成要素、功能特点、结构类型。

理解：语文素养的内涵，中学语文课程的基本理念，语文课程资源的开发与利用原则，课程标准关于教材编写建议的基本精神，现行统编本语文教材的编写理念、结构方式、选文特点。

运用：能够在中学语文教学中体现课程标准所倡导的课程基本理念，落实课程标准中规定的内容和要求；树立"大语文教育"的课程资源观；能准确把握语文教材的特点，能根据学生的学习需求使用教材，能根据所选教学内容合理开发、选择和利用教学资源。

☞ 学习重点

◎ 理解中学语文课程标准的基本理念和内容框架，并将之体现到实际教学中。

◎ 明晰语文课程资源的概念和特点，了解语文教材的构成要素和功能特点。

◎ 熟悉并深入掌握现行统编本语文教材的编写理念、结构方式及选文特点。

◎ 树立正确的语文课程资源观和教材使用观，能根据学生的学习需求和所选教学内容合理开发、选择和利用教学资源。

☞ 学习导引

国家教师资格考试注重考查考生对中学语文课程标准的正确理解。考生应在了解和熟悉中学语文课程纲领性文件历史发展的基础上，全面掌握中学语文课程标准的基本理念和框架结构，并能将课程标准中的内容和要求运用于实际的语文教学过程中。

首先，国家教师资格考试大纲要求考生了解语文教学资源的多样性，能根据所选教学内容合理开发、选择和利用教学资源。其次，考生还需熟悉现行通用初中语文教材的编写理念、结构方式和选文特点，能够根据学生的学习需求使用教材。最后，考生应准确把握所教的教学内容，理解本单元在教材中的地位以及与其他单元的关系。

【引子】

中学语文课程纲领性文件的历史沿革如何？现行中学语文课程标准的基本理念、内容结构是什么？课程内容如何转化为教材内容？教材内容又如何转化为教学内容？现行统编本教材秉持了什么样的编写理念？采用了什么样的编排方式？如何根据学情需要和教材"指令"设计教学？本章内容对这些问题进行了具体的解答。

第一节　中学语文课程标准

　　语文课程纲领性文件是国家对基础教育阶段语文课程进行基本规范的纲领性、指导性文件,是编写语文教材、组织语文教学、进行语文课程与教学评估和考试命题的依据。我国自清朝末年语文独立设科以来颁发过的语文课程纲要、语文课程标准、语文教学大纲等都属于此类文件。

一、中学语文课程纲领性文件的历史沿革

知识点1：中学语文课程纲领性文件的历史沿革

　　自清朝末年语文独立设科以来,中学语文课程纲领性文件的发展可以依据其在不同历史时代的名称及内容变化,分为如下四个时期：

（一）清末独立设科初期：学堂章程时期

　　20世纪初,清政府实行"新政",提出"废科举,兴学堂"。1902年,清政府颁布了由管学大臣张百熙等拟定的《钦定学堂章程》(即"壬寅学制")。因这个章程未能实施,清政府于1904年又颁布了由张之洞、荣庆、张百熙合订的《奏定学堂章程》(即"癸卯学制"),这是我国第一个经正式颁布后在全国推广实行的学制。该章程规定中学堂修业5年,开设"读经讲经""中国文学"等与语文相关的课程。这些课程与初等小学所设"读经讲经""中国文字"等课程的出现,结束了传统的综合性教学历史,是"语文"单独设科的开始,标志着中国现代语文教育的正式开端。

（二）民国时期：国文国语课程标准（或课程纲要）时期

　　1912年,中华民国临时政府成立,任命蔡元培为教育部总长。1912—1913年,教育部陆续公布了《中学校令》《中学校令施行规则》《中学校课程标准》等文件,规定中学校修业四年,废除"读经讲经",将"中国文学"更名为"国文"。

　　1922年,在全国教育联合会的推动下,北洋政府实施"六三三学制"(即"壬戌学制"),将中学分为初、高两级,共六年。1923年,新学制课程标准起草委员会制定了《新学制课程标准纲要初级中学国语课程纲要》(由叶绍钧起草)和《新学制课程标准纲要高级中学公共必修的国语课程纲要》(由胡适起草)。这两个国语课程纲要均由"目的""内容和方法""毕业最低限度的标准"三部分组成,初中内容分为"读书""作文""写字"三项①,高中内容分为"读书""文法""作文"三项②。这是我国语文教育史上第一套体系较为严整的中学语文课程纲领性文件。

　　1927年以后,国家政治形势发生了变化。1929年,国民政府教育部中小学课程标准起草委员会颁布了《初级中学国文暂行课程标准》和《高级中学普通科国文暂行课程标

---

　　① 课程教材研究所.20世纪中国中小学课程标准·教学大纲汇编：语文卷[S].北京：人民教育出版社,2001：274-276.

　　② 同①：277-279.

准》，将"国文"作为中学语文课程名称。此后，一直到1948年，国民政府多次颁布的中学国文课程标准及其修订文件，除了名称和内容稍有差异，前后变化不大。

（三）20世纪后期：语文教学大纲时期

1949年中华人民共和国成立后，国家教育行政部门颁发过多种中学语文教学大纲，其中，1955—1956年颁行的《初级中学文学教学大纲（草案）》《初级中学汉语教学大纲（草案）》和《高级中学文学教学大纲（草案）》为汉语、文学分科时期的教学大纲，详细规定了初中的文学、汉语和高中文学三科教学的目的、内容和方法等。1963年颁行的《全日制中学语文教学大纲（草案）》，对语文学科的性质和中学语文教学的目的、要求、内容等进行了明确规定，它是当时语文教育界大讨论的结晶。1978年颁布的《全日制十年制学校中学语文教学大纲（试行草案）》由"教学的目的和要求""教材的内容和编排""作文教学""教学中的几个问题"四部分组成，后面附有各年级读写训练要求和课文目录。1986年我国制定的《全日制中学语文教学大纲》，于1990年进行了修订，旨在"根据九年义务教育教学大纲的精神，减去过多的内容，降低过高的要求"[①]。1992年颁行的《九年义务教育全日制初级中学语文教学大纲（试用）》，将良好的语文学习习惯培养列入教学目的和教学要求，把课外活动作为教学内容。为了全面推进素质教育，2000年教育部颁布《九年义务教育全日制初级中学语文教学大纲（试用修订版）》和《全日制普通高级中学语文教学大纲（试验修订版）》，第一次提出了"教学评估"的要求。

（四）21世纪以来：语文课程标准时期

随着我国20世纪后期改革开放以来基础教育改革的不断进行，2001年7月，教育部颁发了《全日制义务教育语文课程标准（实验稿）》。这个课程标准由前言（包括课程性质与地位、课程的基本理念、课程标准的设计思路）、课程目标（包括总目标、阶段目标）、实施建议（包括教材编写建议、课程资源的开发与利用、教学建议、评价建议）三个部分组成，体现了新一轮课程改革的精神。2003年4月，教育部相继颁发了《普通高中语文课程标准（实验）》。该课程标准规定：高中语文课程由必修课程五个模块和选修课程五个系列若干模块组成。为了进一步深化基础教育改革，提高语文教育质量，教育部对这两个语文课程标准予以修订完善，相继颁发了《义务教育语文课程标准》（2011年版）和《普通高中语文课程标准》（2017年版）。2020年，教育部对《普通高中语文课程标准》（2017年版）进行了修订，颁发了《普通高中语文课程标准》（2017年版2020年修订）。现行的语文课程标准，对于建构21世纪的全新语文课程体系，对于全面提升学生的语文素养，将起到重要的指导作用。随着义务教育全面普及和当今世界科技进步日新月异，人才培养面临新挑战。义务教育课程标准必须与时俱进，进行修订和完善。2022年3月，教育部颁发了《义务教育语文课程标准》（2022年版）。这个课程标准由前言（包括指导思想、修订原则、主要变化）、正文内容（包括课程性质、课程理念、课程目标、课程内容、学业质量、课程实施）和附录组成，多角度体现了新一轮课程改革的精神。

[①] 课程教材研究所.20世纪中国中小学课程标准·教学大纲汇编：语文卷[S].北京：人民教育出版社，2001：502.

二、中学语文课程标准的课程理念

（一）初中语文课程基本理念

初中阶段(七至九年级)属于义务教育语文学科的第四学段,因而《义务教育语文课程标准》(2022年版)所提出的五个语文课程基本理念就是初中语文课程要遵循的基本理念。

1. 立足学生核心素养发展,充分发挥语文课程育人功能

《义务教育语文课程标准》(2022年版)指出："义务教育语文课程围绕立德树人根本任务,充分发挥其独特的育人功能和奠基作用,以促进学生核心素养发展为目的,以识字与写字、阅读与鉴赏、表达与交流、梳理与探究等语文实践活动为主线,综合构建素养型课程目标体系;面向全体学生,突出基础性,使学生初步学会运用国家通用语言文字进行交流沟通,吸收古今中外优秀文化成果,提升思想文化修养,建立文化自信,德智体美劳得到全面发展。"

知识点 2：语文素养的提出

早在 1947 年,叶圣陶就在他的《关于〈中学生与文艺〉笔谈会》一文中提到过"语文素养"一词。他说："就文艺说,切实地干分两方面。研究文艺是一方面,创作文艺又是一方面。这两方面要干得到家,都得靠充实的生活,广博的经验,以及超过一般水准的语文素养。"[①] 1993 年,周庆元明确提出：语文教育旨在提高语文素养[②]。2001 年颁布的《全日制义务教育语文课程标准(实验稿)》正式将"语文素养"作为语文课程的一个核心概念提出,《义务教育语文课程标准》(2011 年版)、《普通高中语文课程标准》(2017 年版 2020 年修订)及《义务教育语文课程标准》(2022 年版)也沿用了这一概念。"语文素养"的提出以及对它的高度重视是时代发展的需要,更是语文教育教学发展的必然。

知识点 3：语文素养的内涵

语文素养是一个开放性、呈动态发展的概念,其内涵非常丰富,既体现了不同时代普遍适用的语文课程的核心内容和要求,又有鲜明的时代特征。语文素养的形成必须结合语文课程的特点,在"识字与写字""阅读与鉴赏""表达与交流""梳理与探究"四个方面的教学中形成。

语文素养是一个由多种要素组成的动态系统。从《义务教育语文课程标准》(2022 年版)来看,语文核心素养包括文化自信、语言运用、思维能力和审美创造。核心素养的四个方面是一个整体。语言是重要的交际工具和思维工具,语言发展的过程也是思维发展的过程,二者相互促进。语言文字及作品是重要的审美对象,语言学习与运用也是培养审美能力和提升审美品位的重要途径。语言文字既是文化的载体,又是文化的重要组成部分,学习语言文字的过程也是学生文化积淀与发展的过程。在语文课程中,学生的文化自信、思维能力、审美创造都以语言运用为基础,并在学生个体语言经验发展过程中得以实现。

知识点 4：面向全体学生,促进学生语文素养的全面提高

《义务教育语文课程标准》(2022 年版)指出,义务教育语文课程必须"面向全体学生,

---

① 叶圣陶.叶圣陶集：第 12 卷[M].南京：江苏教育出版社,1991：202.
② 周庆元.语文教育旨在提高语文素养[J].湖南师范大学社会科学学报,1993(6)：105.

突出基础性,使学生初步学会运用国家通用语言文字进行交流沟通"。这是义务教育给学生的基本权利,也是学生将来赖以学习、生活和工作的保证。

全面提高学生的语文素养,是指语文课程应激发和培育学生热爱祖国语言文字的思想感情,引导学生丰富语言积累,培养语感,发展思维,初步掌握学习语文的基本方法,养成良好的学习习惯,具有适应实际生活需要的识字写字能力、阅读能力、写作能力、口语交际能力,正确运用祖国语言文字。语文课程还应通过优秀文化的熏陶感染,促进学生和谐发展,使他们提高思想道德修养和审美情趣,逐步形成良好的个性和健全的人格。"全面提升核心素养"这一理念充分体现了语文课程"工具性与人文性的统一"的基本特点,注重语文素养的整体形成与发展,有助于消除对于语文课程和教学的一些片面认识。

2. 构建语文学习任务群,注重课程的阶段性与发展性

知识点 5:构建语文学习任务群,注重课程的阶段性与发展性

《义务教育语文课程标准》(2022 年版)指出:"义务教育语文课程结构遵循学生身心发展规律和核心素养形成的内在逻辑,以生活为基础,以语文实践活动为主线,以学习主题为引领,以学习任务为载体,整合学习内容、情境、方法和资源等要素,设计语文学习任务群。学习任务群的安排注重整体规划,根据学段特征,突出不同学段学生核心素养发展的需求,体现连贯性和适应性。"学习任务群是语文学习的载体。构建学习任务群,能够整合语文学习的内容、情境、方法和资源等。在实施任务群的过程中,要注意不同阶段的学生发展需求不同,教学过程应"随生而变"。

3. 突出课程内容的时代性和典范性,加强课程内容整合

知识点 6:突出课程内容的时代性和典范性,加强课程内容整合

针对课程内容的整合,《义务教育语文课程标准》(2022 年版)提出了新的要求:"义务教育语文课程突出内容的时代性,充分吸收语言、文学研究新成果,关注数字时代语言生活的新发展,体现学习资源的新变化。强调内容的典范性,精选文质兼美的作品,重视对学生思想情感的熏陶感染作用,重视价值取向,突出社会主义先进文化、革命文化、中华优秀传统文化。"

语文是一门具有综合性特点的学科,语文课程内容要与生活、其他学科相互联系,做到整合听说读写,从而促进知识与能力、过程与方法、情感态度与价值观的整体发展,并根据不同的学制合理组织与安排课程内容。

4. 增强课程实施的情境性和实践性,促进学习方式变革

知识点 7:增强课程实施的情境性和实践性,促进学习方式变革

《义务教育语文课程标准》(2022 年版)指出:"义务教育语文课程实施从学生语文生活实际出发,创设丰富多样的学习情境,设计富有挑战性的学习任务,激发学生的好奇心、想象力、求知欲,促进学生自主、合作、探究学习;引导学生注重积累,勤于思考,乐于实践,勇于探索,养成良好的学习习惯;关注个体差异和不同的学习需求,鼓励自主阅读、自由表达;倡导少做题、多读书、好读书、读好书、读整本书,注重阅读引导,培养读书兴趣,提高读书品位;充分发挥现代信息技术的支持作用,拓展语文学习空间,提高语文学习能力。"

可见,语文课程实施注重情境性、实践性,以及学习方式的变革。应创设真实而有意

义的学习情境,培养学生发现问题、解决问题的能力,促进学生自主、合作、探究学习;引导学生养成良好的学习习惯和读书习惯;关注个体差异和不同的学习需求;充分发挥现代信息技术的支持作用,提高语文学习能力。

5. 倡导课程评价的过程性和整体性,重视评价的导向作用

知识点8:倡导课程评价的过程性和整体性,重视评价的导向作用

《义务教育语文课程标准》(2022年版)指出:"课程评价应准确反映学生的语文学习水平和学习状况,注重考察学生的语言文字运用能力、思维过程、审美情趣和价值立场,关注学生学习过程和学习进步。根据不同年龄学生的学习特点和不同学段的学习目标,选用恰当的评价方式,抓住关键,突出重点,加强语文课程评价的整体性和综合性。注重评价主体的多元与互动,以及多种评价方式的综合运用,充分利用现代信息技术促进评价方式的变革。"

语文课程评价的过程性要求评价要贯串语文学习的全过程,尤其是对学生语文实践活动过程的评价。语文课程评价的整体性是语文课程评价的基本理念,从学生的整体发展出发,指向核心素养和任务群的同时也指向评价的目标、标准、内容和方式四个方面。在语文教学中,教师应树立"教、学、评"一体化的教学理念,设计与评价标准相关的语文实践活动和评价任务。

(二)高中语文课程基本理念

《普通高中语文课程标准》(2017年版)在坚持2003年版《普通高中语文课程标准(实验)》相关理念基础上,进一步完善和调整,提出了高中语文课程的四条基本理念,《普通高中语文课程标准》(2017年版2020年修订)继续沿用这四条基本理念。

1. 坚持立德树人,增强文化自信,充分发挥语文课程的育人功能

知识点9:坚持立德树人,增强文化自信,充分发挥语文课程的育人功能

立德树人是教育的根本目标。《普通高中语文课程标准》(2017年版2020年修订)在坚持2003年版《普通高中语文课程标准(实验)》所强调的"充分发挥语文课程的育人功能"的基础上,进一步突出"坚持立德树人,增强文化自信"的理念。语文是学生和国民的精神家园,高中语文课程的建设,要坚持立德树人,使学生受到中华优秀文化的熏陶,增强文化自信,养成热爱祖国和中华文明、献身人类事业的精神品格,逐步形成热爱美好生活和奋发向上的人生态度以及自己的思想和行为准则,增强为中华民族伟大复兴而努力的历史使命感和社会责任感。同时,还要加强语文课程内容与学生成长的联系,引导学生积极参与实践活动,学习认识自然、认识社会、认识自我、规划人生,在促进人的全面发展方面发挥应有的功能。

2. 以核心素养为本,推进语文课程深层次的改革

知识点10:以核心素养为本,推进语文课程深层次的改革

立德树人的课程价值追求需要通过语文学科核心素养来体现,因而,高中语文课程要"以核心素养为本,推进语文课程深层次的改革"。高中语文课程要在义务教育语文课程的基础上,继续引导学生丰富语言积累,发展语感,掌握学习语文的基本方法,养成良好的学习习惯,提高运用祖国语言文字的能力,促进思维能力的发展与思维品质的提升。

同时，语文教育要让学生在语言文字运用的学习中受到美的熏陶，养成自觉的审美意识和高尚的审美情趣，培养审美感知、创造的能力。另外，语言是文化的载体，语文课程应该引导学生自觉继承中华优秀传统文化，吸收世界各民族优秀文化，为未来成为新文化的创造者打下良好的基础。

3. 加强实践性，促进学生语文学习方式的转变

知识点 11：加强实践性，促进学生语文学习方式的转变

语文能力就是语言文字的应用能力，这种应用能力理应在实践活动中培养，所以高中生语文应用能力的培养应该在更为广泛的语文实践活动中进行。《普通高中语文课程标准》(2017年版2020年修订)强调："语文课程作为一门实践性课程，应着力在语文实践中培养学生的语言文字运用能力。"课程设计应联系学校和社会的情境，引导学生在阅读与鉴赏、表达与交流、梳理与探究等语文实践中体会、把握和运用语文的规律，有效地提高语文能力，促进方法、习惯、情感、态度与价值观的整体发展。① 只有在教学中加强语文实践活动，强调学生的参与、体验和亲历，才能避免教师大量讲解分析的教学模式，语文课堂才能成为学生真正自主学习、合作学习和探究学习的场所，个性化学习和深度学习才能实现，学生的语文学科核心素养才能养成。

4. 注重时代性，构建开放、多样、有序的语文课程

知识点 12：注重时代性，构建开放、多样、有序的语文课程

《普通高中语文课程标准》(2017年版2020年修订)强调："普通高中语文课程应适应社会对人才的多样化需求和学生对语文教育的不同期待，精选学习内容，变革学习方式，确保全体学生都获得必备的语文素养；帮助学生认识自己语文学习的已有基础、发展需求和方向，激发学习兴趣和潜能，在跨文化、跨媒介的语文实践中开阔视野，在更宽广的选择空间发展各自的语文特长和个性。"因此，"普通高中语文课程应具有相对稳定的结构和富有弹性的实施机制"。学校应该"在课程标准的指导下，提高教师水平，发展教师特长，引导教师开发语文课程资源，有选择地、创造性地实施课程"；应该"积极利用新技术、新手段，建设开放、多样、有序的语文课程体系，使学生语文素养的发展与提升能适应社会进步新形势的需要"。

三、中学语文课程标准的内容结构

（一）初中(七至九年级)语文课程标准的内容结构

知识点 13：初中(七至九年级)语文课程标准的内容结构

初中语文课程标准的内容是指《义务教育语文课程标准》(2022年版)(七至九年级)的内容，由前言(包括指导思想、修订原则、主要变化)、正文内容(包括课程性质、课程理念、课程目标、课程内容、学业质量、课程实施)和附录组成，详见表2-1。

---

① 王宁，巢宗祺.普通高中语文课程标准(2017年版2020年修订)解读[M].北京：高等教育出版社，2020：89.

表 2-1 《义务教育语文课程标准》(2022 年版)(七至九年级)

各部分名称	一级标题内容	二级标题内容
前言	一、指导思想	—
	二、修订原则	(一) 坚持目标导向 (二) 坚持问题导向 (三) 坚持创新导向
	三、主要变化	(一) 关于课程方案 (二) 关于课程标准
正文内容	一、课程性质	—
	二、课程理念	—
	三、课程目标	(一) 核心素养内涵 (二) 总目标 (三) 学段要求
	四、课程内容	(一) 主题与载体形式 (二) 内容组织与呈现方式
	五、学业质量	(一) 学业质量内涵 (二) 学业质量描述
	六、课程实施	(一) 教学建议 (二) 评价建议 (三) 教材编写建议 (四) 课程资源开发与利用 (五) 教学研究与教师培训
附录	附录1 优秀诗文背诵推荐篇目	
	附录2 关于课内外读物的建议	
	附录3 关于语法修辞知识的说明	
	附录4 识字、写字教学基本字表	
	附录5 义务教育语文课程常用字表	

《义务教育语文课程标准》(2022年版)是对《义务教育语文课程标准》(2011年版)的完善,其整体结构框架未变,课程理念和设计思路也得到了坚持,但对具体的内容结构做了修改和调整,在价值取向上加强社会主义核心价值体系在语文课程中的渗透,进一步突出培养学生的社会责任感、实践能力和创新能力,突出学习祖国语言文字的运用,新增了课程内容方面的标准,并与课程目标融合在一起,课程目标、教学建议和评价建议更加切合学生实际情况,可操作性增强。

(二) 普通高中语文课程标准的内容结构

知识点14:普通高中语文课程标准的内容结构

《普通高中语文课程标准》(2017年版2020年修订)的内容由前言(包括修订工作的指导思想和基本原则、修订的主要内容和变化)、正文内容(包括课程性质与基本理念、学科核心素养与课程目标、课程结构、课程内容、学业质量、实施建议)和附录组成。详见表2-2。

表 2-2 《普通高中语文课程标准》(2017 年版 2020 年修订)的内容结构

各部分名称	一级标题内容	二级标题内容
前言	一、修订工作的指导思想和基本原则	(一) 指导思想 (二) 基本原则
	二、修订的主要内容和变化	(一) 关于课程方案 (二) 关于学科课程标准
正文内容	一、课程性质与基本理念	(一) 课程性质 (二) 基本理念
	二、学科核心素养与课程目标	(一) 学科核心素养 (二) 课程目标
	三、课程结构	(一) 设计依据 (二) 结构 (三) 学分与选课
	四、课程内容	(一) 学习任务群 (二) 学习要求
	五、学业质量	(一) 学业质量内涵 (二) 学业质量水平 (三) 学业质量水平与考试评价的关系
	六、实施建议	(一) 教学与评价建议 (二) 学业水平考试与高考命题建议 (三) 教材编写建议 (四) 课程资源的利用与开发 (五) 地方和学校实施本课程的建议
附录	附录1 古诗文背诵推荐篇目 附录2 关于课内外读物的建议	

《普通高中语文课程标准》(2017 年版)是在 2003 年颁布的《普通高中语文课程标准(实验)》的基础上所做的修订,其内容和结构有了较大变化。第一,凝练和明确了语文学科核心素养。这次课程标准修订在发展学生语文素养的基础上凝练出语文学科核心素养,明确了语文课程对教育的立德树人总目标应尽的责任和应当产生的效果。第二,文中明确规定:"语文课程是一门学习祖国语言文字运用的综合性、实践性课程。工具性与人文性的统一,是语文课程的基本特点。""人文性"问题,曾备受争议,在语文学科核心素养提出后,审美、文化寓于语言之中,"人文性"有了明确的解释。第三,在原有的"阅读与鉴赏、表达与交流"之外,增加了"梳理与探究"一项,使语文学习活动更加丰富,有助于学生创新能力的发展。第四,提出了新的语文课程组织形式——学习任务群。课程标准将高中语文课程组织为 18 个学习任务群,目标突出,结构完整,与语文素养生成、发展、提升的明确目的紧密结合。第五,新增了学业质量与考试评价改革的内容。过去的课程标准只是课程的内容标准,这次与学生质量相结合后的课程标准转为学生学习的标准,这是本次课程标准的一大进步。第六,明确了适应不同学生的发展、具有不同出口的课程结构。新的课程标准把普通高中语文课程分为必修、选择性必修和选修三类课程,必修

和选择性必修课程与高考衔接,三类课程分别与学业质量水平的五个级别对应,使语文课程有关联、有层次地发展。

《普通高中语文课程标准》(2017年版2020年修订)是在《普通高中语文课程标准》(2017年版)的基础上进行修订的,结构图如图2-1所示。

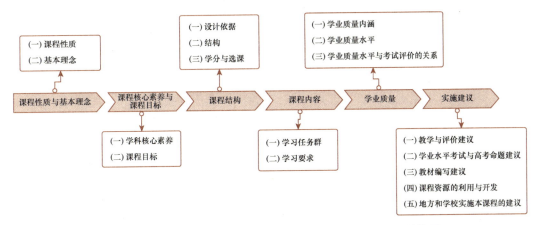

图2-1 《普通高中语文课程标准》(2017年版2020年修订)结构图

练习题

1. (单项选择题)教研组针对作业和考试开展研讨,教师们发表了一些看法,下列认识不正确的是(　　)。
   A. 语文知识的概念有必要作为作业和考试的一部分
   B. 作业设计和试题编制是教学能力的重要组成部分
   C. 教师要严格控制作业数量,达到量少质优的标准
   D. 考试评价要健全主观性、开放性试题的评分标准

2. (单项选择题)教研组讨论"语文学习任务群",教师们表达了各种看法,下列正确的是(　　)。
   A. 语文学习任务群要围绕特定学习主题设计学习活动
   B. 不同语文学习任务群在实施时各自独立,互不交叉
   C. 完成语文学习任务群是语文学习要达成的最终目标
   D. 语文学习任务群主要是设计在课外进行的语文活动

3. (单项选择题)教研组研读高中语文课程标准,对"课程评价"的理解,下列不合适的是(　　)。
   A. 语文课程评价要综合发挥检查、诊断、反馈、激励、甄别、选拔等多种功能
   B. 语文课程评价应面向全体学生,考虑学生的个体差异,满足不同的发展需求
   C. 语文教师作为课程评价的唯一主体,应当依据评价结果对学生提出学习建议
   D. 教师可根据实际采取诊断性评价、形成性评价、终结性评价等多种评价方式

第二节　中学语文课程资源

课程资源是指课程设计、编制、实施和评价等整个课程发展过程中可资利用的一切人力、物力以及自然资源的总和。[①] 2000年的语文课程标准首次引入了"课程资源"这一概念,把教材、教师、学生以及各种环境都作为学生学习和教师教学的资源,这对于学生和教师都是一种全新的理念。课程目标的实现和课程的实施离不开课程资源的有效开发与利用。对于准备从事中学语文教学的师范生来说,树立正确的课程资源观相当关键。

一、树立"大语文教育"的课程资源观

知识点1："大语文教育"观

早在20世纪80年代,就有人用"大语文教育"的主张来拓展语文学习的外延。所谓"大语文教育"是指"以语文课堂教学为轴心,向学生生活的各个领域开拓延展,全方位地把学生的语文学习同他们的学校生活、家庭生活和社会生活有机结合起来"[②]。"大语文教育"观要求打破课程内容的封闭主义和孤立主义倾向,让语文课程回归学生的生活世界,关注语文课程内容与学生主体经验世界和情感世界的内在联系。"大语文教育"观使语文课程从研制到实施的过程呈开放态势。

《普通高中语文课程标准》(2017年版2020年修订)明确指出:"各地区都蕴藏着自然、社会、人文等多方面的语文课程资源,应积极利用和开发。"语文教师要充分发挥自身的潜力,创造性地开展各类活动,增强学生在各种场合学语文、用语文的意识,多方面地提高学生的语文素养。语文课程资源的开发与建设是"大语文教育"观得以落地的重要基础,是引导师生走出"课堂中心""教科书中心"这类理念和实践双重误区的关键。

新课程确立起课程与社会生活的联系,意图使课程根植于生活的土壤。回归生活的世界的课程价值取向,从本质意义上说,就是强调自然、社会和人在课程体系中的有机融合。

知识点2：语文课程资源

课程资源的概念有狭义和广义之分。狭义的课程资源是指形成课程的直接因素来源。广义的课程资源是指有利于实现课程目标的各种因素。这里的语文课程资源是相对广义的概念,即所有有利于实现语文课程目标,帮助学生形成语文学科核心素养的各种因素都是语文课程资源,是与语文课程相关的"富有教育价值的、能够转化为学校课程或服务于学校课程的各种条件的总称"[③]。

(一) 语文课程资源的内容

《义务教育语文课程标准》(2022年版)指出:"语文课程资源既包括纸质资源,也包

[①] 王宁,巢宗祺.普通高中语文课程标准(2017年版2020年修订)解读[M].北京:高等教育出版社,2020:266.
[②] 张孝纯."大语文教育"的基本特征:我的"语文教育观"[J].天津教育,1993(6):34.
[③] 范蔚.实施综合实践活动对课程资源的开发利用[J].教育科学研究,2002(6):32.

括数字资源;既包括日常生活资源,也包括地域特色文化资源;既包括语文学习过程中生成的重要问题、学业成果等显性资源,也包括师生在语文学习方面的兴趣、爱好和特长等隐性资源。教师要充分发挥自身优势与潜力,积极利用和开发各类课程资源,不断增强课程资源意识。学校应积极争取社会各方面的支持,拓展资源领域、丰富资源类型;应重视信息化环境下的资源建设,关注语文学习过程中生成性资源的整理和加工,运用课程资源促进学习方式的转变。"该文件明确将语文课程资源分为纸质资源与数字资源、日常生活资源与地域特色文化资源、显性资源与隐性资源这三大类。

语文学习过程中随时生成的各种话题、问题、拓展材料以及学生成果等,也是非常有意义的课程资源。

(二) 语文课程资源的分类

从课程标准罗列的项目内容看,语文课程资源具有内容丰富、形式多样、分布广泛等特征。这些资源从不同的角度、按不同的标准可以分成不同的类型。

根据课程资源传播特性的不同,语文课程资源可分为纸质资源和数字资源。纸质资源,即我们生活中常见的纸质图书、杂志等,它们直观易懂,是我们获取知识的重要途径。而数字资源,则是利用现代技术将各种信息转化为数字形式,方便我们随时随地获取和利用的资源。无论是纸质资源还是数字资源,它们都极大地丰富了语文课程资源,为我们提供了更多的学习选择和可能性。

根据课程资源来源特性的不同,语文课程资源可分为日常生活资源与地域特色文化资源。在我们的日常生活中,语文课程资源随处可见,如街头巷尾各式各样的店铺招牌,以及关于社会焦点的新闻报道等。地域特色文化资源则涵盖了具有地方特色的文化、民俗风情、历史悠久的名胜古迹以及迷人的自然风光。这些文化资源有助于学生更深入地理解多元的文化现象和文本背后的丰富内涵。

根据课程资源呈现方式的不同,语文课程资源可分为显性课程资源和隐性课程资源。凡是看得见、摸得着的可以直接成为语文教学内容或手段的课程资源属于显性课程资源。凡是以潜在的方式对语文教学活动施加影响的课程资源属于隐性课程资源,如教风学风、家庭氛围、师生关系等。隐性课程资源虽然不构成语文教学的直接内容,却对语文课程实施的质量和效果产生潜移默化的影响。

此外,根据课程资源存在形态的不同,语文课程资源还可以分为物质形态的课程资源和精神形态的课程资源;根据信息化程度的不同,语文课程资源可分为传统信息课程资源和现代信息课程资源;根据课程资源性质的不同,语文课程资源可分为自然课程资源和社会课程资源;等等。课程资源的不同分类,能够为课程资源的开发提供不同的思路。

(三) 语文课程资源的载体形式

课程资源总是以某种物化形式表现出来,语文课程资源的载体有生命载体和非生命载体两大类。顾名思义,课程资源的生命载体主要是指教师、教育管理者、各个层次的教育研究人员,以及学生和社会人士等,即语文课程中所有的人力资源。而课程资源的非生命载体是其所依存的非生命的物化形态。生命载体形式的课程资源在课程教学资源中有着特殊的作用,它可以能动地产生出比自身价值更大的教育价值,是课程教学不断向前发展的不竭动力。

现代课程观认为,课程是由教师、学生、教材、情境四要素构成的一种生态环境。教师和学生是其中最重要的生命载体形式的课程资源。语文教师的专业学养、教学经验、人文情怀、价值观念、思维方式不仅是形成课程本身的直接来源,他们发现取舍、整合改造、开发利用课程资源的理念和能力更是直接影响甚至决定着语文教学的效果。学生既是课程资源的消费者,也是课程资源的开发者,他们原有的经验、态度、个性、兴趣都是有效的课程资源,他们在教学活动中的参与、交流、碰撞也可以生成新的语文课程资源。

(四)语文课程资源的开发与利用

1. 语文课程资源开发与利用的主体

课程资源的开发者与利用者可以是课程专家、语文学科专家、教师、学生、家长及社会人士,但站在语文课程实施的过程和目的的角度看,教师和学生是开发与利用语文课程资源的主体。其中,语文教师是最重要的课程资源开发者、利用者,也是学生利用课程资源的引导者、服务者。教师的专业理念和专业素质决定着课程资源开发与利用的程度以及发挥作用的水平。学生是利用课程资源的主体,同时也在开发、改造、创造着语文课程资源。

2. 语文课程资源开发与利用的原则

课程资源与课程密切相关,课程资源是保证课程实施的基本条件,没有课程资源的合理开发和有效利用,基础教育课程改革的目标就难以实现。因此,语文课程资源的开发与利用要遵循如下几条原则:

一要坚持语文课程的开放性,要树立"大语文教育"的课程资源观;二要加强目的性,要坚持以学生语文学科核心素养的建构和发展为主旨;三要秉持优选性和适切性的原则,要以教科书为中心,合理开发整合有效课程资源,防止课程资源的泛化;四要遵循生成性,重视生命载体形式的课程资源的内生性、创造性的特点,充分发掘师生在教学对话过程中的生成智慧。

3. 语文课程资源开发与利用的策略

课程资源是课程改革的重要组成部分。课程实施的范围和水平,一方面取决于课程资源的丰富程度,另一方面取决于课程资源开发和运用的水平。语文课程资源开发与利用的策略主要有以下两个方面:

第一,语文课程资源的开发与建设。语文课程资源的开发与建设要坚持"学生本位"的开发理念,要本着优选性、适切性的原则,在众多的课程资源中筛选出有助于学生语文学科核心素养构建、对学生终身发展具有重大意义的课程资源,筛选过程一般要经过教育哲学、学习理论、学科教学理论三个筛子的过滤,以确保课程资源的价值。[①] 在课程资源的建设过程中,要树立共享和整合意识,通过建立校内外课程资源的转化机制和管理数据库,实现课程资源共享的最大化和课程资源利用的合理化。

第二,语文课程资源的利用与创生。《普通高中语文课程标准》(2017年版2020年修

---

① 吴刚平.校本课程开发[M].成都:四川教育出版社,2002:146-147.

订)要求教师要"聚焦课程目标,明确问题,整理、优化课程资源库,通过必要的精简、调整、补充,加强语文学习活动中内容和目标的整合,形成与教材相呼应的开放的教学格局"。教材是最基本也是最重要的语文课程资源,要在教材的统领下合理、科学利用其他课程资源。另外,要重视课程资源中人力资源的开发与利用。《普通高中语文课程标准》(2017年版2020年修订)要求,语文教师应"充分发挥自身的潜力""引导学生从现实生活中发现问题,提出活动主题,增强在各种场合学语文、用语文的意识,多方面地提高学生的语文素养"。在教学过程中,师生是学习共同体,他们是最具创生性的能动的课程资源,将课程资源建设的重心从静态课程资源库的建设过渡到关注动态的人力资源的开发,是课程革新的关键。

二、准确把握语文教材的特点

(一)语文教材概述

知识点3:语文教材的概念

语文教材有广义和狭义之分。广义的语文教材是一个完整的系列,它包括语文教科书、教师教学用的教学指导书或教学参考书、教学挂图、音像材料、教学软件以及学生用的各种辅助读物、课外活动材料等。狭义的语文教材特指依据课程标准编写的,由国家教材委员会审核通过的语文教科书。它是语文课程内容的重要载体,是语文课程实施的基本依据和核心媒介,是学生学习和教师组织教学的基本参照和示范资源,是国家意志、时代需求、民族精神、传统文化、语文要素的集中体现,是最重要的语文课程资源。

知识点4:语文教材的构成要素和功能特点

语文教材由课文系统、助读系统、作业系统、知识系统四个要素构成。四个要素的合理统筹,构成具有科学性、序列性的子系统,具有凭借功能、示范功能、教育功能和发展功能。

语文教材不同于其他任何学科的教材,它是知识的使用形式,而不是讲解形式,课文将语文规律诉诸感性,体现范例、适例的特点,是学生积累语料、培养语感的范例;是学生进行语文训练,形成语文能力、习惯的凭借。教材的凭借和示范功能体现了"教材无非是例子"的观点,即教师在教学中,要加强引导学生实现语文知识的迁移,注重对课文的合理分类与组合,帮助学生完成语文知识上的前后联系照应、文化背景上的横向沟通和学科知识上的适度交叉,以此实现举一反三、触类旁通的例子功能。

但语文教材又不仅仅是例子,它是思想性、艺术性、语言规范性的杰出典范,是数千年(包括当代)文化宝库中的精品。著名语文教育家、语文特级教师于漪早在20世纪90年代就曾指出:"语文教材不同于数理化教材,数学中的一些习题倒的确是个'例子',教师通过对习题的示范演算,让学生掌握其中的规律,然后运用规律去解其他习题。语文教材则呈现众多的功能,有教育功能、认识功能、审美功能……因而也就有了积累功能。"[①]

---

① 于漪,闻达.灿烂阳光下的一次倾心交谈[J].语文学习.1992(2):4.

传统的对语文教材功能的认识突出的是其"典范"性,字字珠玑,句句神来之笔,段段匠心独运,篇篇佳构,因此在教学中要求教师讲深讲透,精剖细解;然而课程资源观则把语文教材当作教师提供给学生涵育语文情感,历练语文思维,厚积语文学养的凭借。语文教材是学生学习的材料、积累的材料、探究的材料、讨论的材料,是语文教学过程中师生对话的话题。

(二)统编本初中语文教材的特点

知识点 5:语文教材的编写建议

教材编写的依据是课程标准。《义务教育语文课程标准》(2022 年版)对义务教育阶段的语文教材编写提出了十条具体的编写建议。

① 教材编写要以马克思主义为指导,坚持立德树人,体现社会主义核心价值观;坚持面向现代化、面向世界、面向未来;贯彻国家课程改革的精神,全面落实义务教育语文课程标准要求。

② 教材编写要高度重视继承和弘扬中华优秀传统文化、革命文化、社会主义先进文化,赓续红色血脉,自觉维护国家统一和民族团结,理解和尊重多样文化;要有助于学生铸牢中华民族共同体意识,增强中华民族自尊心、爱国情感、集体意识和文化自信,形成正确的世界观、人生观、价值观。

③ 教材要体现时代特点和现代意识,要适应学生的认知特点和身心发展水平,密切联系学生的经验世界和想象世界;要有助于激发学生学习兴趣,培养创新精神,发展实践能力,形成健全人格。

④ 教材编写要充分体现义务教育语文学习的基础性、阶段性特征,做好各学段之间的衔接。要落实学习任务群要求,致力于学生核心素养的整体提升,以学生生活为基础,以语文实践活动为主线,创设丰富多样的学习情境,设计有意义的学习任务,引导学生自主学习、主动积累和积极探究。

⑤ 教材编写要系统规划和整体安排。要通过学习任务的综合性、挑战性以及学习过程的探究性,体现同一个学习任务群在不同学段的纵向发展过程与进阶。要根据六个学习任务群的特点,通过目标取向、文本选择、学习实践活动方式等体现不同学习任务群的特色;也可设置关联性的学习内容,实现同一学段不同学习任务群内容的整合。

⑥ 教材选文要体现正确的政治导向和价值取向,文质兼美,具有典范性,富有文化内涵和时代气息。题材、体裁、风格要丰富多样,各种类别配置适当,难易适度,适合学生学习。

⑦ 要把整本书阅读作为教材的重要有机组成部分,精选兼具思想性、艺术性和学段适应性的典范作品,以整本书阅读兴趣、阅读习惯的培养为基础,让学生逐渐建构不同类型整本书阅读经验;教材要组织和选取原著部分文本和辅助性阅读材料,创设综合型、阶梯式的学习问题和交流活动,提高学生理解和评价能力。其他学习任务群阅读材料的选择也要适当兼顾整本书。

⑧ 教材编写体例和呈现方式,要围绕学生生活实际和认知需求创设学习情境,以问题探究为导向,有机组合选文及辅助性学习资源,循序渐进地设计支架式的学习任务和活动,体现过程性评价,以促进学生自主、合作、探究学习。

⑨ 教材应具有开放性和选择性。在合理安排基本课程内容的基础上,关注不同区域教育实际,给地方、学校和教师留有调整、开发的空间,也给学生留出选择和拓展的空间,满足不同学生学习和发展的需要。教材编写分为"六三"学制和"五四"学制两种版本。"五四"学制六年级教材体例、要求等应符合初中学生学习、生活特点。

⑩ 教材编写要有利于师生运用多种媒介和信息技术呈现学习内容,积极探索信息化环境下的教学变革,发挥传统纸质教材和线上学习资源各自的优势;创设线上与线下学习相结合的机会,引导教师积极调动各种资源创造性地开展教学活动。

知识点6:统编本初中语文教材的编排特点

统编本初中语文教材全套共6册,每册6单元,由不同的板块综合构成。阅读与写作构成教材的主体。各单元相机安排口语交际、综合性学习、名著导读、课外古诗词诵读等内容,扩大学生的阅读量。这套教材遵循语文教育的基本规律,吸收语文课程改革的经验,在课程理念以及改革语文教学现状的导向上都有所突破和创新,体现出鲜明的特色。

1. 坚持立德树人的"守正"立场,发挥语文学科的育人优势

统编本语文教材的"守正"立场,集中表现在"立德树人"的立意上。教材充分发挥了语文学科在育人方面的独特优势,按照"整体规划,有机融入,自然渗透"的基本思路,采用集中编排与分散渗透相结合的方式,使学生在学习语言文字的过程中吸收古今中外优秀文化,潜移默化地受到熏陶感染,提高思想文化修养,促进自身精神成长。

2. 双线组织单元结构,促进语文学习工具性和人文性的有机融合

统编本教材采用"人文主题"与"语文要素"双线组织单元结构。所谓人文主题,是课文大致从"人与自然""人与社会""人与自我"三个方面按照内容类型进行组合,形成一条贯串全套教材的、显性的线索。这套教材将语文核心素养分解成若干个能力训练点,按一定的梯度序列分布并体现在各个单元的课文导引或习题设计之中。双线组织单元结构,既避免了大纲时代按能级组元的"窄化"问题,又避免了课改时期"人文主题"组元的"泛化"弊端,既重视主流文化与传统文化的渗透,又保证了语文综合素养的基本训练。

3. 构建"三位一体"的阅读教学体系,延伸拓展学生的阅读视野

统编本教材秉持"读书为本,读书为要"的编写思想,构建了从"教读课文"到"自读课文"再到"课外阅读"的"三位一体"的阅读体系。教材通过设置不同的助读系统,加大了教读课和自读课两种课型的区分力度,教读课是举例子、给方法,自读课是学生把教读课上学到的知识和方法迁移运用到阅读实践中去,进一步强化阅读方法,形成自主阅读能力。两种课型有着不同的教学目的,承担着不同的教学功能。统编本教材还把课外阅读纳入教学体制,通过整本书阅读、古诗词积累、课外拓展阅读提示引导等多种方法,把语文教学从课堂延伸到课外。教材借助"三位一体"的阅读体系,搭建阅读支架,构筑能力阶梯,引导学生"多读书、好读书、读好书、读整本的书",努力让读书成为学生的生活方式。

4. 选文注重经典性、多样化,文质兼美,尤其重视对传统文化的传承

统编本教材将经典性作为选文的重要标准。选文篇目的调整突出了文化导向,减少

了尚未经过时间沉淀的"时文",大幅度增加了传统文化的篇目,所选篇目基本都是文学史、文化史上素有定评的作品,这些经典作品文质兼美,思想格调高,富有文化内涵,有助于学生认识中华文化的丰厚博大,从中汲取民族文化的智慧,是促进学生精神成长的最好范本。课程标准在强调继承与弘扬中华优秀传统文化的同时,加上了"革命文化""社会主义先进文化",旨在赓续红色血脉,铸牢中华民族共同体意识,增强中华民族自尊心、爱国情感、集体意识和文化自信,积淀深厚的文化底蕴。

5. 搭建多种助读和活动平台,突出学生语文学习的主体性和实践性

教材坚持学生本位的编写理念,突出学生的学习主体地位。教材构建了多层次的助读系统,力求使教材不只是教师的教本,更是学生自学的学本。通过单元提示、预习(阅读提示)、注释、练习、写作技巧点拨、探究性学习、阅读链接等,努力搭建适合学生交流、探究的平台;区分教读和自读两种课型,让学生从教师引导逐步走向独立阅读;随文安排各种语文知识,尤其是具有普遍意义的阅读策略和写作策略等程序性知识,用补白的形式与阅读、写作相配合,不仅让学生能掌握方法、主动学习,还能让学生在实践体验的基础上自主建构知识。教材强调在言语实践活动中获得语文能力,在八、九年级新增四个专门的活动探究单元,活动探究单元以任务为轴心,以阅读为抓手,整合阅读、写作、口语交际,以及资料搜集、活动策划、实地考察等项目,形成一个综合实践系统,读写互动,听说融合,由课内到课外,培养学生综合运用语文的能力。

(三)统编本高中语文教材的特点

知识点7:统编本高中语文教材的特点

统编本高中语文教材分为必修和选择性必修:必修2册,每册8个单元,共16个单元;选择性必修3册,每册4个单元,共12个单元。整套教材按照《普通高中语文课程标准》(2017年版)的要求编写,以人文主题和学习任务群两大线索组织单元,每个单元都体现了一定的人文主题,设置了若干指向语文核心素养的学习任务,具体落实语文工具性与人文性统一的要求。

1. 整体规划,有机融入社会主义核心价值观

教材按照"整体规划,有机融入"的基本思路,以课文为主要载体,统筹安排各类选文比例,突出中华优秀传统文化、革命文化、社会主义先进文化,辅以精心设计的学习任务,系统有机地融入社会主义核心价值观教育,使学生在学习和运用语言文字的过程中潜移默化地受到熏陶感染,增强民族自尊心、爱国感情和文化自信,逐步树立正确的思想观念和高尚的道德情操,最终使社会主义核心价值观内化为精神追求,外化为自觉行为。

2. 以核心素养为本,突出学生学习的主体性

教材围绕培养学生"语言建构与运用""思维发展与提升""审美鉴赏与创造""文化传承与理解"四大语文核心素养,以深度阅读、读写结合为指向,灵活设计"阅读与鉴赏""表达与交流""梳理与探究"等语文学习活动,改变过去常见的以单向知识传授为中心的思路,注意整合学习情境、学习内容、学习方法,引导学生自主、合作、探究学习,促进语文教与学的方式的转变。

3. 以人文主题和学习任务群双线组织单元

教材以新时代高中学生应具有的"理想信念""文化自信""责任担当"作为隐性的精神主线,打破文体的限制,以若干人文主题作为单元组合和内容选择的重要依据,发挥语文教材的铸魂培元作用,并通过相关的栏目设计,如"单元导语""学习提示""单元学习任务"等,对人文主题作出明确阐发。

教材根据课程标准中不同学习任务群的特质和要求,采取两种不同的思路来设计单元:一类是以读写为主的单元,围绕人文主题与核心任务精选各类文本,以课文或整本书的阅读为基础,精心设计学习任务,融合"阅读与鉴赏""表达与交流""梳理与探究",将学生引向深度阅读、深度写作,从而提升学生的语文核心素养。另一类是以语文综合实践为主的单元,不设传统意义上的课文,以一体化设计的学习活动为核心,带动相关资源的学习以及贴近生活情境的实践活动的开展。这一类包括 4 个单元,涵盖"当代文化参与""跨媒介阅读与交流""语言积累、梳理与探究"等实践性、活动性较强的学习任务群。

4. 重视整合与实践,创新单元内部组织方式

以课文学习为主的单元,基本栏目有四个部分:单元导语、课文、学习提示和单元学习任务(选择性必修教材称为"单元研习任务")。单元导语提纲挈领地说明单元人文主题、选文情况、核心学习任务及主要教学目标。"课"的划分主要根据学习任务群的要求,依据课文的内容和写法特点进行组合,一课含 1~3 篇课文不等,实行群文教学。学习提示代替原来的课后习题设置于课文后,重在设定学习情境,激发学生学习兴趣,提供学习方法和策略。单元学习(研习)任务实行结构化设计,一般设计 3~4 个活动,其中一个活动是凸显单元人文主题的,另外两个或三个活动略有分工,从不同层面引领学生进行思考、探究和交流,还有一个活动指向写作。

5. 以任务为核心,突出真实情境下的语文实践活动

《普通高中语文课程标准》(2017 年版 2020 年修订)指出:"语文实践活动情境主要包括个人体验情境、社会生活情境和学科认知情境。"北京师范大学教授王宁更明确地指出,"所谓'情境',指的是课堂教学内容涉及的语境。所谓'真实',指的是这种语境对学生而言是真实的,是他们在继续学习和今后生活中能够遇到的,也就是能引起他们联想,启发他们往下思考,从而在这个思考过程中获得需要的方法,积累必要的资源,丰富语言文字运用的经验。我把这个真实情境概括为:从所思所想出发,以能思能想启迪,向应思应想前进。"[①]统编本高中语文教材的单元学习任务主要以核心任务为引领,整合单元全部学习内容进行设计,是从人文素养提升、阅读表达能力培养、综合实践素养发展等多个方面设计的结构化的语文实践活动。单元的核心任务是各个单元的大任务,这个大任务正是建立在这样的语文情境基础上的,既适应单元人文主题落实的需要,又生发于本单元的学习资源,旨在引导学生用语言文字解决实际生活问题,在此过程中提升学生的语文核心素养。

---

① 《语文建设》编辑部.语文学习任务群的"是"与"非":北京师范大学王宁教授访谈[J].语文建设,2019(1):5.

> 练习题

1. 实施"中国革命传统作品研习"任务群教学,教师向学生推荐研习作品,下列合适的是( )。

  A.《边城》 B.《东方》 C.《雪国》 D.《红字》

2. 开展"外国诗歌"学习任务后,教师组织学生学习外国诗人的其他作品,下列不适合的是( )。

  A. 歌德《少年维特的烦恼》 B. 艾略特《荒原》
  C. 普希金《致恰达耶夫》 D. 雪莱《西风颂》

本章小结

  自清朝末年语文独立设科以来,中学语文课程纲领性文件的发展可以依据其在不同历史时代的名称变化,分为四个时期,即清末独立设科初期的学堂章程时期、民国时期的国文国语课程标准(或课程纲要)时期、20世纪后期的语文教学大纲时期、21世纪以来的语文课程标准时期。现行初中语文课程标准提出了五个课程基本理念:立足学生核心素养发展,充分发挥语文课程育人功能;构建语文学习任务群,注重课程的阶段性与发展性;突出课程内容的时代性和典范性,加强课程内容整合;增强课程实施的情境性和实践性,促进学习方式变革;倡导课程评价的过程性和整体性,重视评价的导向作用。现行高中语文课程标准也提出了四条课程基本理念:坚持立德树人,增强文化自信,充分发挥语文课程的育人功能;以核心素养为本,推进语文课程深层次的改革;加强实践性,促进学生语文学习方式的转变;注重时代性,构建开放、多样、有序的语文课程。初中语文课程标准的内容由前言(包括指导思想、修订原则、主要变化)、正文内容(包括课程性质、课程理念、课程目标、课程内容、学业质量、课程实施)和附录组成,而高中语文课程标准由前言、课程性质与基本理念、学科核心素养与课程目标、课程结构、课程内容、学业质量、实施建议以及附录组成。

  课程资源是课程改革的重要组成部分。语文课程标准要求师生树立"大语文教育"的课程资源观,语文课程资源内容丰富、形式多样、分布广泛,从不同的角度按不同标准可以分成不同的类型。语文课程资源的开发与建设要坚持"学生本位"的开发理念,要本着优选性、适切性的原则,树立共享和整合意识,在教材的统领下合理、科学地整合及利用其他课程资源。教师要特别重视课程资源中动态的具有内生性的人力资源的开发与利用。

  语文教材是最基本也是最重要的语文课程资源,既是语文课程内容的重要载体,也是语文课程实施的核心媒介。统编本语文教材以课程标准为依据,坚持立德树人的"守正"立场,突出文化导向,按"人文主题"与"语文要素"双线组织单元结构,既发挥了育人功能,又照顾到语文能力的培养,教材秉持"读书为本,读书为要"的编写理念,不仅构建了从"教读课文"到"自读课文"再到"课外阅读"的"三位一体"的阅读体系,将学生的阅读视野从课堂延伸到课外,还搭建多种助读和活动平台,以突出学生语文学习的主体性和实践性。

☞ **本章知识结构**

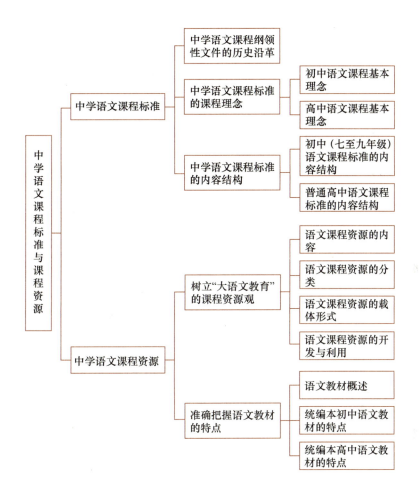

☞ **本章参考文献**

[1] 范蔚.实施综合实践活动对课程资源的开发利用[J].教育科学研究,2002(3):32-34,47.

[2] 黄淑琴,桑志军.语文课程与教学论[M].广州:广东高等教育出版社,2013.

[3] 课程教材研究所.20世纪中国中小学课程标准·教学大纲汇编:语文卷[S].北京:人民教育出版社,2001.

[4] 人民教育出版社,课程教材研究所,中学语文课程教材研究开发中心.义务教育教科书教师教学用书:语文(七年级上册)[M].北京:人民教育出版社,2016.

[5] 王宁,巢宗祺.普通高中语文课程标准(2017年版2020年修订)解读[M].北京:高等教育出版社,2020.

[6] 吴刚平.校本课程开发[M].成都:四川教育出版社,2002.

[7] 徐林祥.中学语文课程标准与教材研究[M].北京:高等教育出版社,2016.

[8] 张孝纯."大语文教育"的基本特征:我的"语文教育观"[J].天津教育,1993(6):34-35.

[9] 中华人民共和国教育部.普通高中语文课程标准(2017年版2020年修订)[S].北京:人民教育出版社,2020.

[10] 中华人民共和国教育部.义务教育语文课程标准(2022年版)[S].北京:北京师范大学出版社,2022.

第三章

中学语文教学与学生的发展

☞ **学习目标**

识记：智力的含义；非智力因素；元认知能力的概念与含义。

理解：中学语文教学与中学生智力发展的关系；中学语文教学与学生的非智力因素的关系；中学语文教学与学生元认知能力的发展。

运用：在语文教学中能够运用正确的方法促进中学生智力的发展；在语文教学中能够很好地利用非智力因素提高语文教学效果；在语文教学中能够正确、有效地培养学生的元认知能力。

☞ **学习重点**

◎ 理解语文教学与学生发展的关系。
◎ 把握在语文教学中促进学生智力发展的方法。
◎ 把握在语文教学中促进学生非智力因素发展的方法。
◎ 理解元认知的含义，掌握在语文教学中促进学生元认知能力发展的方法。

☞ **学习导引**

国家教师资格考试注重考查考生是否掌握全面、正确的教书育人的方式方法，考生应该深刻理解中学语文教学与学生发展之间的密切关系，理解学生发展的含义，掌握在语文教育教学中促进学生发展的有效方法。

【引子】

语文教学与学生发展之间具有密切关系。一般来说，学生发展包含智力发展、非智力因素发展和元认知能力发展三个大的方面。那在我们具体的语文教学中，该如何利用语文教育教学的途径、方法，去促进这三个方面的发展呢？例如，在《沁园春·长沙》的学习中，如何去训练学生的观察能力呢？在《孔乙己》的学习中，怎样去训练学生的概括思维能力呢？在《愚公移山》的学习中，怎么去发展学生的非智力因素呢？……在学习完本章内容后，你将获得关于这些问题的正确认识。

第一节　中学语文教学与学生智力的发展

现代社会的迅速发展，给语文教学带来新的挑战。为解决好科学知识增长的无限性和学生学习时间有限性之间的矛盾，中学语文教育不能仅仅单纯地传授知识，必须在加强"听说读写"训练的同时，重视发展学生的智力、培养学生的能力。

语文是一门工具性和人文性兼有的学科，这表明语文教学的目标不应再一味追求培养接受知识的对象，而是要培养有独立思维、有创造性的人。我国著名语言学家吕叔湘先生也曾说过,学习语文不是学习一套知识,而是学习一种技能。不管是知识还是技能都离不开智力因素的支持。

《义务教育语文课程标准》(2022年版)指出核心素养包括:文化自信、语言运用、思维能力和审美创造。《普通高中语文课程标准》(2017年版2020年修订)指出语文学科核心素养包括:语言建构和运用、思维发展和提升、审美鉴赏和创造、文化传承和理解。智力因素的发展在四个核心素养中的语言运用和思维发展中起着举足轻重的作用。因此,培养学生的智力因素,对提高学生语文素质具有特殊的意义。

一、智力概述

智力是一个心理学概念,长期以来,心理学家对这个概念进行了大量的研究,提出了不同的界定。有人统计出150多种智力的概念,概括起来,大致有以下几种类型①:① 智力是一种高级的抽象思维能力;② 智力是对环境的适应能力;③ 智力是学习的能力;④ 智力是智力测验的结果;⑤ 智力是一个有机的能力的整体。

智力是个经过了较长历史积淀的科学概念,结合中西方对智力内涵的概述,我们可知:智力就是人的认知活动在观察与思考外在事物的过程中,表现出来的一系列稳定的认知特点与品质的综合。社会公认的智力因素包括五个方面:注意力、观察力、记忆力、想象力和思维力。注意力是智力活动的维持者,正是由于注意力的积极参与,人们的智力活动才得以顺利而有效地产生、发展与形成。观察力是智力活动的起始点,正是凭借观察力,外界的信息才能源源不断地输入到人们的头脑之中。记忆力是智力活动的仓库,通过记忆的积极活动,使客观的外部的知识结构转化为主体的内部的认知结构。想象力是智力活动富有创造性的重要条件,人们可以用它进行再造和创造。思维力是智力活动的核心,通过思维的积极活动,把观察与想象等所获得的感性知识,转化并上升为系统的理性知识。其中,观察力、想象力和思维力将在后面的篇章作详细阐释。

知识点1:有代表性的智力理论

自20世纪80年代以来,美国心理学家罗伯特·斯滕伯格(Robert J. Sternberg)的智力三元理论和美国发展心理学家、教育学家霍华德·加德纳(Howard Gardner)的多元智力理论已成为非常有影响力的两种智力理论。斯滕伯格的智力三元理论包括情境、经验和成分三个子理论:情境子理论说明智力与环境的关系,智力具有目的性、适应性,是对环境的适应和塑造;经验子理论主张用处理新任务和新情境的要求和信息加工自动化的能力来衡量智力;成分子理论揭示智力操作的心理机制,包括元成分、执行成分和知识获得成分。智力三元理论全面考虑了智力同环境、经验和心理机制的关系,考虑了结构与过程的统一,具有较大的合理性。加德纳认为,智力是人在特定情景中解决问题并有所创造的能力。它包含8种智力:言语—语言智力、音乐—节奏智力、逻辑—数学智力、视觉—空间智力、身体—动觉智力、交往—交流智力、自知—自省智力、自然—观察智力。②

还有一个影响较大的智力理论是加拿大教育心理学教授戴斯(J. P. Das)等人提出的智力PASS模型(Plan Attention Simultaneous Saccessive Processing Mode),即智力的

---

① 胡中锋,李方.教育测量与评价[M].广州:广东高等教育出版社,1999:335-339.
② 加德纳在1983年出版的《智力的结构》一书只提出前面的7种智力,自然—观察智力是他后来添加的。

过程由"计划—注意—同时性加工—继时性加工"组成,计划为个体提供分析认知、解决问题、评价答案有效性的方法,注意为认识事物提供合适的唤醒状态和选择性注意,同时性加工负责刺激整合,继时性加工负责将刺激整合成特定系列。

国内学者在研究智力与语文教学的关系时,对智力也有类似的表述,例如:"所谓智力,是人认识和改造客观世界的多种能力在思想活动范畴内的反映,它集中表现在反映客观事物深刻、正确、完全的程度上,解决实际问题的速度和质量上,它包括观察力、注意力、记忆力、想象力、思维力等。"[①]"语文智力是指从事语文活动的主体在认识过程方面所表现出来的智慧,它是观察力、记忆力、想象力、思维力等智力的总和。……因此,作为一名语文教育工作者,一定要在教育过程中设法创造特殊的环境和条件,使学生的观察力、记忆力、想象力、思维力等智力得到全面的开发。"[②]

虽然以上理论是从不同的角度对智力的理解,但有两点是共同的:第一,都认为智力是一种能力;第二,都认为智力是与认识活动有关的能力。为了便于学习和操作实践,本书采用《语文教学心理学》中"一个通俗的概括":"智力就是指人们的观察、记忆、思维和想象等多种认知能力的综合表现。"[③]而智力的核心就是思维能力。

知识点2:语言发展与智力发展的关系

语文课是一门学习语言运用的学科,语言与思维密不可分,因此比其他学科更具有发展学生智力的有利条件。智力是语言的基础与支撑点,智力的发展对学习、运用语言以形成语文能力具有非常重要的促进作用。同时,语文能力的提高会有力地推动智力的进一步发展。我国当代著名语言学家和语文教育家张志公十分重视语文的智力价值。在他看来,"文学教育对于儿童和青少年的智力发展所起的作用是十分巨大的"[④],"语文教学在发展智力方面应该并且也可以承担相当多的任务"[⑤]。他把句子和篇章上的问题都归结到了思维上。他甚至将语文的智力价值摆在各科之上:"各门学科的学习都有助于智力的开发,也就是有助于思维能力的提高。不过语文学科培养思维能力比较全面,既培养抽象思维能力,也培养形象思维能力。"[⑥]

学生在语文学习中的自主学习意愿与自学能力的形成,不只是通过外部学习掌握具体技巧的过程,更是一种智力的发展过程。现代社会信息量的激增,要求教师不能再囿于传统的以学生被动接受为主的教学模式,而是要将直接传授知识变成学生主动接收,在这种教学模式的转换中,如何有效提升学生智力因素的发展是关键。因此,要提高学生的语文素质,教师就要善于挖掘学生的智力潜质,最大限度地调动起学生学习的主动性和积极性,从而实现"教是为了不教"的教学目标。

二、中学语文教学与学生观察力的发展

观察力是人认识世界最基本的能力,是智力的重要内容之一,是一切认知能力的基

[①] 袁瑢.试谈小学语文教学中培养能力发展智力[J].宁夏教育,1980(2):4.
[②] 杨道麟.论语文教育的智力开发[J].江南大学学报(教育科学版),2007,27(2):24.
[③] 朱晓斌.语文教学心理学[M].北京:高等教育出版社,2012:2.
[④] 张志公.张志公文集(3)·语文教学论集[M].广州:广东教育出版社,1991:20.
[⑤] 同④:169.
[⑥] 同④:170.

础。从心理学意义上来说,观察是有目的、有计划的比较持久的知觉。观察主体通过思维能够透过事物的表面,获得事物一些隐藏的内在的特征,为进一步认识事物的本质特征并最终解决问题给予提示和启发,因而观察也是思维的知觉。

(一)中学语文教学对于中学生观察力发展的意义

知识点3:中学语文教学与中学生观察力发展

人的观察力是一直在发展的,相较于婴幼儿、小学生来说,中学生的观察力有了很大提高,主要表现为:① 观察带有一定的目的性;② 观察迅速,且比较细致;③ 能够通过意志力长时间观察;④ 通过观察,能够正确理解事物的特征。① 尽管如此,但在观察方法、观察的深刻性和敏捷性方面,中学生仍然需要提高。

学习者接收信息与学习知识有赖于发挥观察力的作用。中学生好奇心强,求知欲强,这是培养其观察力的有利条件。教师要依据中学生的具体学习情况,提供或利用观察情境,指导学生乐于观察、勤于观察、善于观察,在观察实践中发展观察力。

一般来说,人作为观察主体,其观察客体有三类:自然,人,社会。但在语文学习中,中学生的观察对象则比较复杂,他们既要观察大自然、周围的人与社会,又要学习各类文章,学习这些文章的作者是怎样进行观察的,意即要进行"观察的观察"。通过阅读这些文章,中学生借助作者的视角,来观察自然、人和社会。这样,他就有了通过语言文字的"间接观察"。如果说在幼儿园、小学阶段,学生因为语言能力、抽象思维能力的不足,还主要进行"直接观察"训练的话,那么在中学阶段,学生在语言能力有了一定基础而抽象思维能力又快速发展的情况下,"间接观察"训练则更能有效促进其观察力的发展。因为这种"间接观察"训练中融入了文章作者、教材编者乃至语文教师的观察与思考,这对于学生的观察力的迅速提高,尤其是对于学生的观察视角、观察方法的学习,以及观察深刻性的训练,都具有非常重要的意义。一些在学生眼里原本毫无价值和意义的事情,在文章作者的笔下,在作者独特的观察视角和观察方法下,突然呈现出不一般的意义,这会令学生着迷,进而思考,并最终去学习、模仿文章作者的观察。而这正是语文教学对于学生观察力训练的独特性,也是其优势所在。

这些"间接观察"与学生的"直接观察"相辅相成,共同促进学生观察力的提高。语文教师既要帮助学生进行"直接观察",也要帮助学生在一篇篇文章的学习中去进行"间接观察"。

(二)中学语文教学与中学生观察力训练

华中师范大学教授杨道麟认为,培养学生的观察力,要从三个方面着手:激发观察的兴趣,教给观察的方法,培养观察的习惯。② 杭州师范大学教授朱晓斌主编的《语文教学心理学》认为,培养学生的观察能力,一要培养观察的兴趣,二要传授观察的方法。③ 二者都强调兴趣和方法。差异在观察的方法上,杨道麟提出了"按顺序观察的方法""深入观察的方法""反复观察的方法",《语文教学心理学》则提出了"运用多种感官来感知事物"

---

① 朱晓斌.语文教学心理学[M].北京:高等教育出版社,2012:6.
② 杨道麟.论语文教育的智力开发[J].江南大学学报(教育科学版),2007(2):24-25.
③ 同①:7-9.

"观察要按顺序进行""观察中要多做比较"三种观察方法。这两种意见都很有道理,对于培养学生的观察力具有重要的指导意义。但显然,这两种意见更多偏重于学生的"直接观察"训练,对于学生如何从教材课文学习中进行"间接观察"训练以培养观察力,则未指出具体方法。

知识点4:中学语文教学与中学生观察力训练

教材中的文章,都是作者观察后进行语言表达的一个结果,它暗含了作者观察的角度、方法和目的,如果语文教师能够带着学生进行逆向溯源式的分析,是能够发现作者的这些心理发展过程的。换句话说,语文教师在语文教学中,如果能够引导学生去思考文章作者对自然、人和社会进行观察时的角度、方法和目的,就能够有效地启发学生,从而让他们去模仿、学习,并最终走向创造性的观察。

文章作者的观察角度有两个,一个是具象的视角的"看"的角度,另一个是相对抽象的"思考"的角度,即从长期、大量的观察中形成的对客体的总的、综合性的"看"的角度。比如毛泽东的《沁园春·长沙》这首词,作者以湘江中的橘子洲头为立足点,向北远眺是"湘江北去",仰视山林则是"万山红遍,层林尽染",俯视江心则是"漫江碧透",平视则为"百舸争流",而环视则为"万类霜天竞自由"。作者这样观察既自然又合理,视线转移极有顺序——这是一般意义上的具象的"看"的角度。教师在这些方面加以讲解,学生会受益匪浅。作者在橘子洲头观察到的事物应该很多,但他只是有意识地"选择"了这些景物,这种选择体现出他的一种抽象的"观察"角度,即摒弃中国传统文人因悲秋而选择的那些萧瑟、寂寥的景物,他选择的是在秋天里仍然美好、积极的景物,以表达他作为有志向的年轻人的积极与豪迈。再比如老舍的《济南的冬天》,作者在写景时采用了从山到水的观察顺序,空间上是从上到下的,但观察济南的角度却是"气候",济南冬天的温暖让他喜欢,所以写了济南冬天的山山水水。

从人物观察方法来说,《孔乙己》是用"环境—外貌—性格—灵魂"层层深入法来观察孔乙己这个不幸的人的,这篇小说的另一个观察方法则是"我"看孔乙己、酒客看孔乙己、孩子们看孔乙己、掌柜的看孔乙己的多视角观察法。鲁迅的《祝福》也采用了类似的观察方法:"我"看祥林嫂、鲁四老爷看祥林嫂、鲁镇人看祥林嫂、祥林嫂自己看自己……

从观察的目的来说,教材里的文章都有明确的目的,不是散乱、随意地观察,而是在长期、大量地观察之后,慎重地选择观察重点,滤除一些无关紧要的事物观察,以实现自己的观察目的。比如鲁迅的小说创作是"为人生","意在揭示病苦,引起疗救的注意",所以他观察人的角度是人的精神创伤,而不是弱势群体的经济地位或社会压迫,像对孔乙己、祥林嫂的观察与刻画,都是这样。所以,教材里的课文,在"观察角度—观察方法—观察目的"的系统性、统一性互动中,达到了极高的成就,教师带着学生对文章这方面的特点进行思考、揣摩,自然能够加深学生对课文的学习,同时影响、改变学生观察的有效性与深刻性。

三、中学语文教学与学生想象力的发展

想象是人在头脑里对已储存的表象进行加工改造形成新形象的心理过程。它是一种特殊的思维形式,属于高级的认知过程,是一种具有创造性的心理机能。想象是人类特有的对客观世界的一种反映形式,它能突破时间和空间的束缚,达到"思接千载""神通

万里"的境域。按照想象活动是否具有目的性,想象可以区分为无意想象和有意想象,后者又可以分为再造想象、创造想象、幻想三种形式。

(一)中学语文教学对于中学生想象力发展的意义

想象是人类发展较早的一种心理活动,人在婴幼儿时期即开始了丰富的想象,此时因为身体和心理发展的局限,他们的需要更多是通过想象来实现的。在这一时期,想象主要呈现为无意想象和有意想象中的再造想象。到了中学阶段,学生的身体和心理有了较大发展,同时随着知识、阅历的增加,他们的想象越来越接近现实,明显呈现出目的性和创造性特点。一方面,想象的目的性使他们不仅注重想象过程的乐趣,而且注重想象的结果;另一方面,他们的想象力和方式不断发展,能够进行丰富的、独创性的想象。当然,在这一时期,仍然有大量无意想象、再造想象乃至幻想的存在,这体现出青少年生机勃勃的心理面貌。

知识点5:中学语文教学与中学生想象力发展

苏联心理学家捷普洛夫曾说过:"阅读文艺作品——这是想象的最好学校,这是培养想象的最有力的手段。"[①]这充分说明了想象力在语文学习中有着极其重要的作用。语文教材含有大量的文学作品,语言艺术塑造的形象不能像现实中的艺术作品、舞台表演塑造的形象一样直观地呈现活灵活现的状态,教材中的人物形象,只能靠学生打开想象的阀门,凭借文字的描述去再现。因此,学生在读写训练中必须依赖"想象"这种艺术思维。丰富的想象力能使学生在读写听说中灵活地进行审美鉴赏。中学生求知欲强,热情洋溢,富于想象和联想,这为语文学习发挥想象力提供了基础和条件。因此,在教学活动中,教师要开发学生的想象力。

《义务教育语文课程标准》(2022年版)、《普通高中语文课程标准》(2017年版2020年修订)提到要"发展联想和想象,激发创造潜能""运用联想和想象,丰富表达内容""在阅读与鉴赏、表达与交流、梳理与探究活动中运用联想和想象""发挥想象,加深对作品的理解""展开合理的联想和想象"等学习要求,这体现出对学生想象力发展的重视。学生想象力的培养,在各个学科当中均可以进行,也可以找到一些共同的训练方法,如注重表象的积累、创设情境、巧用多媒体等。但语文学科是一门以语言文字训练为本体性教学内容的学科,它在学生的想象力培养中有其特殊的地方,即它必须以语言文字为载体。我们的汉字发展到今天,早就成了一个个高度抽象的语言符号,这变成了想象力发展的限制,但以文字组成的教材中的一篇篇文章,尤其是文学作品,却反映了人类广阔的社会生活,它能够勾画形象、描摹情感、塑造人物、虚构事件,这些文章正是进行想象力训练的极好材料。这种想象力训练尽管需经抽象的语言符号导入,但文章提供的人类生活的广阔性、丰富性几乎是无限的,也给学生的想象力训练提供了无比丰富的途径和方法。心理学认为,想象活动中的认知加工主要有四种方式:黏合(或称比拟)——把两种或两种以上本无关系的客观事物的属性和特征结合在一起,构成新形象;夸张——故意增大或缩小客观事物的正常特征,使他们变形,《格列佛游记》中的大人国和小人国就是经典的例子;人格化——对客观事物赋予人的形象和特征,从而产生的新形象;典型化——根据

---

① 李国强,罗求实,赵艳红. 教育心理学[M]. 湘潭:湘潭大学出版社,2017:124.

一类事物的共同特征来创造新形象。这些加工方式,与教材中的文章,尤其是文学作品的艺术加工方式异曲同工。因此,语文教学中的想象力训练,其中一个重要的途径就是分析、模仿、学习文章里隐含的想象方法。当然,中学语文教学还应该在抽象的语言符号与丰富的文章内容中,去寻求更多样的、更有效的想象力训练方法。

(二)中学语文教学与中学生的想象力训练

中学语文教学中的思维训练,一个重要途径是学习教材中各类文章的想象方式方法,另一个重要途径是利用教材中的语言材料,做另外一些更具有创造性的想象力训练。

知识点6:中学语文教学中想象力训练方法

1. 利用文章中的空白来想象

"文贵含蓄",好的文章往往语意不尽,留下大量空白,在这样的地方,教师如果能够巧妙、充分地加以利用,不仅能够加深学生对文章的理解,而且能有效地训练学生的想象力。尤其在中国古典诗词中,留白是艺术表现的常用形式,给学生留下了广阔的想象空间。如杜甫《望岳》中"齐鲁青未了""阴阳割昏晓",语言精练,却信息丰富,这就需要学生在有限的文字的空白处,去进行想象性补充。前一句诗留下的空白有:诗人站在远处遥望泰山,齐鲁大地很广阔,泰山绵延在齐鲁大地上。后一句诗的留白有:泰山雄伟、高大,在同一时间,光线被泰山分割,山北的阴面如同黄昏,山南的阳面如同早晨,就像两个不同的世界。有经验的语文教师,会让学生这样去思考:① 你读到了什么?② 你想到了什么?③ 把你读到的和你想到的结合起来,然后用语言去描述这个画面。只有经过"文字信息唤醒—想象补充空白—语言描绘画面"的思维训练,学生才能够很好地理解这两句诗。这种想象力训练,是抽象文字到空间画面的训练。

再如《木兰诗》。关于《木兰诗》的教学,教师通常是以讲解的形式疏通字词、梳理情节,再通过问答的方式让学生分析人物形象、探究作品主旨。在教学活动中,教师可以设置一些有趣的问题让学生回答。如:为什么花木兰得知征兵的消息后没有告诉母亲?如果她以女性的身份应征会怎样?为什么士兵们会惊讶于木兰的女性身份?为什么千百年来人们很喜欢这个故事?还可以模拟许多生活情境并以任务驱动的方式让学生解决。如针对"将军百战死,壮士十年归"一句,教师往往会分析其叙写的详略。在教学活动中,教师可以要求学生代木兰写一封信给父亲,告诉他自己几千个日日夜夜远离父母、家乡在外征战的经历。学生如果要完成这封信,必然要细读课文,对略写的这两句展开合理的想象和联想,结果是不仅能领会作者略写的用意,还能在写作中再现当年的场景、补充无数的细节、体会木兰的生活、理解木兰精神。

类似的还有《孔乙己》里这样的一句话:"孔乙己是这样的使人快活,可是没有他,别人也便这么过。"鲁迅在小说中通过几个场景具体描写了前半句"孔乙己是这样的使人快活",可是对于后半句,鲁迅却没有写,有经验的语文教师便在这个地方做起了文章:同学们,孔乙己没来酒店的时候,咸亨酒店里的人们又是怎样"快活"的呢?在同学们的想象中,咸亨酒店里酒客的空虚、无聊、喜欢嘲笑别人的痛苦的特点,再次被描述出来,同学们对鲁迅塑造的看客形象的理解就更为深刻了。这是一种从空白到填充的想象力训练。

2. 利用文章中的情感来想象

语文教材具有丰富的人文性,尤其是其中的文学作品,总能激起我们丰富而深刻的情感体验。这种情感体验会刺激学生的记忆，唤醒他们产生类似情感时的画面，由此产生想象。如教学《背影》时，在学生充分感知文章内容的基础上，语文教师可以让学生对课文的重要语句进行反复诵读、品味，并且运用一些辅助手段（如音乐、情境设计、语言渲染）去调动、刺激学生的情感，以与文章的情感产生共鸣。做好了这些前期准备工作，教师就可以进行多种形式的想象力训练：想象一下，回家奔丧的途中，朱自清的父亲是怎样照顾他的呢？接到父亲来信后，朱自清是怎么回信的呢？你的父（母）亲在关心你时，又有哪些细节？……这些都属于一种情感想象性训练，其心理过程是"情感激发—语言描述类似情感下的画面或细节"。

3. 利用文章中的事件来想象

中学语文教材中的许多文章，都写到了事件，因为种种考量，很多事件呈现为一种不完整、不圆满的"开放状态"，形成了一种"召唤结构"①，它会对读者的阅读方向形成某种指引，鼓励读者用自己的想象去"完成""填补"这些故事的不完整、不圆满。因此，出现第一种利用事件对学生进行想象力训练的方法，即引导学生对"开放状态"的结尾利用想象去"完成""填补"。如《故乡》这篇小说在结尾时写到宏儿想念水生，很多老师便让学生想象：再过20年，他们都长大了，再见面会是一种什么状况？这种想象属于对故事的开放性结尾的合理猜想。类似的还有沈从文《边城》的结尾："这个人也许永远不回来了，也许明天回来！"如果傩送明天回来，翠翠会怎么样？故事会怎样发展？如果傩送永远不回来，翠翠又会怎样？故事又会怎样？沈从文在这里戛然而止，给读者，也给学生的语文学习留下让人着迷的想象空间。在《祝福》中，祥林嫂死在鲁镇街头，依据小说里写出来的故事，可以想象一下：如果真有另外一个世界，祥林嫂会遭遇些什么？两个丈夫会来抢她吗？她见了阿毛，会发生什么样的故事？这些都属于对事件的"延续性""发展性"想象。

第二种利用事件对学生进行想象力训练的方法是引导学生对事件的空白处进行填补性想象。如《故乡》里交代了20年后闰土变化的原因（"多子，饥荒，苛税，兵，匪，官，绅，都苦得他像一个木偶人了"），但对杨二嫂为何从"豆腐西施"变成一个好占小便宜、喜欢搬弄是非的小市民却不做交代，这也留下了巨大的想象空间，因此这篇文章是极好的想象力训练的材料。

第三种利用事件对学生进行想象力训练的方法是引导学生对事件进行改写，属于一种"无中生有"的想象训练。如《孔乙己》这篇小说，如果孔乙己在科举考试中考上了，做了老爷，他来咸亨酒店喝酒，情形又是怎样？教师可以引导学生依此思路改写这篇小说。再如《鸿门宴》中，教师可以让学生想象，如果项伯没有提前去见张良，刘邦一方不知道项羽一方的安排，那么鸿门宴上又会上演怎样的剧情？这种想象力训练，也不是绝对的"无中生有"，改写事件时，人物的性格还得依据教材原文中展示出来的那些特征。而且，改写之后，要让学生与原文进行比较，这样的想象力训练才是有效、深刻的。

总体来看，利用文章中的事件进行的想象力训练，切忌漫无边际，人、事、情、理都得与教材原文相符，要想象得"合理"，才是好的想象力训练。否则，与原文完全不相符，甚至背道而驰的想象，不仅会不利于学生对原文的理解与接收，而且会不利于想象力的培养。

---

① 召唤结构是接受美学的一个概念，是由德国著名接受美学家沃尔夫冈·伊瑟尔（Wolfgang Iser）提出来的，是指艺术作品因空白和否定所导致的不确定性，呈现为一种开放性的结构，这种结构本身随时召唤着接受者能动地参与进来，通过想象以再创造的方式接受。

四、中学语文教学与学生思维力的发展

思维是智力的核心,是考察一个人智力高低的主要标志。恩格斯把思维誉为"地球上最美丽的花朵",人的一切创造性活动都与思维力有关。人类的进步从根本上来说,就是人的思维的进步。

具体来说,思维就是指个体借助语言、表象或动作,对客观事物进行认识。个体通过思维能够透过表象,揭示事物的本质特征和内在联系。思维分广义的思维和狭义的思维两种类型。广义的思维是人脑对客观现实概括的、间接的反映,它反映的是事物的本质和事物间规律性的联系。广义的思维包括逻辑思维和形象思维。狭义的思维通常在心理学意义上专指逻辑思维。逻辑思维是人类思维的核心形态,它以分析、综合、抽象、概括等为基本的思维过程,以概念、判断和推理为基本的思维形式。形象思维是指人们在认识世界的过程中,只用直观形象的表象解决问题的思维方法,其特点是具体形象性。形象思维按发展水平分三种形态:① 学龄前儿童(三至六七岁)的思维,这种思维只反映同类事物中一般特点,不是事物所有的本质特点;② 对表象进行加工的思维,这种思维是成年人在接触大量事物的基础上形成的;③ 艺术思维是指作家、艺术家在创作过程中对大量表象进行高度的分析、综合、抽象、概括,形成典型性形象的过程。

中学阶段是人的思维发展与成熟的关键期,相较于婴幼儿、小学生,中学生的思维能力得到快速发展,逻辑思维能力逐渐处于优势地位。有研究表明,我国学生初中二年级是思维发展的关键期,思维开始实现由经验型水平向理论型水平的转化,转化完成的时间是高中二年级。① 思维一旦成熟、定型,再进一步发展、提高,就比较困难,因此教育者要抓住成熟前的思维训练良机,努力促进学生思维潜能得到最大限度的开发。

(一)中学语文教学对于中学生思维力发展的意义

知识点7:中学语文教学与中学生思维力发展

未来社会所需要的人,不仅仅要具有基本的听说读写能力,更需要具有较高的思维品质,才能解决未来的诸多社会问题。语文学科将抽象思维、形象思维与直觉思维紧密地结合在了一起,通过听说读写等语文学习实践活动实现多种思维方式的综合培养。"书读百遍,其义自现"所呈现的就是多种思维活动在语感培养与文化熏陶中发挥综合作用的效果。在语文里,抽象、形象、直觉三种思维水乳交融,这种交融极有利于培养学生的个性,开启学生的智力,启发学生的思维。

相对于其他学科来说,语文是一门学习语言文字运用的实践性、综合性课程,语言与思维的密切关系,决定了在语文教学中发展学生思维力的优势。

关于语言与思维的关系,目前大家基本认可的观点是:① "不仅思维决定语言,而且思维也要受制于语言";② 苏联著名心理学家维果茨基所主张的"思维决定语言,而不是相反";③ 语言与思维二者是不完全等同的。我们应该利用语言与思维的这种密切联系,来提高语文教学效果,更好地促进学生思维的发展。关于这一点,语文教育界达成了共

---

① 朱晓斌.语文教学心理学[M].北京:高等教育出版社,2012:17.

识。于漪提出"教师在对学生进行语言训练的同时,必须大力发展学生思维的能力"①。语文教育专家苏立康说:"关于语言和思维的关系,我在认识上还是比较清楚的。第一,语言是语言,思维是思维,语言的规律是语法,思维的规律是逻辑,二者不能混为一谈,因此从训练上来讲,二者不能互相取代。第二,语言和思维又是互相依存的,语言是思维的工具,思维必须凭借语言,因此从训练上来讲,应该将二者结合起来。第三,是思维决定语言,而不是语言决定思维,因此从训练上看,必须首先着眼于思维训练。"②

我国的语文课程标准对于语文教学中对学生思维力的培养,也有明确、具体的规定与要求。《义务教育语文课程标准》(2022年版)明确提出应"发展思维能力"。《普通高中语文课程标准》(2017年版2020年修订)把"思维发展与提升"作为学科核心素养的四个核心内容之一,并作出清晰的说明:"思维发展与提升是指学生在语文学习过程中,通过语言运用,获得直觉思维、形象思维、逻辑思维、辩证思维和创造思维的发展,促进深刻性、敏捷性、灵活性、批判性和独创性等思维品质的提升。"这一说法,表明思维发展与提升是依托于语文学习和通过语言运用活动得以实现的。

语文教学中的思维训练,并不是在完成了预定的教学任务之后,另外添加的教学内容,而是在进行听说读写训练的时候融进思维训练。这就是所谓的寓思维训练于听说读写训练之中。通俗地说,思维训练并不是撇开课本另搞一套,而是在指导学生听说读写的时候,教给学生应该想些什么和怎么去想。

(二) 中学语文教学与中学生的思维力训练

知识点8:中学语文教学中思维力训练方法

1. 培养形象思维,丰富审美体验

在中学语文教材中有大量的文学作品,这些作品是作家用艺术思维(即形象思维的高级形态)的方式创作出来的。在语文教学中,教师就必须对学生进行形象思维训练,引导学生正确、快速地破译作品的艺术密码,完成语文学习任务。

形象思维与抽象逻辑思维一样,遵循一般的认识规律,即从感性认识到理性认识,最终达到对事物本质的认识。但与逻辑思维的运用不同,形象思维以感性的形象(也称为表象)作为思维运动的形式,"在形象思维的过程中,始终离不开表象和表象的运动,总是伴随着感知、想象、联想、理解、情感等心理活动,这是形象思维最基本的特征"③。

情感是形象思维的动力,作家正是在情感的驱使下创作出文学作品的。学生学习语文时,进行形象思维训练的关键,就是与作品表达的情感形成共鸣,以文中人物的悲欢离合作为自己的悲欢离合,在此基础上,去感悟人物、体会故事,从而理解作品。形象思维训练的主要方式是感悟、体验,反复朗读以从声音、节奏、语气中感悟语言文字的魅力,角色扮演、复述故事以体验人物的内心世界,这些都是形象思维训练的有效途径。

形象思维训练有助于学生形成一种语文专业思维,那就是看待艺术形象的审美眼光。朱自清主要用形象思维创造出《背影》中"父亲"的典型形象,他充满父爱,对孩子细

---

① 于漪.语文教学应以语言和思维训练为核心[J].课程·教材·教法,1994(6):1.
② 苏立康.语文教学对话录[M].北京:北京教育出版社,1993:30.
③ 连瑞庆.形象思维与中学语文教学[M].北京:北京科学技术出版社,2006:1.

心而宽容,这是一个艺术形象。曾经有人认为文章中的父亲过铁道攀爬月台违反了交通规则,因此损害了人物的完美、伟大,殊不知,文章的焦点是父亲穿过铁道攀爬月台为儿子买橘子的努力,文字的篇幅、细节和情感的重心都在这里,用实用社会学的眼光去要求父亲,在这里是十分可笑的,之所以会出现这样的问题,是因为持这种观点的人对艺术形象的情感体会不到位,对语言的感悟、体验不到位,即形象思维训练不到位。

说"草叶上的露珠是空气中的水蒸气遇冷凝结成的小水滴",这是科学思维、抽象逻辑思维,而说"露珠是小草思念太阳妈妈而流的泪",这是艺术思维、具体形象思维。语文教学中的文学作品常常表现为艺术思维。余光中说"蓝墨水的上游是汨罗江",这句话是艺术思维的结果。歌曲《弹起我心爱的土琵琶》唱道:"西边的太阳快要落山了,鬼子的末日就要来到。"如果一上来就唱"鬼子的末日就要来到",就不成为艺术,前边加上"西边的太阳快要落山了",使用了比兴手法,运用了艺术思维,就变成艺术了。在中学语文教育教学中,教师要训练学生,升华这种艺术思维。

2. 锻炼逻辑思维,拓展理解层次

尽管语文课的本体性教学内容是学习语言文字的运用,但同时还必须对学生进行思维的训练,尤其是逻辑思维的训练。《普通高中语文课程标准》(2017年版2020年修订)"课程目标"第5点"发展逻辑思维"指出:"能够辨识、分析、比较、归纳和概括基本的语言现象和文学现象,并能有理有据地表达自己的观点和阐述自己的发现;运用基本的语言规律和逻辑规则,判别语言运用的正误,准确、生动、有逻辑地表达自己的认识;运用批判性思维审视语言文字作品,探究和发现语言现象和文学形象,形成自己对语言和文学的认识。"在第6点"提升思维品质"中特别提出要"增强思维的深刻性、敏捷性、灵活性、批判性和独创性"。结合中学语文教育的实际情况,我们认为,在中学语文教育教学中,要特别关注以下三种逻辑思维训练。

(1)概括性思维训练。北京师范大学教授林崇德认为,"思维有六个特点:概括性、间接性、逻辑性、目的性(或问题性)、层次性、生产性等。概括性是其中最基本的特点"[1]。林崇德进一步强调:"无论是站在理论的角度,还是站在实践的角度,概括都是思维的基础和首要特点。所以,概括性成为思维研究的重要指标,概括水平成为衡量学生思维发展的等级标志;概括性也成为思维培养的重要方面,思维水平通过概括能力的提高而获得显现。"[2]尽管林崇德是从心理学的意义上阐述概括的重要性,但这个观点仍然适用于语文教育教学。语文教材里的课文是一篇篇文字,内容丰富,信息量大,如何"概括"出课文的主要思想内容、人物的主要特征、文章的主要修辞方法、语言的主要特点等,这些对于学生来说都是极其重要的逻辑思维训练。概括的基本过程是"理解—分析—提炼",这个过程完成了从形象思维到逻辑思维的飞跃,对于学生思维的发展具有特殊意义。

概括的过程可以先从自然段的主要内容概括开始,到部分(几个意思关联密切的自然段的组合)大意的概括,再到全文思想内容的概括,由小到大,直至完成对全文的把握。从概括的指向来说,可以概括思想内容、人物性格、写作特点、语言特点等;从概括的方式来说,可以口头概括也可以书面概括,可以用关键词概括、一句话来概括,也可以用一段话来概括。

---

[1] 林崇德. 思维心理学研究的几点回顾[J]. 北京师范大学学报(社会科学版),2006(5):38.
[2] 同①:38-39.

比如《孔乙己》这篇小说教学中的人物概括性思维训练,可以按照如下方式来进行:

A. 仔细阅读小说后,各用一个关键词来概括孔乙己、酒客、掌柜的、小伙计的性格特征,并说说为什么。

B. 用以下句式来概括人物关系和故事情节(看/被看):

在_____(说具体语段),我从_____的眼睛中,看到了一个_____的孔乙己。

C. 把你对孔乙己的印象,用一段文字概括出来。

概括性思维训练必须紧密结合语言表达训练,前提则是对课文的熟悉,因此,深入阅读课文并进行初步的或复杂的思考是概括完成的前提。

(2)比较性思维训练。比较是人类基本的思维方式,在比较中发现异同,在比较中显示优劣,在比较中显现各自特征,促使人对事物的认识向深层发展。在丰富的语言材料的学习中,比较能够拂去语言的迷雾,使语言的本质特征凸显出来。语文教学中的比较,在互相有相似或者联系的两个或多个语言材料中,或横向或纵向,或比较内容、情感,或比较形式、技巧,角度各异,而比较的方法则大同小异。如下面这句:

小草偷偷地从土里钻出来,嫩嫩的,绿绿的。

A. 把"钻"换成"长""生""冒",然后与原文进行语言表达上的比较;

B. 把原句改成"嫩嫩的、绿绿的小草偷偷地从土里钻出来",再与原句进行表达效果的比较。

再如,《祝福》是以小说人物"我"的视角来讲述故事的,教师可以让学生在熟读小说、弄清情节后,进行叙事视角改写训练,将文章改写为祥林嫂的视角(或者鲁四老爷的视角或者一个普通鲁镇女人的视角),然后与原小说比较,则原小说的启蒙知识分子视角的意义就会凸显出来。这种比较是对原文进行加工、改造,以形成新的语言材料之后的比较,其好处是在比较中,加深学生对原文语言特征、思想内容的理解。

还有一种比较,是教材原文不动,进行两种或两种以上的语言材料的比较,如把《从百草园到三味书屋》与《藤野先生》在"鲁迅怎么写老师"的写作技巧上进行比较,这是一种课内语言材料的比较。还可以是课内语言材料与课外语言材料的比较,如余映潮老师在教授普希金的《假如生活欺骗了你》时,把它与课外语言材料、中国诗人宫玺的诗歌《假如你欺骗了生活》进行对读,取得了良好的教学效果。教师的课外资料的引入和比较,让学生既能够拓宽视野,又能够在比较中获得对原文的更深理解,可谓是"一箭双雕"。

另外一种特殊的比较,是把教材中的语言材料与非语言材料比较,如《祝福》小说与同名电影的比较,《林黛玉进贾府》与电视剧的比较,《故乡》文字与插图的比较,等等。课文文字与课文插图的比较,可以让学生先看文字想象图画,然后比较,分析差异产生的原因;也可以先看插图,进行文字描述,然后与课文文字比较。如,读了《孔乙己》,你心目中的孔乙己是什么样子?书上孔乙己的插图,你觉得怎么样?如果不满意,这个图该怎么修改?……

无论哪种比较,其目的都是训练学生语言的表达能力、训练学生思维的深度,所以教师要设定比较的角度,限定比较的范围,不能漫无目的。同时,这个比较应尽量考虑学生思维发展的层次,逐层深入地设计比较好。

(3)批判性思维训练。批判性思维能力在国际教育界被认为是和读、写一样基本的学习和学术技能,是创造知识和合理决策所必需的能力。我们必须破除长期以来对于批判性思维的一些误解，正确认识其特点。其特点主要有：第一，批判性思维不等于否定，而是谨慎反思和创造；第二，批判性思维不等于论证逻辑，而是辩证认知过程；第三，批判性思维不等于技巧，而是理智美德和技巧的结合。①"批判性思维是在辩证理性和开放精神指导下的认知思维活动和过程，它以认识的理性和发展为标准和目标，以建设性批判讨论为推进认识的有效途径。批判性思维的教育应该在传授思考技巧的同时培育追求真理、公正和反思的精神和理智美德；交流、辩证和开放的方法是教育的指导原则，即用批判性思维的方法来教授和培养批判性思维。"②这些观点，对于我们在中学语文课堂中进行正确的批判性思维训练，具有重要的指导意义。

培养学生的批判性思维是语文课程的重要目标之一，《普通高中语文课程标准》（2017年版2020年修订）反复提到这一点。那么，在中学语文课堂中，该怎么进行批判性思维训练呢？批判性思维教学应以实证和研究为本。第一，教师要创造多元、轻松的思维环境，鼓励学生大胆质疑、深入思考；第二，教师要教会学生开展科学、合理的论证，即学会找证据，而不是妄加揣测；第三，教师应让学生反思自身思考方式方法的合理性与科学性。

我们下面来看看北京市特级教师程翔教授《雷雨》（节选）的片段③：

师：第二对话组，回忆梅小姐被赶出周家的经过。周家为什么一定要赶走她呢？

生：周家为了娶一位有钱的阔小姐（繁漪），这才显示出门当户对。

师：还有不同的理解吗？（学生沉默）可以交流一下。

生：因为两家的身份、社会地位不同而招致舆论。

师：众人可能都把责任推到周家人身上，读原著后，老师发现问题并非如此简单。娶一位有钱的阔小姐（繁漪）就一定要把侍萍赶出去吗？或者说有没有这样的两全之策，既让周娶阔小姐，又不让侍萍离开周家？

生：肯定可以的，那就娶阔小姐作妻，让侍萍作妾。（学生大笑，听课老师亦笑）

师：好的，不能作妻，作妾总还是可以的。作为周家父母，他们也不希望自己的长孙（周萍）幼年失母，作为周朴园，他当然更不希望自己深爱的并为周家生下两个儿子的侍萍离开自己，就是繁漪也会同意让她留下来做妾的。但侍萍还是被扫地出门，这又是为什么？

生：说明侍萍挺有骨气，挺有尊严的。

师：是啊，侍萍确实有骨气，有尊严，我为你们周家生有两个儿子，凭什么让我做妾而让繁漪作妻？就只是我的出身、我的地位低吗？所以她一定要作妻，而这恰恰触犯了周家的底线——什么条件都可答应，就这一点坚决不让步！

在这个教学片段中，程翔老师用一个有价值然而又容易被忽略的问题来训练学生的思维力，在学生提出不同意见后，引导学生去论证，让学生的思维在思辨中朝深层次发展。

再如，在《祝福》的教学中，有教师让学生讨论：① 鲁四老爷的行为有没有合理性？这个问题的追踪，将把批判的矛头引向中国文化的深层结构上去；② 如果祥林嫂的第二个丈夫贺老六和儿子阿毛没有死，祥林嫂是否就可以过上幸福的生活？③ 祥林嫂在鲁镇

---

① 董毓.批判性思维三大误解辨析[J].高等教育研究,2012,33(11):65-68.
② 同①:69.
③ 俞泽峰.语文教学技能训练[M].济南:山东人民出版社,2015:176-178.

怎样才能够活下去?这些问题的答案不统一,在肯定中有否定,否定中又有一些合理因素,能够促进学生的思维走向全面和复杂,最终达到思维的全面和深刻。

尽管影响学生智力发展的因素众多而且复杂,但好的语文教学仍然能够有效地促进中学生的智力发展,如上所述,中学语文教学是能够在中学生的观察力发展、想象力发展和思维力发展上"有所作为"的。

练习题

1. (单项选择题)智力的核心是( )。
   A. 观察力 B. 想象力 C. 思维力 D. 记忆力
2. (简答题)有哪些有代表性的智力理论?请简单介绍一下。
3. (论述题)结合具体语文课例,谈谈如何促进中学生观察力的发展。
4. (论述题)结合具体语文课例,谈谈如何促进中学生批判性思维力的发展。

第二节 中学语文教学与学生非智力因素的培养

学习是一个复杂的过程和系统,事实和研究表明,对学习产生影响的既有智力因素,也有非智力因素。2019年,中共中央、国务院颁布《关于深化教育教学改革全面提高义务教育质量的意见》,提出"五育并举"方针。德育、美育、体育、劳动教育的落实离不开对学生非智力因素的培养。

非智力因素与语文学科核心素养具有密切关联。《普通高中语文课程标准》(2017年版2020年修订)以及《义务教育语文课程标准》(2022年版),对语文学科核心素养的概述都涉及语言运用、思维发展、文化传承和审美创造这四个维度。非智力因素作为学习的心理动力系统,对学生的语言表达与运用和语文学科的思维发展起着导向与强化等作用,进一步推动着学习者在语文学习的过程中获得文化熏陶、发展审美品质。因此,理解非智力因素的内涵,创设非智力因素培养的途径,掌握非智力因素培养的方法,对于促进学生全面发展、提高学生语文能力,都具有重要的意义。

一、非智力因素概述

知识点1:非智力因素的含义

根据林崇德等编的《心理学大辞典》等研究成果,智力因素是学习的认识能力系统,包括观察、注意、记忆、思维、想象等,直接参与认识过程;非智力因素是学习的心理动力系统,包括动机、兴趣、意志、情感、习惯、性格等,虽然不直接参与认识过程,却对学习起着起动、导向、维持和强化等作用,因此也是完成学习过程不可或缺的因素。

动机是激发和维持有机体的行动,并使行动导向某一目标的心理倾向或内部驱力。动机具有三方面功能:激发功能,激发个体产生某种行为;指向功能,使个体的行为指向一定目标;维持和调节功能,使个体的行为维持一定时间,并调节行为的强度和方向。动机按不同分类方法可分为生理性动机和社会性动机、内在动机和外在动机等。

兴趣是人认识某种事物或从事某种活动的心理倾向,它是以认识和探索外界事物的需要为基础的,是推动人认识事物、探索真理的重要动机。兴趣按不同的分类方法可分为物质兴趣和精神兴趣、直接兴趣和间接兴趣、个人兴趣和社会兴趣等。

意志是人自觉地确定目的,并支配行动去克服困难以实现预定目的的心理过程。其主要特征为:明确的目的性,与克服困难直接相联系,直接支配人的行动。意志对行动的调节既可表现为发动和进行某些动作或行为,也可表现为制止和消除某些动作或行为。

情感是态度的一部分,它与态度中的内向感受、意向具有协调一致性,是态度在生理上一种较复杂而又稳定的生理评价和体验。情感包括道德感和价值感两个方面,具体表现为爱情、幸福、仇恨、厌恶、美感等。

习惯是指积久养成的生活方式。学习习惯是在学习过程中经过反复练习形成并发展,成为一种个体需要的自动化学习行为方式。

性格是一个人对现实的稳定的态度,以及与这种态度相应的、习惯化了的行为方式中表现出来的人格特征。性格一经形成便比较稳定,但是并非一成不变,而是具有可塑性。性格不同于气质,性格更多地体现了人格的社会属性,个体之间的人格差异的核心是性格的差异。

知识点2:非智力因素的结构

根据林崇德等编的《心理学大辞典》等研究成果,我们可以按照非智力因素对心理活动的调节范围以及对学习活动直接作用的程度,将非智力因素划分为三个不同层次。

第一层次是指学生的理想、信念、世界观。这些属于最高层次,对学习具有深入持久的影响。

第二层次主要是指个性心理品质,如需要、兴趣、动机、意志、情绪情感、性格与气质等。这些属于中间层次,对学习有着直接的影响。

第三层次是指与学习活动有直接联系的非智力因素,如对某门功课的态度,对某位教师的评价等。这些属于最低层次,对学习产生具体的影响。

总之,非智力因素的层次越高,对学习的影响就越持久、越不直接,因此,在培养学生的非智力因素时,要将不同层次的因素综合考量,协调共济。

知识点3:智力因素与非智力因素的关系

在学习过程中,智力因素与非智力因素具有密切的关系,具体表现为既相互促进,又彼此制约。

第一,积极的非智力因素对智力因素的发展具有促进作用。在个体学习活动尤其是高强度和高难度的学习活动中,浓厚的兴趣、强烈的动机、顽强的意志、饱满的热情是学习活动得以顺利进行的重要条件。而且,良好的非智力因素对智力因素具有一定的补偿作用,能够弥补个体智力上的某些缺陷与不足。韩愈的"业精于勤而荒于嬉",华罗庚的"聪明出于勤奋,天才在于积累",卡莱尔的"天才就是无止境刻苦勤奋的能力"等都说明了这一道理。清代著名学者章学诚,幼时资质鲁钝,记忆力尤差,每日诵读仅百余字,年十四岁尚未完成对"四书"的学习,但他以"人一能之己百之,人十能之己千之"的精神,奋发学习,熟读经史,终于完成《文史通义》这一学术史上的皇皇巨著。

第二,消极的非智力因素对智力因素的发展则起到阻滞与破坏的作用。"小时了了,大未必佳"的例子不在少数,如王安石笔下的方仲永,从一少年天才而沦落为"泯然众人矣"，原因就在于其父为利所诱而"不使学"，使其逐渐丧失了学习的热情。反观现在，仍有许多聪明儿童沉迷于外界诱惑而不肯向学，在重蹈仲永的悲剧。

因此，智力因素与非智力因素的结合是学习成功的关键，二者譬如船之双桨，机之两翼，只有完美结合才能实现人生理想。

二、中学语文教学与学生非智力因素的培养

知识点 4：语文学科与非智力因素的培养

在教学中，各门课程都承担着培养学生非智力因素的任务，但与其他学科相比，语文有自己的一些特点和优势，认识并利用这些特点和优势，有助于教师更好地培养学生的非智力因素。

第一，语文学科的人文性为非智力因素的培养提供了直接的资源。工具性与人文性的统一是语文课程的基本性质。语文具有丰富的人文内涵，其本身既是人类文化的重要载体，又是人类文化的重要组成部分，包含着大量优秀传统文化、红色革命文化、世界先进文化资源，这为学生非智力因素的培养提供了直接的资源。

第二，语文学科的综合性为非智力因素的培养提供了无限的可能。语文学科具有显著的综合性，其外延和生活的外延几乎相当，不仅语文教材的内容包罗万象，涵盖哲学、政治、经济、军事、文化等人类生活的方方面面，而且潜在的课程资源更是极为丰富。在历史、政治甚至数学、物理等学科中，在生活、工作、娱乐中，一定都或多或少、或隐或显地在学习语文、实践语文，可以说语文无处不在，这就为学生非智力因素的培养提供了取之不尽、用之不竭的资源。

（一）非智力因素在语文教学中的培养途径

知识点 5：非智力因素培养的途径

非智力因素培养的途径主要有抓住课堂教学的主阵地和构建综合培养环境。以生活为基础、以语文实践活动为主线的语文课堂，在整合学习内容、情境、方法与资源等要素的过程中，能够充分调动学生的学习需要与兴趣，深化对社会与人生的理解与思考，涵养高尚深邃的情感与气质，树立积极正向的理想信念。抓住课堂教学主阵地，构建课内外相结合的综合培养环境，是非智力因素在语文教学中的两条主要培养途径。

1. 抓住课堂教学的主阵地

课堂教学是师生活动的主阵地，因此在培养学生非智力因素时，教师必须牢牢抓住这个主阵地，在课堂教学上多下功夫。为此，教师要特别注意做好以下两个方面。

第一，挖掘教材人文内涵，确定合理教学内容。语文具有丰富的人文内涵，但它如果不被教师发现和利用，那就只是潜在的资源，这要求教师必须具有一双慧眼，并能结合学生实际，抓住教学契机，采用适宜方式对学生进行教育。如统编本语文教材七年级上册第二单元收录了《秋天的怀念》《散步》《散文诗二首（《金色花》《荷叶·母亲》）》《〈世说新语〉二则（《咏雪》《陈太丘与友期行》）》等课文，这些课文在内容上的共同点是书写亲情和家庭。亲情是人世间最普遍、最美好的感情之一，但现在的初中生囿于年龄和阅历，对亲情未必有深入的体会和理解。教师如能对学生进行切实有效的亲情教育，使其体会父母之爱的深沉笃厚及父母生活的勤苦艰辛，学生就会将父母对他们的爱和他们对父母的

爱转化为刻苦学习的巨大动力。

在对教材人文性的处理上,一定要坚持正确导向、自然渗透的原则,避免出现牵强附会,甚至误导学生的情况。如有的教师在讲授《愚公移山》时,不顾文本体裁特征和创作历史语境,故意标新立异,采用"戏说""歪解"的方式,引导学生得出"愚公真愚"的结论。最令人担忧的是,这种教学居然获得一片叫好声,可谓流毒匪浅。同样是《愚公移山》,上海市特级教师钱梦龙的课堂实录则给人深刻的启示①。

师:你们想,一个笨的人能这样考虑问题吗?恐怕不可能。那为什么智叟说他笨呢?我想先给你们讲个事。我们上海有一位公共汽车售票员,对待乘客非常热心,是个学雷锋的标兵,《文汇报》上登过他的照片。很多人都写信表扬他,说他服务好。但也有些小青年说这个服务员"戆头戆脑",这是我们上海方言,就是傻里傻气。这是什么道理?还有雷锋,有些人不是也叫他——

生:(齐)傻子!

师:你们看,这是什么道理啊?你说。

生:有的人是从为自己的角度来看的,就说他是傻子;有人是从他为集体做好事来看,感到他是好的。

师:哦,讲得真好!就是说要从什么角度看问题,用什么样的思想感情来看待这样一件事。这位同学的观点你们同意不同意?

生:同意。

师:好。那让我们回到本题上来,再来看看老愚公。他做的事看起来好像是很傻的。他要移山,可他已经多大年纪了?

生:就要到90岁了。

师:这么大年纪了,他自己能看到山移走吗?

生:看不到。

……

师:对,这里要用个假设的意思。可见愚公移山早就想到在自己有生之年是移不了山的。他自己能享受到移山之利吗?

生:(齐)享受不到!

师:这看起来似乎有点傻了,对不对?但我们用另一种观点来看,用什么观点呢?(一学生插话说为子孙……)啊,很好,请你讲下去,为子孙什么?

生:为子孙后代造福。

师:哎,讲得真好,同学们都讲得这样好,真叫老师高兴!我们如果用"为子孙后代造福"的观点去看愚公,他不仅不笨,而且还不是一种小聪明,而是……

生:(接话)大聪明!

师:对了!有句成语就叫"大智大勇",还有一句成语也许你们还不知道,叫作"大智若愚"(板书)。

钱梦龙针对"愚公笨不笨"这一问题引导学生进行了充分探讨,在让学生明白了愚公移山有动机(痛感迁塞之苦)、有目的(确知移山之利)、有手段(深明可移之理)之后,针对

---

① 钱梦龙.钱梦龙经典课例品读[M].彭尚炯,编选.上海:华东师范大学出版社,2015:206-239.

有人不理解愚公并斥之为愚蠢的看法,教师用上海售票员的例子进行类比,并引导学生得出是否愚蠢"要从什么角度看问题"的理性认识。像这种紧扣文本、言必有据的分析,令人信服,自然会激发学生将愚公精神转化为自己强大的精神动力。

第二,采用启发教学,提高教学技能。教学方法直接关系到教学的质量,但是何法为优,何法为劣,却不能一概而论,因为"教无定法"。教学方法受到许多因素的制约,但从一般原则而言,启发式教学作为一种教学原则是被普遍认可的。从先秦孔子的"不愤不启,不悱不发",到当代钱梦龙的"导学法",启发式教学可谓一脉相承。但启发式教学需要教师提出真问题、好问题,因此有一定难度,而课堂教学常见的是"满堂灌"与串讲。串讲当然有其价值,也未必没有"启发",但其提问通常较为繁多和琐屑,难以使学生深入思考,训练的价值和意义不大。因此,我们一般提倡板块式教学和主问题设计,即将一堂课分为若干板块,每一板块设计一个或几个(通常不宜太多)问题,问题与问题、板块与板块之间既互相分工,又密切联系。对学生而言,这种教学方式除了可以训练其思维外,还可以激励其学习欲望,提高其学习兴趣。比如,在教学白居易《钱塘湖春行》时,可以设问:作者描写的是春天哪个时段的景色?是早春、仲春还是暮春?通过对这一问题的探讨,可以让学生品析字词、感受意境,提升学生的语言文字能力,让学生领会春天的蓬勃生机。

2. 课内外结合,构建综合培养环境

课内外相结合与跨学科融合的教育方法,使培养学生非智力因素的途径从更富课程意味的"五育并举"转向更具教学意义的"五育融合",契合了新时代教育教学变革的新要求、新特点和新趋势。[①]《普通高中语文课程标准》(2017年版2020年修订)也明确提出:"在生活和跨学科的学习中学语文、用语文,在学习和运用的过程中提高表达、交流能力。"除了课堂教学之外,语文教学的各个环节,包括作业、考试、综合实践活动、校本课程等,都可以成为非智力因素培养的途径。以课外活动为例,教师要努力为学生创设平台,让学生充分展示自我,以培养自信心,增强合作意识和竞争精神,提高学习动机和兴趣。教师可以开设文学欣赏兴趣小组、影视评论小组、文学创作小组、书法兴趣小组、演讲朗诵艺术团等,让学生的非智力因素在第二课堂中得到发展。

广东省深圳市某中学开展的语文跨学科学习实践,充分体现出跨学科融合教学能充分推动学习者非智力因素的发展,收获更好的教学效果。该中学以语文学科为本位,融合政治、历史、生物与艺术等多学科,开发出文博导学课、文史探源课、文化鉴赏课和专题研讨课四种课型,以馆校结合的方式开展语文跨学科学习的博物馆课。在教师展示的专题研讨课中,学生们通过课上所学形旁字家族表意相关的特点,来辨析博物馆内青铜器物的名称含义;通过对教材古诗文语境的解读,辨析诗文中出现的器物的功能及使用方式;带着"选择一种器物为新大学设计校徽"的情境任务,走进博物馆,运用多种学科的知识对青铜器作深度解读,形成贴切又富有创意的设计理念。学生们在充满趣味性的生活化任务中,以充满语文味儿的方式触摸历史,传承中华优秀传统文化。该中学开发的语文跨学科学习馆校系列课,通过拓宽学习场地提升了学习者的学习动机与兴趣,提供了小组合作与展示自我的平台,不仅打开了学生们学习传统文化的眼界,提高了语言建构

---

① 刘远杰,苏敏静.五育融合的本质澄清与教学实践转向[J].教育科学研究,2023(7):33-39.

能力和运用能力,还培养了文言的鉴赏与分析能力,增强了跨学科学习的整合能力。

(二)语文课堂中的非智力因素培养方法

知识点6:非智力因素在语文课堂中的培养方法

1. 注重人文内涵的熏陶感染

语文是一门人文内涵丰富的学科,课程标准也明确提出"工具性与人文性的统一,是语文课程的基本特点"。学习语言运用知识和提高人文素养在语文教学中同等重要。因此,教师在语文教学中要十分注重语言的涵咏与运用,正确处理语言教学与其他内容教学的关系,在对学生进行人文教育时注重渗透熏陶的方式,使其如盐着水,不着痕迹,自然而然地融入语文教学中。只有这样,教师才能在保证"语文味"的同时,更好地培养学生的非智力因素。

阅读教学、写作教学与语文实践活动都能够通过相应的人文内容来感染学生,并进行正向价值观的熏陶渗透。比如,在鲁迅《拿来主义》的阅读教学中,既要学习鲁迅杂文的论证特点,也要引导学生关注"拿来主义"的现实意义,引导学生正确对待传统文化遗产和外来文化;在写作教学中,不仅要教学生写作的基本方法和写作技巧,更要通过正确的人生观、价值观来进行教育渗透,这样才能有效提升学生的思维水平;在语文实践活动中培养学生善于实践、团结合作等良好品质。[①] 这种培养的效果虽然不一定能立竿见影,但却能在学生身上持续很久甚至终身。许多人就是受到语文课堂和语文教师的影响,进而外化于行,内化于心,甚至改变了人生命运。

2. 以学生为主体的任务驱动

非智力因素的培养,除了熏陶感染之外,还可以通过任务驱动的方式来实施。《义务教育语文课程标准》(2022年版)按照内容整合的程度设置了基础型学习任务群、发展型学习任务群和拓展型学习任务群,《普通高中语文课程标准》(2017年版2020年修订)将统编版教材各单元划分为18个"学习任务群"。课程标准对"学习任务群"的阐述表明,"任务"是学生开展语文学习的动力来源,教师所设计的语文学习任务要能够"驱动"学生有效学习。学生们围绕"学习任务"开展自主合作探究,调动已有的知识经验去获得、理解、内化、运用新的知识和体验。在任务驱动的过程中,学生的非智力因素能够获得充分发展,从而有效培育学科核心素养,获得精神成长。

能够驱动学生进行真实学习的"学习任务"要做到真切清晰。真切的"学习任务"既不是板着面孔的指令,也不是让学生唾手可得的迁就敷衍。"学习任务"包含着学习目标,有清晰的范围、适切的要求,又具有一定挑战性。"任务"是深知学生的现实起点又明了其发展提升可能性的目标,是让学生经过努力一定能够完成的。[②] 为了实现更好的"驱动"效果,教师可以将任务驱动与情境创设相结合,设计富有趣味的"情境任务",帮助学生获得真切有效的语文学习体验。在进行高中语文必修上册第一单元的单元整合教学中,教师可以巧妙构思、灵活融合课程标准提出的三类学习情境,针对单元学习各板块设计相应的单元情境任务[③],具体内容如表3-1所示。

[①] 曹公奇.感染熏陶 有机渗透:语文课程育人路径探析[J].中小学班主任,2020(8):47-48.
[②] 戎仁堂,冯为民."学习任务驱动"的现状、诉求和路径[J].中学语文教学,2021(5):16-20.
[③] 周小蓬.高中新课程语文学科核心素养优秀教学设计[M].广州:广东高等教育出版社,2022:29.

表 3-1　针对单元学习板块设计的情境任务活动

单元学习内容	情境任务活动（部分）
《沁园春·长沙》	如果有一位导演要去长沙拍摄和这首词的内容比较吻合的景物，你会给他什么建议？为什么？（小组讨论展示）
《立在地球边上放号》《红烛》	假设你是班级"青春之歌"诗歌朗诵会的导演，你打算选什么样的同学来朗诵诗歌《立在地球边上放号》？你会如何指导这位同学的朗诵？
《百合花》《哦,香雪》	① 以小组为单位，以小说《百合花》为基础进行剧本改写，每个小组负责一个情节的改写，并进行表演。其余小组进行评分，小组代表围绕主题表现、人物表演、道具设计等各个方面进行点评。各小组针对表演选出最佳表演小组、最佳男主角、最佳女主角等。 ② 读《百合花》体会战争年代的人性美，《哦,香雪》中"香雪们"细腻质朴的纯洁青春也给我们带来了别样的审美体验和独特的青春感受。请结合本单元所学的诗歌形式，任选两篇小说之一，将其改写成诗歌，或将本单元某一首诗歌改写成散文、课本剧等。
单元综合任务	班级准备召开以"弘扬五四精神 奉献火热青春"为主题的诗歌朗诵会。你作为朗诵会策划者，准备如何编排本单元五首诗歌的顺序？请写一段串联词，要求语言简练、衔接自然。

真实有效的语文学习活动任务，能够科学合理地整合并"盘活"教材单元的各项知识。学生们在完成任务的过程中，能积极促进自身的全面发展。通过有意义的任务，学生更容易激发学习兴趣，能够更加明确学习的意义和重要性。另外，完成任务所获得的成就感能大大增强学生们的学习自信心和求知欲，团队合作经历也能够培养学生的责任感与合作意识。此外，任务驱动教学还能促进学生塑造正向价值观，形成积极的学习态度。任务驱动教学帮助学生全面成长，成为积极、自信、创造性的学习者，并树立正确的价值观，为未来的学习和生活奠定坚实的基础。

3. 结合课本与生活的情境创设

《普通高中语文课程标准》（2017年版2020年修订）指出，"真实、富有意义的语文实践活动情境是学生语文学科核心素养形成、发展和表现的载体"；教学实践中，应"围绕学习任务群创设能够引导学生广泛、深度参与的学习情境"；评价语文学科核心素养，"需要在真实的语文学习任务情境中综合考查"。可见，课程标准强调了创设真实情境的重要性。在单元学习任务的完成中，创设真实情境是必不可少的。

"情境"指的是课堂教学内容涉及的语境，由师生共同营造。"真实"是指课程对学生的真实性，与学生经验、现实生活、社会实践紧密联系。"真实情境"指的是能够反映情境与任务背后的"真实世界"，结合生活与教材文本内容的语文学习情境，源于生活中语言文字运用的真实需求，服务于解决现实生活的真实问题。"真实情境"指向学生在复杂、开放的真实情境中运用语文工具解决问题的能力的培养，指向语文学科核心素养的培养。

真实、具体、富有意义的学习情境，能够让教材与生活相关联，激发学生探究问题、解决问题的兴趣和热情，促进学生自主、合作、探究学习，调动学生参与语文学习活动的积极性、主动性和创造性，有利于引导学生广泛、深度参与，获得更好的学科育人效果。此外，还能够推动有意义的互动学习环境的形成，从而引导学生经历多样化的学习过程，促进学生在更广阔的语言环境中主动学习、深度理解，培养学生在真实情境中解决问题的能力，帮助学生实现知识的迁移和应用。

语文名师肖培东指出：文学类文本与非文学类文本对于情境创设有不同的需求。对于文学类文本，教师要更多基于文本情境，将所创设的情境镶嵌在文本情境之中，从而让学生在教师所创设的情境里领悟文本的思想内容与审美意蕴。非文学类文本以实用为主，教师需更多地基于实际需要的交际语境进行情境创设。① 此外，情境教学还可以与任务驱动相结合，构成鲜活有趣的情境任务，从而调动学生对所学内容的学习兴趣，激活学习思维。

根据文本内容的教学重点创设学习情境，是语文教学培养学生非智力因素的常用方法。肖培东在教学《走一步，再走一步》这篇课文时，通过引导学生们将自身代入课文人物的具体处境，使其明白了为人处世的道理②。

师：后来，"我"在爸爸的指导下爬下了悬崖，脱困成功。所以，每次当"我"回忆起这段童年经历，总有很多人生启迪。文中是怎么写"我"的人生感悟的？大家齐读最后一段。

（生齐读最后一段，理解"我"的人生启迪）

师：这悬崖上的一课，提醒"我"在困难面前要走一步再走一步。我想，这一课也会教育文章中的所有人，会给所有人一个深刻的提醒。那么，如果你是文中的父亲，这悬崖上的一课，你该怎样提醒自己？

生：我会提醒自己，告诉儿子以后不要干这么危险的事儿，以免出意外。

师：感觉得出来，你是一个爱孩子的父亲。那么你还能从父亲的做法中得出一些新的思考吗？

生：我会提醒自己，要多鼓励、督促儿子锻炼，强壮身体。

师：也就是说，别只等着老爸来救你，儿子要学会自己解决困难，学会自己救自己。下面我们就来看看父亲与儿子对话的那几段文字。

（师生合作读对话内容，感受父亲的教育智慧）

师：莫顿·亨特很幸运，有位深谙教育智慧的好爸爸，我们回去要把这个故事讲给自己的爸爸听，希望他也能这样教育孩子。那如果你是莫顿·亨特的妈妈，是悬崖上弃"我"而去的小伙伴，是杰里，又会提醒自己什么呢？

（学生思考，讨论，发言）

师：所以这悬崖上的一课，其实属于文章中的每个人，也属于读文章的我们。千言万语化成一句话，就是文章的标题"走一步，再走一步"，做事如此，思考如此，学习、读书，都如此！下课。

引导学生从文中人物克服下山困难的情节中，感悟在实际生活里也要将困难化整为零、脚踏实地将其攻克的人生启示，这是本篇课文的教学重点。肖培东从文中主人公对爬山事件的反思入手拓展延伸，提出了其他人物"通过这件事都会提醒自己什么"这一问题情境，引导学生在角色扮演的趣味性与贴近现实的启发性中明白更深刻的人生哲理，推动学生学习兴趣、情感、态度、价值观等多种非智力因素的综合提升。

---

① 肖培东.阅读情境教学的重构与价值回归[J].中学语文教学参考,2022(5):8-11.
② 肖培东. 明确目标,导学有序：《走一步,再走一步》教学思考[J].语文建设,2019(1):33-34.

> 练习题

1. （单项选择题）非智力因素包括(　　　)。
   A. 记忆　　　B. 情绪　　　C. 思维　　　D. 注意　　　E. 以上都不是
2. （单项选择题）下列因素中属于智力与非智力因素的分别是(　　　)。
   A. 记忆力;思维力　　　　B. 注意力;人格
   C. 人格;情绪　　　　　　D. 动机;感知力
3. （简答题）非智力因素培养的途径有哪些？
4. （论述题）请结合语文教学实际谈谈如何培养学生的非智力因素？

第三节　中学语文教学与学生元认知发展

元认知是对认知的认知,即以认知作为研究对象,是指人对自己认知活动的自我意识和调节的认知,包括对思维和学习活动的认知和控制。学生的元认知能力在语文学习和思维培养过程中具有十分重要的作用,培养学生的元认知能力有利于学生语文学科核心素养的发展,对语言建构与应用、思维发展与提升、审美鉴赏与创造、文化传承与理解四个方面均有积极影响,同时对改善学生的语文学习质量,提高语文教学效率具有十分重要的现实意义。

一、元认知理论概述

知识点 1: 元认知理论的内涵

元认知概念最初由美国心理学家约翰·费拉维尔(John H. Flavell)于 1971 年提出,其定义为：人对自己认知活动的自我意识和调节,或是任何调节认知过程的认知活动,以认知过程与结果为对象的知识,是对认知的认知。[①] 它包含两方面的内容：第一,对认知的知识,是指一个人对他自己的认知,以及对认知活动过程中的多种因素的认知知识。例如,知道个人的认知特点,知道阅读中结构复杂的文章比较难以理解,要先理清文章脉络等;知道背诵学习中人的遗忘规律等知识。第二,个人对认知的调节作用和监控,包括以下内容：计划下一步的行动,检查任何试图去解决的问题的结果,监控学习活动的有效性,以及检验、修改、评价学习活动。

元认知究竟是什么呢？让我们来举一个形象的例子。一名考生发现自己写作文的速度太慢时,自主加快撰写过程的表现,就是元认知在发挥作用。在这个过程中,考生对作文撰写过程进行再认知与理解,就是元认知。简而言之,元认知就像是大脑中的监测管理员,密切地监测着个体自身的思想与行为。它如同一台盘旋于高空的无人机,用宽广的全局视角审视着自我,时刻帮个体保持头脑的清醒。元认知在学习活动中发挥着重要作用,能使学习者知道自己学习行为的目标、过程及结果;同时,个人能根据认知随时调整学习活动及行为,使学习活动更有效地达成目标。

知识点 2: 元认知的构成要素

北京师范大学教授董奇认为,元认知的结构主要包括三个方面：元认知知识、元认知

---

① FLAVELL J H. Cognitive Development [M]. 2nd ed. Englewood Cliffs, New Jersey: Prentice-hall Inc. 1985: 103.

体验以及元认知监控。① 第一，元认知知识是有关认知的知识，即个体在认知过程中，对完成任务过程中的影响因素，这些因素的作用方式，以及可能引发的结果的认识。它主要包括三个方面的内容：① 关于个人的知识，即关于自己与他人作为认知思维主体的一切特征的知识；② 关于任务的知识，即对学习材料、学习任务和学习目的的认知；③ 关于策略的知识，即个体自己对学习策略的选取、调节和控制有所认识。第二，元认知体验，即在认知过程中伴随而生的认知和情感体验，包括了知和情两方面的体验。如在阅读过程中，学生意识到自己对文章的某一个难点有了突破性理解，从而产生了恍然大悟后的轻松愉快的心情；或在一次预习文言文的阅读过程中，意识到文章艰涩难懂，自己不知如何以最快的时间读懂文章时，产生的焦虑、厌倦等消极的情绪体验。第三，元认知监控是指个体在进行认知的全过程中，将自己正在进行的意识活动作为对象不断对其进行积极、自觉的监视、控制和调节。它包括认知活动前制订计划，认知活动中实施监控、评价和不断反馈，认知活动后对结果的不断检查、调节和修正。在认知活动当中，元认知的三个组成部分是相辅相成，相互联系，相互促进，密不可分的。② 元认知的三个组成部分作为一个共同体才能发挥作用。

知识点3：元认知监控的策略

元认知监控策略是指对自己认知过程的认知策略，即对信息加工过程进行调控的策略，包括对自己认知过程的了解和控制策略。费拉维尔认为元认知监控包括元认知监测和元认知控制两个既相互独立又相互影响的过程。③ 元认知监测是指个体判断自身认知过程的能力，包括任务难度（学习前对学习任务难易程度的预先判断）、学习判断（对已学过的内容在测试中所取得成绩的预测判断）、知晓感判断（当记忆提取失败时，相信自己能够成功提取出某些信息的状态）、自信感判断（对自己的答案准确性的判断）。② 元认知控制是指个体综合各种因素，通过对自我的学习进行监测和判断之后，改变和调控认知行为的过程，是主体为了更好地完成任务、改变认知加工状态（如任务排序、时间分配和与任务相关的资源分配等）的过程。③ 以色列心理学家柯日特（Koriat）和金史密斯（Goldsmith）通过举例来解释监测和控制的相互作用：学生最初非常确定自己的答案是正确的（监测），并把它记录下来（控制），但随后又改变了主意（监测），删掉了之前的答案（控制）。④ 在这个案例中，学生主观地评估了答案正确率的可能性，这是监测过程；学生记录下或删除掉刚刚写下的答案的操作是记忆控制。

元认知监控策略的内容包括：① 计划监控。计划监控是指学习者在认知活动之前的计划，应提前组织、注意定向，如设置学习目标，明确学习材料特点，分析如何完成学习任务计划等，以便在学习过程中不断与原先的计划设想进行比较，及时发现问题，进行调整。② 策略监控。策略监控主要是学习者对自己应用策略的情况进行监控，并采取相应的调节措施，保证该策略在学习过程中有效地运用。③ 注意监控。注意监控是指学习者在学习过程中对自己的注意力或行为进行自我管理与自我调节，如注意自己此刻正在做

---

① 董奇. 论元认知[J]. 北京师范大学学报（社会科学版），1989(1)：68.
② 汪玲，郭德俊. 元认知的本质与要素[J]. 心理学报，2000，32(4)：461-462.
③ SCANDURA J M, BRAINERD C J. Structural/process models of complex human behavior [M]. Alphen aan den Rijn：Sijthoff and Noordhoff，1978：69.
④ PERFECT T J, SCHWARTZ B L. Applied metacognition：the relation between metacognitive monitoring and control [M]. Cambridge：Cambridge University Press，2002：18.

什么,如何避免接触会分散注意力的事物,如何抑制分心等。④ 评价监控。评价监控主要是指学习者对认知活动的评价反思,以及反馈后的调整、修正策略等。

二、元认知理论对中学语文教学的意义

(一)关注学生的元认知发展有助于学生学习效率的提高

知识点4:关注学生的元认知发展有助于学生学习效率的提高

元认知对个体学习的作用表现在通过元认知知识、元认知体验、元认知监控的作用以及它们之间的相互作用来有效地计划、监控和调节学习者自己的学习活动,以便尽快而有效地达到目标,其实质是人对认知活动的自我意识和自我调节。在语文学习中,通过元认知,学生能意识到自己在学习过程中的感知、记忆、思考和体验,也能意识到自己的目的、计划和行动,以及行动的效果如何,并不断取得和分析反馈信息,再做相应调控,选择适宜的解决问题的策略,不断向目标靠近。

从元认知理论的角度看,语文学习的过程不是单纯地对所学材料的识别、加工及理解的认知过程,而是对上述过程进行调节监控的元认知过程。在语文教学中,学生元认知过程的运转水平和效率决定着学习过程的有效性。在以往的教学中,语文教学过多关注学习内容,较少引导学生对自己的认知过程、认知特点、学习策略等进行认识和运用。学生不会管理自己的认知过程,只是在教师的要求下,被动地听讲、回答问题、完成作业。学会阅读、写作和语言交际的方法,养成阅读、写作和语言交际的能力等是语文课程的目标的重要组成部分,如果教师和学生都只关注学习的目标和结果的达成与匹配,忽略了学生的学习过程,尤其是忽略了学生自己对学习任务、过程的认识和监控,那就会影响学生语文学习方法和能力的目标的达成,影响语文学习效率。元认知实质上是一种反思能力,反思可以帮助师生在语文教学与学习过程中认识现状,根据需要和自身特点去不断调整教和学的行为,从而选择合适的内容和策略,提高教学与学习的效率。例如,写作对于学生来说是一个棘手的问题,学生往往感到束手无策,言不达义,或者是不分主次,没有中心,因此在写作中应用元认知监控策略非常重要。首先,在正式动笔前认真思考、计划,在思考、计划中解决以下问题:①写什么主题?②怎么写?③应注意哪些问题?拟出一个提纲或主题图,充分利用计划监控。其次,每写一段,从头到尾仔细阅读,注意用词是否恰当,表达是否清楚。最后,阅读全文,检查文章是否连贯,是否能用正确的连接词。学生在写作时,能有意识地去观察自己的状态,审视自身写作的心理过程,分析自己的写作难点,对自我写作方法进行觉察、监看、评价和调节。比如,认识到自己写作的问题是素材不典型,学生就可以采取寻找典型材料的策略。元认知使学生保持主动学习的状态,自我激发学习动机,能够对自己的学习行为积极地作出自我观察、自我判断、自我反应,从而进入高质量的学习状态。

(二)关注学生的元认知发展有助于培养学生的思维力发展

知识点5:关注学生的元认知发展有助于培养学生的思维力发展

我国学者董奇所进行的大量元认知培养实验表明:元认知对人们的智力、思维活动起着监控、调节的作用,它的发展水平直接制约着智力、思维的发展水平。所以,在语文

学习中,学生加强对自身的元认知能力的训练,就能促进思维品质的发展,达到促进智力发展的目的,从而从根本上提高语文学习质量,达成语文培养思维力的素养目标。教师应运用元认知知识和元认知监控引导学生对自己的思维过程进行注意、计划、监控和调整,使学生逐渐成为自主学习者,成为善于反思、善于调节、善于学习的高效学习者。在语文学习中,善于学习的学生往往都是善于思考的学生,能对自己的学习认知过程经常进行思考,有着清晰的认识。这些学生往往并不是被动地听课、做笔记,或被动地等待教师布置作业,而是通过制订计划,对自己的学习过程进行监控,比如他们会预测完成作业需要多长时间,在做作业前会将各种相关知识融会贯通,在考试前会复习笔记,在学习过程中会不断与原先的计划进行比较,及时发现问题,进行调整。善于思考的学生在整个学习过程中会始终注重实现所制定的目标,并根据这个目标监控学习过程。比如,在阅读中总结自己的学习方法,思考自己的背诵是怎样进行的,哪种方法效率更高;阅读中用多长时间读完全文,是否抓住了文章的关键信息,哪种阅读方法的速度更快;上一次作文写得不成功,当时是怎样考虑的,这一次写作要侧重调整哪个方面,等等。

  同时,教师在教学中也要注重培养学生的思维力,指导和培训学生学习监控调节策略会增长其元认知体验,丰富其元认知知识。例如,初中阶段是指导学生阅读学习的最佳时期,学生有了一定的基础知识和基本能力,对于阅读的监控和调节概念容易吸收和消化。在阅读过程中可以运用以下监控策略:首先,方向监控应明确阅读目的,确定应该采用快读还是慢读、粗读还是细读,运用讨论、情境、提问等方法,了解主体及其情节发展脉络。其次,进程监控应保持边阅读边思考,观察识别文本提示的重要信息,能完成相关练习题。最后,善于自我提问,检验自己的答案正确与否,多角度分析推理,懂得运用有效策略处理综合性问题。当学生具有了元认知知识,并学会运用,他们的思维就会随着学习活动时刻处于活跃当中,思维的敏锐度、深度和广度都会得到发展。在日积月累中,思维力就能得到有效发展。

(三)关注学生的元认知发展有助于培养学生的语文自学能力

知识点6:关注学生的元认知发展有助于培养学生的语文自学能力

  培养学生的自学能力是中学语文教学的重要任务之一。"没有任何教学目标比'使学生成为独立的、自主的、高效的学习者'更重要。"[①]从语文单独成为中小学的一个学科以来,很少有教材非常明确地把学生学习语文的方法作为一条主线,并把教授学生学习语文方法、管理自己学习过程的方法指导作为主导思想和主要内容,很少有教材引导学生关注自己的认知过程。语文教育家叶圣陶提出"教是为了不需要教""例子说""精读指导说""举一隅,以三隅反",其观点的实质是要教会学生学习的方法,引导学生学会管理自己的认知过程,目的都是为了培养学生的自学能力。例如,教师在教授《人的正确思想是从哪里来的?》这一篇目时,首先引导学生对全文进行梳理,思考以下问题:本文可以分为几个层次?层次之间有什么关系?如何认识本文的结构?然后在学生自主学习、反思总结的基础上,得出本文"提出问题—分析问题—解决问题"的脉络层次。通过强化学生的反思评价能力,能够有效地培养学生的思维,使学生重视学习的过程,并从中体会学习

---

① 刘电芝.学习策略:一[J].学科教育,1997(1):34.

和探索的乐趣,从而提高学生的学习能力,培养学生的自学意识,提高他们的自学能力。

学习者运用元认知理论在学习过程中能高效地管理自己的认知,养成管理自己认知的习惯,成为高效的策略型学习者。教师把元认知理论引入到语文教学中来,可以改变语文教学中存在的以内容为主而忽视学习方法指导的弊端,可以引导学生学会学习,把学习方法当作学习的一个重要内容。学生不断地运用元认知理论进行学习,形成运用元认知策略的习惯和意识,逐渐把元认知策略运用于自学过程中,进行自我监控、自我管理、自我调整。教师通过发挥学生的主体意识,使其掌握自学的方法,促进学生自学习惯的形成,进而促进学生自学能力的提高。

三、元认知能力的培养

(一) 要培养学生学习和运用元认知理论知识的能力

知识点 7: 学习和运用元认知理论知识

元认知能力作为学生对认知活动的自我意识和自我调控能力,其形成离不开学生对元认知理论知识学习的主体性、独立性和超前性。教师要让学生了解元认知理论知识,积累和应用元认知知识,促进学生元认知体验的形成和丰富。此外,学生的元认知监控能力的掌握需要以丰富的元认知知识和强烈的运用元认知的意识为基础。要想在语文教学中有效地培养学生的元认知能力,教师首先必须转变传统的教学观念,重视学生自主学习能力的培养,让学生能够在学习上自我约束、自我修正、自我改善,做语文课堂学习的主人。对此,语文教师在课堂教学环节,要转变过去那种单纯传授知识的教学模式,不要让学生单纯地、机械地去背诵课文,而要让学生把接受学习和发现学习结合起来,让学生学会积极思考与反思,引导学生更多地运用元认知理论,使学生在语文学习的过程中,逐步掌握获得知识的方法和解决问题的能力,进而实现元认知能力的不断提升。在语文教学中,教师要教会学生在认知活动中对信息输入、加工、储存、输出进行全面控制,懂得如何自检自查自己的学习过程,这样才能避免学生在语文学习中的盲目性,提高学生语文学习的主动性和语文学习的质量与水平。教师应在日常教学中,结合教学内容,把元认知的知识传授给学生,并把学生元认知能力的培养同语文教学实践有效地结合起来。教师应让学生多体会语文学习的思维过程,从而产生元认知体验,提高元认知能力。教师应为学生提供自我意识、自我调节、自我控制的机会。例如,教师在课堂上多追问学生的思维过程和学习策略,多提这类的问题:你是怎么想到这个观点的?你是用哪些方法完成昨天的作业的?刚刚看到这个作文题目时,你想到哪些?为什么会想到这些?教师要有针对性地培养学生的知识应用思维,达到语文知识学习的"学以致用"。

(二) 要注重元认知策略在语文学习中的运用

知识点 8: 注重元认知策略在语文学习中的运用

元认知策略是指个体对自己认知过程的认知策略,即对自己认知过程的了解和控制策略。从过程来说,元认知策略包括监控计划、监控策略、监控评价等。在教学中,教师要通过教学活动引导学生运用元认知策略,培养元认知能力。

教师运用元认知的计划策略指导学生制订学习计划,主要包括三个方面的内容:

第一，指导学生自设学习目标。分析学习任务、设置学习目标是学会学习的第一个环节，学生必须知道自己要达到的目标，才能更有效地学习。所以，教师要指导学生掌握分析学习任务、设置学习目标的方法，组织学生进行交流，并且对学生自设的学习目标进行检查和反馈，以便使学生在制定目标的过程中提高分析学习任务、设置学习目标的能力。例如，教师需要有"承上启下"的意识，即联系学生已经学过的知识；在制定语文学习目标的过程中，既要关注单元导语的学习要求，又要重视语文园地和单元学习任务中的学习要求；要将单元目标与课程目标联系起来，将学习目标与能力目标联系起来，将知识目标与情感、态度目标联系起来，同时在学习目标的制定中把握语文学科核心素养的内涵，这样才能真正促进学生元认知能力的发展。

第二，指导学生根据个人特点，选择学习策略。教师应帮助学生深入了解自己的个人特点和学习风格，认识自己在学习时采用的习惯和方式，同时教师还应给学生提供一些学习策略的相关知识，使学生了解各种类型的学习策略，从而更加合理地选择符合自己个性特点和学习风格的学习策略。例如，在《敬业与乐业》的教学设计中，教师可以设计以下问题："同学们，《敬业与乐业》是一篇演讲稿，你认为梁启超在演讲中提出了什么观点？""你为什么认为这句话是作者的观点？""你为什么不选择这句话作为观点？""能不能把这句话换一种更准确、更简洁的表述呢？""你是怎么思考的？"教师借助以上问题开展阅读教学，不再是让学生跟着自己的思路进行探究，而是让学生自主探索，在核心问题的引领下开展深度学习。由此，学生通过推理、反思、求证，提升了自己的元认知能力。

第三，指导学生计划学习时间。教师要指导学生在学习之前对学习时间做一个预估，对什么时间完成什么学习任务进行规划，帮助学生对照预估和实施的情况进行反思，从而认识自己的认知特点和规律，以便发现自己所选择的学习策略存在的问题，并进行调整和修正。这样可以使学生学会管理，提高学习效率。例如，教师设置名著导读《朝花夕拾》的学习任务，学生可以自设要完成的目标，比如研究哪些问题？是否写读后感？还需要查找哪些资料帮助理解这部文集？阅读时间的安排？制订这个学习计划，有助于学生运用元认知认识自己的学习活动。

对语文学习过程进行监控是元认知运用的具体体现，监控即用具体明确的学习计划引领思维，使思维始终围绕计划活动。教师要教会学生综合使用各种学习策略，并且监控自己的学习过程。语文学习是听说读写的综合性学习，学习中学生需要口耳手脑兼顾使用。例如，在阅读的预习过程中，学生根据计划在阅读完之后回想阅读的心理流程和阅读方法，并进行思考：在刚刚的预习中，自己是怎么阅读的？是开口大声朗读，还是默读？是逐字逐句细读，还是采用浏览或跳读的方式？读到各部分内容时的心理感受是什么？哪种方式更适合自己？思考了这类问题后，学生要进行反思总结，分析其中的问题，再尝试进行调整，运用其中的经验去阅读其他的文章。教师要引导学生对自己应用策略的情况进行监控，在语文阅读中读思结合，进行充分的自我反馈，保证元认知策略在学习过程中有效地运用。教师还要引导学生监控自己在学习中的其他影响因素，如对注意力的监控，即在学习过程中对自己的注意力进行自我管理与自我调节，能随时意识到自己此刻的学习行为。

（三）要培养学生元认知的自我评价能力

知识点 9：培养学生元认知的自我评价能力

自我评价是培养元认知能力的必要手段。元认知理论认为：在元认知能力培养中，每个人都能够认知自己，评价自己的认知状态和能力；每个人都能具有认知策略的知识，以及在何种情境下运用何种认知策略、如何最佳地发挥自己能力的知识；每个人都能够意识到并随时评价自己正在使用的学习认知活动，监控自己的心理活动，包括计划、检查、监测和评价，以便接近学习目标；每个人都要从自己的学习认知活动所产生的后果中获取反馈信息，进一步评价自己的学习方式、方法，力图寻找解决问题的有效办法。运用元认知理论的最终目的是个体通过对自己认知的了解，监控、判断和评价其学习过程的效果，进而进行调整和修正，以达到学习状态的最优化。调整和修正的前提是能判断已经或正在进行的学习的效果还不是最佳的，这就需要个体有一个对学习过程的自我评价。所以，在运用元认知的过程中，自我评价是贯穿始终的，是最重要的一项能力。

在语文教学中，教师要重视自我评价在学生元认知能力形成中的作用。教师可以做一些示范评价，比如对课堂观察到的或作业中整理出的学生学习过程的问题进行评价。教师对自己的课堂教学进行元认知活动，反思自己一堂课的计划与实施之间的关系，陈述对一堂课的心理过程，以及自己是如何监控课堂教学效果，并调整教学策略的，给学生进行示范。教师要指导学生逐步学会把握自己的学习计划、学习进展的节奏，对自己学习时间安排的合理性、学习策略和学习结果进行评价。在课堂上，教师可组织关于这类问题的交流活动，让学生之间互相交流学习经验，把学生自评、教师评价和同伴评价结合起来。随着学生自我意识、监控能力和调整能力的提高，教师的指导重点应转到学生的自我评价上，学生通过自我评价获得较多的元认知体验，这能增强学生的元认知自我效能感，从而使学生的元认知能力得到提高和改善，最终促进学生的语文学习。

（四）要发挥元认知在语文教学中对学生自我生涯的启示

知识点 10：发挥元认知在语文教学中对学生自我生涯的启示

学生自我生涯既可以指学生在学校的学习时间，也可以指学生学习的整个过程。元认知是对认知的认知，即对自我思考过程的再认知。例如，看到一篇文章时，对这篇文章的思考理解是我们常说的普通认知，但是如果跳出自己的思维，观察自己思考文章的过程，这就是元认知。元认知对培养学生的思维力，发展学生的语文学科核心素养等各个方面都具有深刻的影响，同时对学生自我生涯的发展也具有启示作用。

在语文教学中，教师要充分发挥元认知对学生自我生涯的启示作用。例如，教师在写作教学的过程中指导学生跳出自己本身的思维，站在更高的维度与立场去审视自己写作的整个过程，从而去发现问题、解决问题，掌握写作的技能技巧，提升自己的学习能力。《普通高中语文课程标准》（2017 年版 2020 年修订）及《义务教育语文课程标准》（2022 年版）分别提出了"语文学科核心素养"和"核心素养"两个概念，都涉及语言、思维、文化和审美这四个维度。教师在教学的过程中，无论是在写作教学还是阅读教学或是口语交际、综合性学习等各个板块的教学时，始终将元认知与我们的"语文素养"挂钩，通过元认知策略培养学生的语文学科核心素养，让学生从语言、思维、文化、审美中汲取自我生涯的启示,这也是对学生整个人生发展的智慧启示。

练习题

1. (名词解释)什么是元认知?
2. (简答题)简述元认知的结构。
3. (论述题)结合教学实例,谈谈元认知在语文教学中的意义。
4. (论述题)结合教学实例,谈谈如何在语文教学中培养学生的元认知能力。

☞ 本章小结

中学语文教学与中学生发展之间具有密切而重要的关系。中学生发展包括智力发展、非智力因素发展和元认知能力发展等三个主要方面,语文教育教学要努力促进中学生这三个方面的发展。

在促进中学生智力发展方面,语文教育教学主要是要促进学生观察力、想象力和思维力的发展;在非智力因素的培养上,主要有抓住课堂教学的主阵地、构建综合培养环境两个途径和注重人文内涵的熏陶感染、以学生为主体的任务驱动、结合课本与生活的情境创设三种方法;在学生的元认知能力培养上,主要有学习和运用元认知理论知识、注重元认知策略在语文学习中的运用、培养学生元认知的自我评价能力、发挥元认知在语文教学中对学生自我生涯的启示四种方法。

☞ 本章知识结构

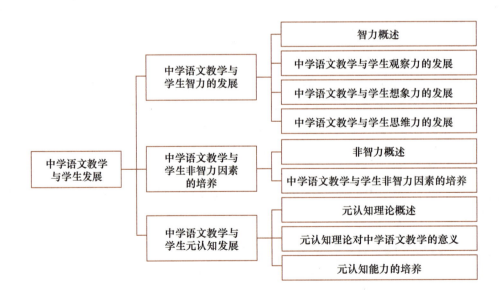

☞ 本章参考文献

[1] 董奇.论元认知[J].北京师范大学学报(社会科学版),1989(1):68-74.
[2] 董毓.批判性思维三大误解辨析[J].高等教育研究,2012,33(11):64-70.
[3] FLAVELL J H. Cognitive Development [M]. 2nd ed. Englewood Cliffs, New Jersey:Prentice-hall Inc. 1985.
[4] 林崇德.思维心理学研究的几点回顾[J].北京师范大学学报(社会科学版),2006(5):35-42.
[5] 林崇德.心理学大辞典[M].上海:上海教育出版社,2003.
[6] 刘电芝.学习策略:一[J].学科教育,1997(1):34-36,43.
[7] 莫雷.教育心理学[M].北京:教育科学出版社,2007.
[8] 钱梦龙.钱梦龙经典课例品读[M].彭尚炯,编选.上海:华东师范大学出版社,2015.
[9] 汪玲,郭德俊.元认知的本质与要素[J].心理学报,2000,32(4):458-463.
[10] 杨道麟.论语文教育的智力开发[J].江南大学学报(教育科学版),2007,27(2):24-28.
[11] 于漪.语文教学应以语言和思维训练为核心[J].课程·教材·教法,1994(6):1-5.
[12] 中华人民共和国教育部.普通高中语文课程标准(2017年版 2020年修订)[S].北京:人民教育出版社,2020.
[13] 中华人民共和国教育部.义务教育语文课程标准(2022年版)[S].北京:北京师范大学出版社,2022.
[14] 周小蓬,陈建伟.语文学习心理论[M].北京:语文出版社,2013.
[15] 朱晓斌.语文教学心理学[M].北京:高等教育出版社,2012.

第四章

中学语文教师的专业发展

☞ **学习目标**

了解：教师专业发展的历程，教师专业发展的阶段，中学语文教师专业发展的意义。

理解：专业的含义，教师专业发展的含义，专业和职业的区别，教师专业发展和教师专业化的区别和联系，中学语文教师专业发展的内涵。

运用：把握中学语文教师专业发展的途径，并予以践行。

☞ **学习重点**

◎ 理解并掌握"教师专业发展"的含义。
◎ 理解中学语文教师专业发展的内涵，并学会将其落实到实际教学和自我学习之中。
◎ 掌握中学语文教师专业发展的途径。

☞ **学习导引**

教师专业发展是当今世界普遍关注的问题。学生应在把握语文教师专业发展的内容、途径的同时，树立"终身学习、终身受教育"的理念，运用相关知识去解决实际语文教学和自我发展中存在的问题。

【引子】

有的人认为，只要具备语文学科知识就可以担任语文教师，只要能认识几个汉字就能教语文；有的学生认为，语文课没什么必要听，根本吸引不到自己；有的语文教师认为，随着教学年限的增长，教学经验的积累，就会越教越好；有的语文教师只会"跟着风跑"，唯他人的课独尊，对自己没有自信；有的语文教师评课时竟讲不出个所以然……这类现象仍然存在着。那么，应当怎样才能让大家对语文教师有全面而准确的理解？在学习完本章内容后，你将获得关于这个问题的正确认识。

第一节　中学语文教师专业发展的内容

21世纪以来，为实现中国教育质量的更大提升，教师专业发展被提到了前所未有的高度："百年大计，教育为本；教育大计，教师为本。"[1]世界各国普遍认识到：一个国家、一个民族的素质高低优劣，知识掌握程度，知识创新能力，人才（尤其是创新人才）培养数量、质量，技术创新能力等，将决定它在经济发展与国际竞争中的地位。提高素质、培养人才、创新技术，进而促进国家现代化发展，主要依赖于教育，这便引起了人们对教育质量的关注。而教师质量的高低是决定教育质量高低的关键因素。在世界各国普遍进行

---

[1] 中华人民共和国中央人民政府. 中共中央 国务院关于全面深化新时代教师队伍建设改革的意见[EB/OL]. (2018-01-31)[2024-04-12]. https://www.gov.cn/zhengce/2018-01/31/content_5262659.htm.

教育改革、全球教师专业发展对教师专业素质有更高要求的新形势下,我国新一轮课程改革也对教师专业素质提出了新要求。我国教育更关注教师个体的专业发展,鼓励教师的终身学习由自发走向自主,对教师的专业水平有更高要求,进一步提高教师队伍的质量是新世纪专业化教师队伍建设的主旋律。

一、教师专业发展的概念

要想理解"中学语文教师专业发展"的概念,首先要理解"专业""发展""教师专业发展"等的含义。

(一)专业与职业

知识点 1:专业和职业

根据国内外研究者的分析,结合本章所探讨的问题,我们可以这样给"专业"下定义。所谓"专业",是"指一群人经过专门教育或训练,具有较高深和独特的专门知识与技术,按照一定专业标准进行专门化的处理活动,从而解决人生和社会问题,促进社会进步并获得相应报酬待遇和社会地位的专门职业"[1]。它是社会分工和职业分化发展到一定阶段所形成的特殊职业类型,目的在于为全社会利益效力,提供专门性的、社会不可或缺的服务,体现了重要的社会价值。

所谓"职业",则是指"个人在社会中所从事的作为主要生活来源的工作"[2]。职业具备目的性、社会性、稳定性、规范性和群体性的特征。它是在原始社会末期,随着生产力的发展、社会的分工而出现的,建立在经验基础之上的、为社会所认可的行业。而今,随着科学技术的进步,经济社会的高速发展,社会职业也在不断变化发展,种类繁多,如《中华人民共和国职业分类大典》(2022 年版)收录的职业数目就多达 1636 个。

专业与职业之间是有区别的,概括起来主要有如下几个方面:

(1)在对从业人员的要求上看,从事专门职业需要以掌握系统的专业知识和技能为前提,按照科学的理论和技术行事,这也意味着从业人员需要接受长期而系统的专业训练,这种训练往往在大学里进行;而从事普通职业无须专门的知识和技能,只需按例规行事,主要通过个人体验和个人工作经历积累工作经验。

(2)从工作内容上看,专业与职业相比,更多地提供一种特有的、范围明确的、社会不可或缺的服务,在自主的范围内对于自己的专业行为与专业判断负有责任,以高质量的专业服务获得报酬,并且把服务置于个人利益之上。此外,对于专业问题,有明显的内行和外行的差异,非专业人员往往对专业内的事物了解浅薄,因而,专业人员一般具有较高的职业声望。

(3)从发展角度上看,专门职业把服务和研究融为一体,即专业人员不仅要提供优质的专业服务,同时为了保证服务品质和服务水平的不断提高,还要在服务中不断进行研究,通过研究提高专业水平,对专业人员而言,这种研究是一种自觉的行为,其往往把工作看作是一种事业,一种生活方式;而普通职业仅提供一种服务,没有研究的意识,相关

---

[1] 李斌辉.职前语文教师专业发展[M].广州:广东高等教育出版社,2017:3.
[2] 中国社会科学院语言研究所词典编辑室.现代汉语词典[M].7 版.北京:商务印书馆,2016:1683.

从业者仅仅把工作当作是一种谋生的手段。①

一般来说,一种职业要发展为专业应该符合这样三个基本特征:一是"具有不可或缺的社会功能",二是"具有完善的专业理论和成熟的专业技能",三是"具有高度的专业自主权和权威性的专业组织"。②

那么,教师究竟是不是专业呢?《中华人民共和国教师法》明确规定:"教师是履行教育教学职责的专业人员。"③《中华人民共和国职业分类大典》(2022年版)也对教学人员(主要是各类教师)这样定义:"在各类教育机构中从事教学工作的专业人员。"④可以说,就教师这个职业而言,它传承着人类文明的薪火,对社会的贡献是值得肯定的、不可或缺的;同时,它也要求相关从业者应当经过专门训练,具备较先进的专业理念,较高的专业知识、教学技能、教研能力、专业情意等,教师行业也建立起了诸多的专业组织。在这个意义上,教师职业确实已经具备成为专门职业的条件,可以说是一个专业了。然而,当前,教师职业的专业自主权、专业组织权威性还不够高,一些从业者的专业素养也需要进一步提升。从这方面来看,教师职业还不是一个成熟的专业,它依然处于形成的过程当中。因此,从业的教师个体应不断努力、不断进取,促进自身的专业发展,从而提高教师整体的专业化水平。

(二)教师专业发展

知识点2:教师专业发展

所谓"发展",主要是指"事物由小到大、由简单到复杂、由低级到高级的变化"⑤,它是一种连续不断的变化过程。

教师专业发展同样是一种"动态"发展、不断深化的过程,即"教师的专业成长或教师内在专业结构不断更新、演进和丰富的过程"⑥,它贯穿于教师整个职业生涯当中。在这个过程中,教师个体在特定领域,有意识地朝着既定的目标(如成为专家型教师等),发挥自身的主观能动性,以自身的教育理想追求、专业自觉意识为动力,主动学习专业理念、专业知识、专业能力等,不断充实自己,不断提升水平,不断自我反思,不断完善自身,始终处于学习者的状态,着力寻求自身的可持续发展,由"生"到"熟",由"新手"到"卓越",由"无名"到"有名",让自己不断变得更好、更强、更成熟。"从本质上说,教师专业发展是教师个体专业不断发展的历程,是教师不断接受新知识,增长专业能力的过程。教师要成为一个成熟的专业人员,需要通过不断的学习与探究历程来拓展其专业内涵,提高专业水平,从而达到专业成熟的境界。"⑦此外,还需要区别教师专业发展和教师专业化的概念。"从广义的角度说,'教师专业化'与'教师专业发展'这两个概念是相通的,均指加强

---

① 教育部师范教育司.教师专业化的理论与实践[M].修订版.北京:人民教育出版社,2003:37-38.
② 同①:35-36.
③ 中华人民共和国教育部.中华人民共和国教师法[EB/OL].(1993-10-31)[2024-04-24] http://www.moe.gov.cn/jyb_sjzl/sjzl_zcfg/zcfg_jyfl/tnull_1314.html.
④ 国家职业分类大典修订工作委员会.中华人民共和国职业分类大典:2022年版[M].北京:中国劳动社会保障出版社,2022:142.
⑤ 中国社会科学院语言研究所词典编辑室.现代汉语词典[M].7版.北京:商务印书馆,2016:352.
⑥ 叶澜,白益民,王枬,等.教师角色与教师发展新探[M].北京:教育科学出版社,2001:226.
⑦ 同①:50.

教师专业性的过程。但从狭义的角度说,它们之间还有一定的区别:'教师专业化'更多是从社会学角度加以考虑的,主要强调教师群体的、外在的专业性提升;'教师专业发展'更多是从教育学维度加以界定的,主要指教师个体的、内在的专业化提高。"①

基于对教师专业发展内涵的理解,语文教师专业发展同样是一个不断学习、终身学习的过程,语文教师专业发展的内涵为"语文教师个体的专业精神、专业理论与专业实践知识、专业技能等方面的培养、提高与完善"②。

二、教师专业发展的历程

知识点3:教师专业发展的历程

教师是一种古老的职业,它伴随着人类社会的产生而产生,可谓源远流长。但在人类社会早期,并没有把教师视为一种专门的职业。教师从非专业到专业,从追求数量到重视质量,从提倡教师整体专业化,到谋求教师个体专业发展,经过了复杂的历程。

在原始社会里,生产力低下,人与人之间主要是传授生产劳动和社会生活的经验,几乎人人都可受教育,也有可能成为教育者。后来,随着生产力的发展,社会上出现了私有财产,出现了阶级,产生了学校,也产生了从事教育工作的教师,然而此时并没有将教师作为一种专门的职业,予以专业性的训练。当时对教师的数量与质量的要求并不高,凡有学问者,或有经验者,都可为师。如以长者为师,以吏为师,以智者为师,以僧侣为师,甚至以木工为师,以鞋匠为师,等等,放眼世界,此类现象,比比皆是。

近代以来,这种情况逐渐改变。就欧美国家来说,尤其是工业革命大大促进了欧美各国经济的发展,为了提高人们的劳动力素质,培养合格的劳动者,各国开始大量设置初等学校等,相继建立了以普及初等教育为主的义务教育制度。这些国家先后意识到,普及义务教育,除了要有经费来支撑之外,还要有合格的师资队伍保证。倘若教师只有学问、只有经验,却缺乏教育教学技能、教育管理才干等,就会影响教育的质量和效果,因此在设置学校的同时,也开始设置旨在提高教师素质、改善教师质量的师范学校,对学习者进行相关的训练,用以培养专职的中小学教师。

对于中国来说,从孔子创办私学开始,教师职业就在官家的"官办"和民间的"民办"两条道路上发展着,然而,此时的教师只能说是一种职业而已,没有专门的师范教育机构来培训,这一点跟国外很相似。中国的师范教育是从近代开始的。自1840年以后,中国的国门被西方列强的坚船利炮无情地轰开,中国开始强行走上了近代世界舞台。伴随着列强的武力入侵,西方较先进的生产方式和制度也冲击着中国封建的自然经济和专制制度。伴随着政治、经济等各方面改革如火如荼地进行,教育系统问题也愈发被重视。"洋务派"以"自强""求富"为目的的洋务运动,其中有一项便是设立新式学堂,培养洋务运动所需的专门技术型人才,这可以说是一种专门教育。中日甲午战争中中方的惨败和《马关条约》的签署,导致空前的民族危机迎面袭来,这让各派人士意识到"开民智"的重要性,"维新派"倡导要救亡图存,就要提高众多国民的素质。也就是说,中国近代教育不可避免地要由专门教育转向普通教育,规模也要由小变大。要达到大规模兴办普通教育的

---

① 教育部师范教育司.教师专业化的理论与实践[M].修订版.北京:人民教育出版社,2003:46.
② 薛猛.语文课程与教学论[M].重庆:西南师范大学出版社,2019:204.

目标，就需要相当数量的合格教师，这也引发了各方人士对师范教育的重视。梁启超"《论师范》一文最早较为系统地对中国师范教育诸问题进行了论述，形成了自己较为完整的师范教育思想，代表了那时中国教育思想领域内对师范教育认识的最高水平"[①]。他较为全面地论述了兴办师范教育对于中国来说意义有多重大。原"洋务派"代表人物，被誉为"中国实业之父""中国商父""中国高等教育之父"的盛宣怀则予以践行，创办了近代我国第一个师范学堂——南洋公学师范院，用于对师资进行专门的培养。这可以视为中国把教师当作专业看待的一种萌芽。此后，中国师范教育的体制、模式、教师管理等在艰难曲折的道路上发展着、完善着，这种情况一直持续到中华人民共和国成立之后。

从世界范围来看，20世纪60年代，因当时教师极为短缺，各国纷纷使出浑身解数，采取措施应对教师"量"的需求，不可避免地忽视了教师"质"的问题。接着20世纪60年代中后期，由于教育质量和教师素质受到人们的质疑，敲响了"教育危机"的警钟，从而引发了社会对师范教育的批评和教师素质的进一步关注。各国政府越来越认识到，只有教师的专业水平提高了，才能形成高质量的教育水平。

1966年，联合国教科文组织与国际劳工组织在官方文件《关于教师地位的建议》中明确提出应当把教育工作作为专门职业来看待。经过20世纪70年代的反思和实践，从20世纪80年代开始，人们关注的焦点日趋转向教师的专业化。美国的《危急！教师不会教》《国家在危急中：教育改革势在必行》《明日之学校》等一系列报告和文章，将教师的专业发展作为教师教育改革的目标，就此展开了讨论，主张确立教师的专业性地位，重新设计教师教育课程，培养出训练有素的达到专业化标准的教师，等等。各国都纷纷出台教改法令、法规、决定等，加大对教师教育的投入，着力于提高教师的专业化水平。

我国于1994年实施《中华人民共和国教师法》，第一次在法律上确认了教师的专业地位；后来又颁布实施了《教师资格条例》《〈教师资格条例〉实施办法》，建立了教师聘任制、教师资格证书制度等。2010年《国家中长期教育改革和发展规划纲要（2010—2020年）》中强调，要"完善培养培训体系，做好培养培训规划，优化队伍结构，提高教师专业水平和教学能力"[②]。种种举措表明，我国教师的专业水平得到广泛关注，教师队伍的专业化被提到议事日程上来了。同时，事实也表明，我国教师队伍的质量正在稳步提高。

值得注意的是，在这个时期，各国对教师质量的关注重点主要落在教师队伍整体的专业化之上，对于教师个体是否能做到积极进取、主动发展则有所忽略。

而今，科技的进一步发展，知识经济的出现，教育自身的改革，都对教师质量提出了更高的需求，国内外的关注点更加突出了教师个体的努力、内在的体验、主动的发展，体现了从关注群体的专业化到关注个体的专业发展的时代转变。

促进教师个体的专业发展，从而提高整体教师队伍的专业水平，已经成为当今世界教师教育的发展趋势与潮流。

---

① 崔运武.中国师范教育史[M].太原：山西教育出版社，2006：14-15.
② 中华人民共和国国务院.《国家中长期教育改革和发展规划纲要（2010—2020年）》[EB/OL].(2010-07-29)[2024-03-04]http://www.moe.gov.cn/jyb_xwfb/s6052/moe_838/201008/t20100802_93704.html.

三、教师专业发展的阶段

知识点4：教师专业发展的阶段

对教师专业发展的重视促使更多的研究者关注教师专业发展过程中的种种问题，教师专业发展的阶段正是其中最为瞩目的研究内容。1969年，美国学者弗朗斯·福勒（Frances Fuller）根据教师不同阶段的需要和关注的焦点问题把教师专业化发展分为四个阶段：任教前关注阶段、早期生存关注阶段、教学情景关注阶段和关注学生阶段。同期的美国学前教育学者丽莲·凯兹（Lilian Katz）以学前教师为研究对象，采用访谈和问卷的方法，提出了与福勒相似的教师四阶段发展论：求生阶段、巩固阶段、更新阶段和成熟阶段。美国教师专业发展研究的学者费斯勒（Ralph Fessler）对教师专业发展阶段进一步细化，提出了动态教师生涯循环论，他将教师专业发展划分为八个阶段：职前教育阶段、入门阶段、能力建立阶段、热心和成长阶段、生涯挫折阶段、稳定和停滞阶段、更新生涯阶段以及生涯退出阶段。我国也有众多学者对教师专业发展阶段展开研究，比较有代表性的是华东师范大学的叶澜教授和白益民教授提出的以"自我更新"为取向的教师专业发展阶段论，该理论将教师专业发展分为非关注阶段、虚拟关注阶段、生存关注阶段、任务关注阶段和自我更新关注阶段这五个阶段。

不论是何种教师专业发展阶段论，学者们都强调教师专业发展的持续性，"终身学习是教师专业发展中最突出的特点"①。总结而言，教师在其专业领域中发展和完善的过程，可以分为三个阶段，分别为"从新手到熟练""从熟练到成熟"和"从成熟到卓越"。

（1）从新手到熟练。"新手"是指新任教师，他们有一定的理论知识，但缺乏教学实际技能；"熟练"是指熟练教师，他们有熟练的教学技能，对学生比较了解，能较好地把握学科知识结构，但缺乏对学科思想方法的深度把握，以及对学生差异的把握。该阶段教师的发展任务主要是：学会分析教材内容，并逐渐把握学科知识体系；从初步了解学生，到逐渐系统地深入了解学生的特点；初步掌握科学的教育方法和有效的教学技能，并逐渐熟练化。

（2）从熟练到成熟。"熟练"是指熟练教师，"成熟"是指成熟教师，他们对学科思想方法、学生差异有一定的把握，教学技艺成熟，但还没有形成自己的教学特色和风格。该阶段教师的发展任务主要是：研究学科的本质和思想方法，深入了解并应对学生的差异，教学方法多样化、艺术化。

（3）从成熟到卓越。"成熟"是指成熟教师，"卓越"是指省市级骨干教师、学科带头人乃至特级教师，他们已形成自己的教学经验、思想和风格。该阶段教师的发展任务主要是：开展教育教学研究、改革、实验，总结反思教学经验、思想和风格，并努力使之系统化。

"'从新手到熟练'和'从熟练到成熟'两个阶段侧重给出教师素质的修炼过程中的要求，给出内容要点、操作要点和案例；'从成熟到卓越'阶段重点体现优秀教师多年修炼的效果，集中表现于对学生发展、学校组织发展和学科发展所产生的实际影响和作出的贡献。"②

---

① 中小学教师专业发展标准及指导课题组.中小学教师专业发展标准及指导：语文[M].北京：北京师范大学出版社，2012：7.
② 同①：7-8.

> 练习题

1. （简答题）你怎样理解教师是一种专业，教师是专业人员？
2. （简答题）教师专业发展与教师专业化的区别与联系有哪些？

第二节　中学语文教师专业发展的内涵

一、中学语文教师专业发展的要求

知识点 1：中学语文教师专业发展的要求

一名语文教师，除了精通语文学科专业知识之外，还应当具备语文教育的相关理论，以及学习与研究语文教学的技能（如教学设计能力和教学的技巧等）。严格来说，要成为一名优秀的语文教师，还应当具备丰厚的文学功底，以及开阔的人文视野，做到"以语文的方式来对待教学""用语文的方式来思考、来感悟、来表达，叙事、隐喻、抒情、对话，乃至一声问候、一句评价"①。

具体到一名中学语文教师来讲，在教学中应既能做到针对中学生的特点，把中学语文相关专业知识、教育理论等运用到教学实践当中去，让学生学有所得，又能针对具体教学环境，以"适宜"为准则，或诗意盎然地描绘画面，让学生身临其境，或声情并茂地朗读课文，让学生体情明意，或精彩动情地发表议论，让学生深受启发……上出语文课的味道，使学生从中受到美的熏陶、爱的感怀、情的感染。中学语文教师应凭着自己透彻的知识理解、宽泛的文学涉猎、独到的见解、独特的魅力，让中学生喜欢上自己的语文课，使自己成为一名受人尊敬、不可替代的中学语文教师，"成为学生及时的'语言的医生'、精神世界的点拨者、文学知识的领路人"②。

教学知识技能、教育教学理念等都在不断地发生变化，要做好教学工作，中学语文教师不能安于现状，不应迫于形势，为了个人职位的上升及各种专业荣誉的获得，被动地提升自己，而应为了自身的理想和价值，以及专业实践的改进等，自觉地、主动地追求发展。

因此，我们可以将中学语文教师专业发展概括为：中学语文教师为适应社会的变化、教育教学的要求、中学生的发展，追求自身的理想和价值，改进自身的专业实践，在中学语文领域，自觉、主动地设定专业发展目标（如成为中学语文"卓越教师"等），拟定专业发展的路径与策略，不断地更新、完善自己的语文专业理念、语文专业知识、语文专业能力等，努力将中学语文教育理论和研究成果自觉地运用到教学实践中去的一种行为方式。

中学语文教师应树立"终身学习、终身受教育"的理念，一生不断地修炼，努力让自己成为一个"胸怀理想，充满激情和诗意""自信、自强，不断挑战自我""善于合作、具有人格魅力""充满爱心、受学生尊敬""追求卓越，富有创新精神""勤于学习、不断充实自我""关

---

① 窦桂梅.做有专业尊严的教师[M].桂林：漓江出版社，2015：18.
② 同①：22。

注人类命运,具有社会责任感""坚忍、顽强、不向挫折弯腰"的人①,发挥出不可替代的作用。

二、中学语文教师专业发展的意义

知识点 2:中学语文教师专业发展的意义

(一)对教师来说:体现人生价值

1. 增长专业知识,提高教师自身素质

教师专业发展可以增加教师的专业知识,扩大教师的知识领域,提升教师学术及专业上的水平,并尽可能地发展教师的新专长,从而适应课程和教育教学知识不断增长的趋势。

2. 使教师职业生命持续发展

要想实现教师职业生命持续发展,唯一的办法就是学习,即专业进修。这一切都需要改变以往工匠式的培养方式,把教师教育纳入全新的专业化训练框架之中,从而为教师、高等师范教育赢得新的发展空间。

3. 提高教师社会地位、经济待遇和社会声望

一般来讲,从业人员的专业化发展水平与该从业人员的社会地位、经济待遇和社会声望直接相关。从事职业的专业化程度越高,该职业的社会地位、经济待遇和社会声望就越高。从这一社会现实来讲,教师专业发展对解决我国长期以来教师社会地位和经济待遇偏低等问题,具有现实性意义。

4. 提升幸福感,实现教师的人生价值

教师专业发展研究能使教师更好地体验专业的乐趣,获得专业成就感、满足感、自豪感和幸福感,发挥自身教育教学的创造性才能;能使教师意识到从事教师行业不仅仅是一种生存手段,更是在职业生涯中实现人生价值的一种方式。

(二)对教育发展来说:提升教育品质

华东师范大学教授叶澜曾经说过:"没有教师的生命质量的提升,就很难有高的教育质量;没有教师精神的解放,就很难有学生精神的解放;没有教师的主动发展,就很难有学生的主动发展;没有教师的教育创造,就很难有学生的创造精神。"②这充分表明,决定学生发展水平和教育教学质量水平的关键是教师,即教师自身的专业发展和专业成长,这也说明了对教师专业发展进行研究的意义和价值。

教师的专业发展水平直接影响其对教育诸多因素的看法,决定着教师的教育价值观、学生观、教学观和课程观,决定着教师在教育教学活动中的行为表现。教师对教育的不同理解,直接影响了教师处理问题的方式,反过来又影响到教师的教育教学水平。教师怎样看待学生,直接影响学生个性的形成和人格的完善。教师对学生、对同事的态度,以及对教育工作的态度,影响着教育的成效。

---

① 朱永新.我的教育理想:2014 年修订[M].桂林:漓江出版社,2014:107-109,111,114-115,117-118.
② 叶澜,白益民,王枬,等.教师角色与教师发展新探[M].北京:教育科学出版社,2001:3.

有学者通过对专家型教师和新手型教师进行比较研究,认为专家型教师的知识至少有三方面的特征:一是专家的知识是专门化的,而且限于特定的领域;二是专家的知识是有组织的;三是专家所知道的大部分是缄默的知识。[①] 这种缄默的知识难以通过他人传授而获得,只能由当事者从特定领域内的活动中获取经验,再进行构成或创造。这就表明,教师的专业发展水平对学生的成长和发展具有直接的影响,决定着教育教学的质量和效率。教师对课程的认识水平也会影响课程最终目标的实现,最终影响教育社会功能的发挥。

(三)对社会发展来说:决定人才的质量

教师承担着为社会培养高素质、高水平人才的重任。教育作用发挥得如何,起决定作用的是教师的素质与水平。社会的文明与进步有赖于具有良好素质的人才,高素质人才的培养有赖于优质的教育,而教育作用的发挥程度和水平高低则直接取决于教师的素质与水平。

教师专业发展的水平和层次是衡量教师水平高低的主要标准。教师的专业发展间接地影响着社会的发展。教师是为社会培养人才的人,所培养的人才的素质和质量,影响着社会发展的速度和质量。特别是在当今知识经济和学习化时代,人才的质量决定着经济增长的质量和水平。没有高素质的人才保证,就没有社会的良性发展,就难以实现全面现代化。当今世界国力的竞争,主要表现为人才的竞争,没有高素质人才,国家就难以在日趋激烈的竞争中占据有利地位。因此,教师专业发展不应被忽视。

练习题

(论述题)结合具体教学案例,分小组讨论:在语文教学中,如何实现中学语文教师的专业发展。

第三节　中学语文教师专业发展的途径

教师从非专业化到专业化经历了一个漫长的历史过程。我国于1994年开始实施的《中华人民共和国教师法》规定"教师是履行教育教学职责的专业人员",这是第一次从法律角度确认了教师的专业地位;2001年4月1日起,国家首次开展全面实施教师资格认定工作,进入实际操作阶段。

教师的专业化发展是实施素质教育、提高教育质量的关键,教师在专业性方面的提升也成为教育发展的重大趋势之一。教师的专业发展可分为职前教师专业发展与职后教师专业发展两大部分,所处的阶段不同,相应的发展途径也会有所改变。职前语文教师的专业发展,可从专业知识学习与教学技能培养着手,促使"学"与"教"对接。步入教师岗位后,内在的专业素养与外在的教研能力则成为新增的教师专业发展途径。

---

① 叶澜,白益民,王枬,等.教师角色与教师发展新探[M].北京:教育科学出版社,2001:200.

一、夯实专业基础

知识点 1：语文知识素养

语文教师应具备深厚的汉语言文学专业领域的知识，包括语言学、文字学、文章学、文艺学等方面的知识。其中，语言学知识包括语音学、词汇学、语法学、修辞学等学科的知识；文字学知识包括汉字的起源、汉字笔画、汉字书写规则等方面的知识；文章学知识包括文章阅读学和文章写作学等方面的知识；文艺学知识包括文学概论、中国古代文学、现当代文学和外国文学等方面的知识。无论是职前语文教师还是在岗语文教师，都应该认真学习并牢固掌握它们。

除了系统的课程知识的学习，阅读也是语文教师提升基本能力、促进专业发展的一大重要途径。阅读包含文学类阅读和教学类阅读两个部分。文学类阅读，即教师通过阅读经典文学著作、相关理论作品，丰富自身语文基础知识，扎实专业理论，培育对语言的敏感度。此外，语文教师还应涉猎其他学科的作品，如历史类、理工科类等，博采众长。教学类阅读，即教师秉承着钻研精神，以发现问题的视角研读相关教学理念、课例等，由此习得新理念、新方法，开拓自身视野。

此外，专业写作也是语文教师提升基本能力、促进专业发展的又一重要途径。"语文教师的写作大致可有如下几类：文学创作、日常应用写作、专业研究写作。"①

其中，专业研究写作中的教育随笔是较为重要的教师写作方式，主要有以下四个方面的内容：① 教育教学故事。教师可把在生活中、教学工作中遇到的有意义的事情，以及同事讲述的教育教学故事记录下来，并对所记录到的教育教学故事进行理性的思考，不断增长教学经验。② 教学案例的课堂反思。教师可以对教学设计的方案、课堂教学的活动、教学策略的实施等内容进行剖析，反思自己的教学思想和理念，反思教育教学中存在的问题，反思对教材的把握情况，反思师生关系，甚至是对课堂上的一些言行进行反思。③ 偶尔心得。工作生活中的一句话，所读期刊杂志上的一篇文章，看的电视、电影，听的一次报告，所产生的心得都可以成为随笔的素材。④ 成长记录。教师把对自己专业发展有意义的事情和问题，以及代表自己成长的标志性事件记录下来，并做分析和总结。②

专业研究写作对师范生提高专业水平而言同样适用，师范生可采用教育随笔的形式对所学课程进行实时反思。"在理论学习、实践练习阶段有总结反思，在实践练习、总结反思阶段也会结合理论再学习，在理论学习、总结反思阶段也会思考实践练习。"③由此循环往复，师范生在不断地总结反思中必然会对所学的教学技能"持续改进"，最终掌握此项技能。

二、强化教学技能

知识点 2：语文教学技能

语文教学技能分为前期备课、课堂授课和课后评价三个阶段的技能。前期备课的技

---

① 邓彤.语文教师专业成长的三大路径[J].中学语文教学，2016(10)：82.
② 黄群英.语文教师专业发展的有效路径探索[J].福建教育研究，2014(1)：5.
③ 许红星.基于专业认证的师范生教学技能混合学习模式探析[J].高教论坛，2018(6)：51.

能涵盖研读课程标准、钻研教材、了解学情、设计和编写教案等，同时还包括新课程标准提出的整本书阅读备课、大单元教学备课等；课堂授课的技能涵盖板书技能、语言表达技能、教学组织技能、教学应变技能等；课后评价的技能涵盖教学评价技能、教学研究技能，如指导学生复习、组织考核的能力，以及说课与评课、课例研究等。就在岗教师而言，专业化发展的过程离不开对每一个阶段教学行为的磨炼和反思，这三个阶段共同构成了语文教学的完整过程，集中反映了语文教师的专业发展水平以及能力修养。

就职前的师范生培养而言，各高校在培养语文师范生时，除了要开设相关的教学技能理论课程外，也应开展系列实践训练活动，让理论得以运用，真正做到理论与实践相结合。因此，在课程设置上，各高校可从综合素养、专业基本技能、专业核心技能、证书获取四个维度整体设计语文教育专业的课程体系，采取"课岗对接、课证融合、课赛融通"的课程教学模式。①

"课岗对接"是指课程设置与岗位需求相衔接，根据语文教育专业学生就业岗位的要求，构建课程内容体系，培养学生的职业能力，使学生能够学有所用；"课证融合"又称为双证教学，是指课程的设置与职业资格证书的考取相适应，按照职业资格标准确定理论知识学习和实训环节的教学内容，使学生通过课程学习和考试获得职业资格证书；"课赛融通"是指将各种大赛项目和行业中的企业实战岗位工作内容融入课程教学中，设计课程教学内容和实训项目，提高学生专业应用能力，使学生所学到的技术技能得到充分的展示和提升。②

例如，师范院校可以组织开展"三笔一话"大赛，并将比赛内容融入课程教学中，以提高师范生的教学技能；利用校内外实训基地，组织学生开展教育见习、研习、实习活动；邀请一线名师开展系列讲座，向师范生传授教学经验，实现中学语文卓越教师培养与当前中学教学一线的无缝对接；开展微型课题研究等。由此做到师范生在学校的"学"与未来走上工作岗位的"教"紧密结合。

三、提升专业素养

知识点3：语文专业素养

对于语文教师而言，语文专业素养包含教育认识、人格素养和教学素养三大方面。提升语文教师的专业素养能帮助教师以积极的态度面对教学、面对学生，由此推动专业发展。

教师应该树立正确的教育认识。有关教师的价值，党和国家给予了高度的评价，认为教师"是教育发展的第一资源，是国家富强、民族振兴、人民幸福的重要基石"③。教师在教育事业以及整个国家发展中的价值定位既是每位教师的荣光又是每位教师的担当，更是每位教师安教、善教的力量源泉。教师应增强职业自信，以正确的教育认识对待教学工作。

---

① 李文秀."课岗对接，课证融合，课赛融通"课程教学模式改革初探：以哈尔滨科学技术职业学院语文教育专业为例[J].黑龙江科学，2017，8(23)：169.
② 同①：168-169.
③ 中共中央 国务院关于全面深化新时代教师队伍建设改革的意见[EB/OL].(2018-01-20)[2024-03-04]. https://www.gov.cn/zhengce/2018-01/31/content_5262659.htm.

在人格素养发展方面，教师应该树立坚定的教育信念，确定专业发展目标。语文教师的专业发展是一个终身的、漫长且复杂的过程，它关涉个人、组织、外在环境等各方面错综复杂的因素。这要求教师树立坚定的教育信念，有正确的自我认识，利用自己的专业知识分析各方面因素，同时根据自己的专业优势、专业不足和外部环境规划个人专业发展途径。例如，年轻教师可以制定"一年站稳讲台，三年独当一面，五年成为骨干"的目标，并在随后的教学活动中不断实践、不断探索、及时反思，不失时机地抓住发展机遇，逐步实现自己的目标。由于教师专业发展的时间十分漫长，这要求教师要耐得住寂寞、抵得住诱惑，把职业的使命感和荣誉感放在第一位，把个人的专业发展与学校发展、社会发展结合起来。

在教学素养方面，第一，教师应该及时转变教育观念。以往的课堂大多是"一言堂""满堂灌"，这种教学理念不符合新时代人才培养的目标，这要求教师必须及时转变教育观念，对个人角色进行调整，不断促进自己的专业化发展。如今的教师已经不再是传统课堂教学中的知识呈现者、整理者和传递者，而是比原来的单纯"教"有着更高要求的课堂教学设计者、课程开发者，学生自主学习的引导者、合作者和组织者。第二，教师要及时更新教学方法。由于时代发展迅速，新知识呈爆炸式增长，这就使得教师无法将所有的知识都传授给学生，在新时代中，教师更重要的是要教授学生学习方法，使其掌握获取知识的思维与方法，并自觉养成处理信息的能力，一如古人所言，"授人以鱼，不如授人以渔"。

四、培养校本教育科研能力

知识点4：校本教育科研

随着教师职业的专业化程度的不断提高，对教师的要求也从原来的掌握扎实的学科基础，提高到要求教师具备更加专业的职业能力。其中校本教育科研的意识和能力就是非常重要的一个方面。"校本教育科研是一个西学东渐的概念，在我国是指各级学校（主要指中小学）从学校发展的实际需要出发，就教育教学所存在的突出问题以一线教育工作者为主体，通过一定的研究程序取得研究成果，并直接用于学校的教育教学从而提高中小学教学质量以及教师的专业化水平的研究活动。"[①]

语文教师应该利用校本研修这一平台积极参加学校组织的各种教育科研活动，加强教师之间的交流合作，凝聚共识，共享智慧。如组织科组教师听课和互相评课，开展校级优质课竞赛，组织观摩优质课、公开课等。为教师的专业化发展搭建成果展示和互相学习交流的平台，总结教学经验，探索教学规律，在教育科研活动中不断提升教师的教学创新能力和语文教育科研能力。

同时，教师自身应有意识地参与相关教育科研活动，激发自身专业发展自觉，用发现问题的眼光看待身边的教育现象，敏锐地捕捉研究点，并潜心钻研，在教研中夯实能力，在和其他教师的合作中互相学习、共同成长。

---

① 董素静.国外中小学教师校本教育科研能力的培养：教师专业化发展的重要途径之一[J].外国中小学教育，2005(4)：5.

> **练习题**

（材料分析题）刚参加工作，我就担任高一(2)班的班主任。一个月过去了，我所带的班在自习课上基本没有安静的时刻，学生嬉笑打闹，纸飞机在教室内飞来飞去。我厉声斥责，摔粉笔盒，还抓过几个捣蛋头罚站，让他们写检查、打扫卫生……办法想了一个又一个，可见效甚微。隔壁杨老师的班上却总是静悄悄的。我几次从他们班门前走过，都发现杨老师只是坐在讲台上看书，学生在安静学习。

我纳闷，杨老师有什么"魔法"让学生如此安静？我向她询问管理学生的方法。她微笑着说："我其实有点不负责任呢。他们嬉闹的时候，我不说一句话，就在那里看书。慢慢地，他们也就安静了。"她说得风轻云淡，可我知道，事情绝没有这么简单，看到我疑惑的样子，杨老师换了一种方式跟我解释："我曾看过两幅画，都叫《安静》。一幅画的是一个湖，湖面平静如镜，湖中倒映着远山和花草；另一幅画的是激流直泻的瀑布，旁边有一棵小树，小枝丫上有一个鸟巢，鸟巢里一只可爱的小鸟正在酣睡。你觉得哪一幅画更好呢？"

我想了一下，回答说："后者更好，通过直泻瀑布与酣睡小鸟这一动一静的细节对比，凸显内心的静然。"

"对啊，"杨老师笑着说，"他们不是都喜欢闹吗？那我就来个动静对比，一个人安静地看书。看我安安静静的，他们怎么好意思再嬉闹呢？你知道吗？有时候安静要比喧闹更有力量。"

我豁然开朗。

问题：请结合材料，从教师职业道德的角度，评析杨老师的教育行为。

本章小结

教师专业发展，就是教师的专业成长或教师内在专业结构不断更新、演进和丰富的过程。教师从非专业到专业，从追求数量到重视质量，从提倡教师整体专业化，到谋求教师个体专业发展，经过了复杂的历程。

教师在其专业领域发展和完善的过程，可以分为三个阶段，分别为"从新手到熟练""从熟练到成熟"以及"从成熟到卓越"。中学语文教师应主动、自觉地设定专业发展目标，拟定专业发展的路径与策略，不断地更新、完善自己的语文专业理念、语文专业知识、语文专业能力，不断促进自身专业成长和发展。

中学教师专业发展意义重大，对教师自身来说，中学语文教师专业发展有利于教师增长专业知识，提高自身素质，使教师职业生命持续发展，有利于提高教师的社会地位、经济待遇和社会声望，提升幸福感，实现教师的人生价值。与此同时，中学语文教师专业发展影响教育社会功能的发挥，有利于提升教育品质，服务社会发展。

中学语文教师可以通过夯实专业基础、强化教学技能、提升专业素养和培养校本教育科研能力等实现自身专业发展。

本章知识结构

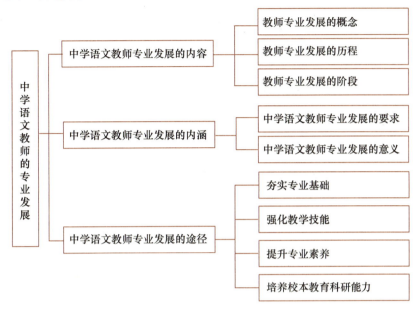

本章参考文献

[1] 崔运武.中国师范教育史[M].太原:山西教育出版社,2006.
[2] 邓彤.语文教师专业成长的三大路径[J].中学语文教学,2016(10):81-82.
[3] 董素静.国外中小学教师校本教育科研能力的培养:教师专业化发展的重要途径之一[J].外国中小学教育,2005(4):5-9.
[4] 窦桂梅.做有专业尊严的教师[M].桂林:漓江出版社,2015.
[5] 国家职业分类大典修订工作委员会编.中华人民共和国职业分类大典:2022年版[M].北京:中国劳动社会保障出版社,2022.
[6] 黄群英.语文教师专业发展的有效路径探索[J].福建教育研究,2014(1):4-5.
[7] 教育部师范教育司.教师专业化的理论与实践[M].修订版.北京:人民教育出版社,2003.
[8] 李斌辉.职前语文教师专业发展[M].广州:广东高等教育出版社,2017.
[9] 李文秀."课岗对接,课证融合,课赛融通"课程教学模式改革初探:以哈尔滨科学技术职业学院语文教育专业为例[J].黑龙江科学,2017,8(23):168-169.
[10] 许红星.基于专业认证的师范生教学技能混合学习模式探析[J].高教论坛,2018(06):48-51.
[11] 薛猛.语文课程与教学论[M].重庆:西南师范大学出版社,2019.
[12] 叶澜,白益民,王枬,等.教师角色与教师发展新探[M].北京:教育科学出版社,2001.
[13] 中小学教师专业发展标准与指导课题组.中小学教师专业发展标准及指导:语文[M].北京:北京师范大学出版社,2012.
[14] 朱永新.我的教育理想:2014年修订[M].桂林:漓江出版社,2014.

第五章

中学语文教学设计与教案编写

☞ 学习目标

识记：中学语文教学设计的含义；中学语文教学设计的功能；中学语文教案编写的内容与原则。

理解：中学语文教学设计的原则；中学语文教学设计的内容和要求；中学语文教学设计的基础和依据。

运用：在开展中学语文教学设计的过程中能运用科学的方法，把握中学语文教学设计的一般技能，形成中学语文教学设计能力。

☞ 学习重点

◎ 理解中学语文教学设计的原则以及中学语文教学设计的基础和依据，并学会将之落实到教学设计中。

◎ 把握中学语文教学设计的基本方法与一般技能，形成中学语文教学设计能力。能依据语文课程目标与学情选择合适的教学内容，合理地确定并准确地表述教学目标、教学重点及难点。

☞ 学习导引

历年以来，中学语文教学设计是国家教师资格考试的重点。它要求考生能依据语文课程标准规定的课程目标，针对中学生的认知特点、知识水平及学习需求选择合适的教学内容；能根据教学内容的特点、中学生的个体差异确定教学目标、教学重点和难点；能够准确地表述教学目标，恰当地选择教学策略，合理地利用教学资源，设计多样的学习活动，引导中学生积极参与学习过程；能在规定的时间内完成所选教学内容的方案设计。考生应在熟练、准确地掌握、记忆这些知识点的同时，树立新课程理念，以及以学生为本的意识，懂得运用相关知识去进行实际语文教学设计。

【引子】

新的课程改革，大幅提升了语文教学的地位。但语文教学是否成功，关键在于语文教学设计。针对第一章引子中提出的几篇教学课文，在教学《晋祠》《北京胡同》《花木兰》时，教师还是借助视频展示晋祠与北京胡同的风貌，借助电影来欣赏花木兰的英姿，该怎样利用这些资源来做好教学设计呢？又如，杨绛的《老王》，不但选入初中语文教材，也曾选入高中语文教材，针对不同层次的中学生，教师又该如何进行教学设计？再如《老王》作为教读课文和自读课文，在教学设计时，教师又该如何进行不同的教学设计？在学习完本章内容后，你将获得关于这些问题的正确认识。

第一节 中学语文教学设计概述

中学语文教学设计是教学设计原理在中学语文教学中的实践运用,也是教师顺利进行语文教学活动的前提之一。随着时代的发展和教学观念的革新,中学语文教学设计的内涵、原则和功能都在不断变化。语文教师只有了解这些变化,才能更好地开展教学活动,从而提高教学工作的效率。

一、中学语文教学设计的内涵

知识点 1:中学语文教学设计的内涵

教学设计的研究起步于 20 世纪 50 年代的北美和欧洲地区。20 世纪 80 年代,第一代教学设计理论基本成熟。20 世纪 80 年代末 90 年代初,第二代教学设计理论开始崛起,当时的学者将建构主义心理学、情景教学和计算机多媒体技术相结合,进一步促进了教学设计理论研究的发展,而学习者、教学媒体与教学情境之间的相互作用也成了教学设计关注的一大焦点。大约在 20 世纪 80 年代,教学设计理论被引入我国,开始有部分学者从电化教育设计与教育心理学原理应用的角度对教学设计加以研究。

关于"教学设计"的概念,国内外的学者有过许多定义。教学设计理论的奠基人、美国教育心理学家加涅(Robert Mills Gagne)等人在《教学设计原理》中指出:教学设计是一个系统化规划教学系统的过程。① 美国著名教学设计理论家西尔斯(Barbara Seels)在 1998 年出版的《教学设计决策》一书中提道:教学设计是通过系统化分析学习的各项条件来解决教学问题的过程。② 另一位美国著名教学设计理论家赖格卢特(Charles M. Reigeluth)则在其 1983 年主编的《教学设计的理论与模式》中提出了自己的观点:教学设计是一门涉及理解与改进教学过程的学科,任何设计活动的宗旨都是提出达到预期目的最优途径。③

北京师范大学教授乌美娜是我国教学设计研究的先驱人物,她将教学设计定义为:教学设计是运用系统方法分析教学问题和确定教学目标,建立解决教学问题的策略方案、试行解决方案、评价试行结果和对方案进行修改的过程。④ 浙江大学教授盛群力在《教学设计》一书中认为:教学设计实质上是对教师课堂教学行为的一种事先筹划,是对学生达成教学目标、表现出学业进步的条件和情境作出的精心安排。教学设计的根本特征在于如何创设一个有效的教学系统。⑤

根据上述国内外学者的定义,我们认为:第一,教学设计是一个系统化的过程。它涉及教学的各项因素和环节,不仅需要教师对教学目标、教学内容、教学评价等进行整体协

---

① 加涅,布里格斯,韦杰.教学设计原理[M].皮连生,庞维国,等译.上海:华东师范大学出版社,1999:20.
② 李龙.教学设计[M].北京:高等教育出版社,2010:23.
③ 李豫颖.信息技术教学论[M].厦门:厦门大学出版社,2008:98.
④ 乌美娜.教学设计[M].北京:高等教育出版社,1994:11.
⑤ 盛群力.教学设计[M].北京:高等教育出版社,2005:4.

调和综合规划，还需要考虑到受教育者的现实情况、心理发展规律，以及整个教学活动的环境条件等。第二，教学设计的目的是使整个教学活动达到最优的预期。正如建筑设计需要考虑如何设计才能使建造出来的房子更美观一样，教学设计也需要考虑怎样才能使教学活动取得更好的效果。因此可以说，教学设计是一个通过运用系统理论和方法，更好地解决教学问题的过程。

在教学活动中，为了提高教学工作的效率，使教学效果最优化，设计者应在一定的现实依据和教育理论的基础上，统筹语文教学的各个因素和具体环节，包括教学目标、教学方法和策略、教学内容和资源、教学环境、教学媒体、教学时间、教学评价等，作出行之有效的安排与规划。

二、中学语文教学设计的原则

知识点2：中学语文教学设计的原则

1. 系统性和全局性

中学语文教学设计作为一个"系统工程"，涉及教学组织的各个要素和各个环节。在开展教学设计时，教师需要根据正确的理论和方法，以一系列操作程序来规划每一个环节的具体运行，协调各个要素，并使之相互配合，从而使整个教学过程成为一个系统的有机整体。

从如何确立教学目标到如何开发教学资源，从如何组织课堂教学到如何评价教学活动，教学设计是贯串整个过程的核心，具有统筹规划、把控全局的作用。因而也可以说，中学语文教学设计具有全局性。教师在进行教学设计时应立足整体，从全局的高度把握整个教学过程。在横向上，教师应该考虑参与教学的各种因素及其构成，既关注学生的需求，又要结合教学环境与教学条件，制订最优的教学方案；在纵向上，教师要兼顾几个层次的目标：总目标、学段目标、每册教材的教学目标，甚至一个单元、一篇课文、一个课时的教学目标，形成统领全局的整体教学思路。

2. 预测性和前瞻性

在进行中学语文教学设计时，教师应运用教育教学理论，依据课程标准要求、学生学情和教材内容等现实情况，把握中学语文教学的特点，有效整合中学语文教学的每个环节。这不仅可以让教师提前预见教学过程中的行为反应和教学活动的效果，还可以使教师提前考虑到教学过程中的有利因素和不利因素，做好前瞻性规划，从而在实际教学活动中有针对性地排除可能出现的障碍，更好地解决教学问题。

3. 再现性和操作性

中学语文教学设计是在实际教学活动开展前由教师制订出来的方案，可以说，中学语文教学设计是教学活动的"蓝图"。教师通过具有预测性的认知活动进一步探索各个教学要素之间的本质联系，规划安排教学过程中的各个环节，并将设计实现在真实的教学活动中，使得"蓝图"再现在现实环境中。在一定程度上，教学实践就是对教学设计的再现。需要注意的是，所谓"一定程度"，是指实际的教学实践不可能一成不变地遵照教学设计，在无法完全预测的现实环境中，教学设计也会根据实际情况调整；当然，教学实践也不能和教学设计背道而驰，如果教学实践与教学设计大相径庭，教学设计就会失去它本应具有的意义。

教学设计的本质目的就是要运用到实际教学活动中,即"能用""能操作"。中学语文教学设计只有付诸实践,运用到具体教学活动中,才能发挥其功能和作用。这种操作性体现在教学目标的设计上,就是要使目标可检测;体现在教学过程的设计上,就是要使活动具体可行;体现在教学测评的设计上,就是要使活动效果可评价。

4. 开放性和创造性

随着课程改革的推进,中学语文教学设计也不仅仅是忠实地传递事先设计好的教学过程,而是随着学情、教材等现实情况的变化而变化和创生。因而这一过程是开放的、灵活变化的,也是允许生成的。

现代教学理念认为,教学是一种创造性的劳动,是教与学的互动和对话。教学设计作为对教学活动的预先规划,也应当是一种创造性的劳动。当中学语文的教学活动置于不同的教学环境中时,不同教师可以根据其对教材、对学生心理发展特点的理解,将自己的个性或倾向融入教学设计中,创造性地调整或改造原有的教学设计。作为教学活动的设计者,教师应当充分考虑学习者的需求,发挥主观能动性,富有创意地展开教学设计。

5. 育人性和导向性

每一阶段的语文教学都会有该阶段特定的教学理念,与其他阶段的语文教学不同,中学阶段的语文教学有着其特定的理念和目标。《义务教育语文课程标准》(2022年版)以"立足学生核心素养发展,充分发挥语文课程育人功能""构建语文学习任务群,注重课程的阶段性与发展性""突出课程内容的时代性和典范性,加强课程内容整合""增强课程实施的情境性和实践性,促进学习方式变革""倡导课程评价的过程性和整体性,重视评价的导向作用"为课程基本理念。《普通高中语文课程标准》(2017年版2020年修订)则明确指出其课程目标为:"学生通过阅读与鉴赏、表达与交流、梳理与探究等语文学习活动,在语言建构与运用、思维发展与提升、审美鉴赏与创造、文化传承与理解几个方面都获得进一步的发展;坚定文化自信,自觉弘扬社会主义核心价值观,树立积极向上的人生理想,为全面发展和终身发展奠定基础。"中学阶段的语文课程标准提到的教学理念、课程理念,以及整个课程的设计思路、具体学段的目标内容都体现了语文教育的育人功能。教学设计作为顺利开展教学活动的前提准备,也必须在课程标准的指导下进行,所以中学语文教学设计也必然包含着育人的价值导向。

三、中学语文教学设计的基础

中学语文教学设计需要教师做好设计前的基础工作,如教材分析、学习任务分析、使能目标分析等。下面就分几个部分谈谈教学设计的基础工作。

(一) 教材分析

知识点 3:教材分析

教材分析是教学设计的基础,教材分析应从以下几个方面进行。

1. 理清思路

理清思路包括三个方面:作者的行文思路,教师的教学思路,学生的学习思路。三个方面的思路之中,作者的行文思路是基础,只有理清了作者的行文思路,教师的教学思路、学生的学习思路才有了根据。

有的作者的行文思路十分明晰,如朱自清的《春》,按照盼春、绘春、赞春的思路来编排材料,这个编排符合人们认识事物的一般规律,教师就可以按照这个思路编排教师的教学思路与学生的学习思路。还有一些文章头绪纷繁,跳跃性强,那么教师在设计教与学的思路时,就要锁定重点情节。如《林黛玉进贾府》一文,曹雪芹是按照林黛玉初进贾府的所见所闻来编排材料的,行文思路跌宕起伏,内容丰富。但"王熙凤出场""宝黛相会"这两个情节是文章的关键,牵一发可以动全篇,且两者之间又是按时间顺序来铺写的。因此,教师可以根据这两个情节来安排教与学。

　　当然,教学思路的确定,最重要的是符合学生的认识规律。《驿路梨花》展现了对纯真情感的怀念以及对美德的呼唤,但学生对"梨花"的深刻含义难以理解,基于此,教师可首先带领学生进行内容概括、情节梳理,采取学生自读和讨论分析的方式,以表格的形式从人物出场顺序和小茅屋的故事发生顺序两个角度来进行总结,为后续的学习做好铺垫。然后引导学生细读文章,解析构思,深入分析文中的"三个悬念""两次巧合""两次误会",总结出本篇小说的写作特点以及表达效果。最后引导学生对文章情感的体悟,聚焦"梨花",体悟情感。板块之间循序渐进、层层递进,符合学生的认知规律。

2. 确定重难点

　　一篇文章可圈可点的东西很多,但抓什么,把什么当作重点、难点,这就反映出教师对教学内容的理解情况了。

　　同一篇《邹忌讽齐王纳谏》,根据学生水平,有的教师会把重点、难点锁定在文言字词的解释与翻译上,还会分析结构美;有的教师会把重点、难点锁定在对邹忌的人物形象分析上,让学生抓住感情线索;有的教师会把重点、难点锁定在邹忌的讽谏艺术上,品味其语言美及结构美。三种设计,三种理念:第一种强调基础,但呆板;第二种立足分析;第三种立足品味,要求更高。但如何确定重点、难点,教师应根据学生情况从实际出发。

3. 选择教学角度

　　教学设计具有鲜明的个性特征,教师对课文内容理解的角度不同,设计的方案就会有所不同;教师面临的学生语文水平不同,设计的方案也会不同。

　　一篇文章,许多东西都可讲,许多东西都很重要,但教师要充分考虑学生的学习因素,考虑自己驾驭课堂的能力,所以教学设计要从学生、自己出发,要具有可操作性。

　　如《出师表》一文,教师可以从诸葛亮的感情变化入手,认识诸葛亮的高尚人格;也可以从诸葛亮感人肺腑的话语入手,引导学生学习诸葛亮驾驭语言的高超技巧;还可以从文章的结构入手,引导学生学习诸葛亮谋划布局的技能。确定从哪个角度出发,关键看教师对学生、对课文的领悟。

　　又如《祝福》一文,教师可以从分析情节入手,理解情节中的形象及形象形成的原因:公堂审问,何以祥林嫂会死?设置悬念,祥林嫂之死是否由于三次意外?也可以从叙事视角的角度入手,探讨作为知识分子的"我"是如何讲述祥林嫂的悲惨命运的,文中的"我"是怎样的一个人?作者为什么要选择这么一个人作为叙述者?通过设计这些问题,启发学生认真阅读文本。或者是从"春天"隐喻特征的角度进行教学突破,以"祥林嫂生命中没有春天"这一话题为切入点,进行分析、引导,让学生进行讨论,思考为什么"祥林嫂在她的一生中每逢春天总会有厄运降临"?

4. 设计问题群

　　一篇课文值得研究的东西很多,但课堂45分钟不可能面面俱到,教师必须要有所选择。问题设计得合理与否,将在很大程度上影响教学效果。

如《包身工》中,问他们吃了什么?他们做了什么?这样的问题没有问的价值,不可取。但《孔乙己》中,发茴香豆说"罩"着盘子,为什么不说"捂"?《宝玉挨打》中,"托"着一丸药,为什么用"托"?这样的问题很机巧,教师通过让学生对一个字的品味,就可以了解人物的内心世界。

知识点4:问题群的设计类型

问题群的设计包括:整体把握课文的问题设计,局部推敲的问题设计,整体总结性问题设计。

(1) 整体把握课文的问题设计。整体把握课文的问题设计是指设计一个能"牵一发而动全身"的关键问题,这个问题能统摄全文,能让学生对课文有一个全面的感知。

鲁迅的《祝福》一文,曾有老师以"谁杀死了祥林嫂"这样的问题开始整篇文章的讲解。这就是一个整体把握课文的问题设计。当学生以"侦探"的视角去追寻祥林嫂的死因时,他必须逐一细读全文所有人物,分析各个人物的行为是否对祥林嫂构成谋杀。有学生认为是鲁四老爷,因为在祥林嫂生前,鲁四老爷就谩骂她为"谬种",死后也是无情到让人窒息,说"不早不迟,偏偏在这时候"。可"谩骂"和"无情"就是谋杀了吗?有人认为是鲁四婶和鲁镇上的其他人,鲁四婶不让祥林嫂在祭祀的时候碰酒杯和筷子,不准她取烛台;鲁镇上的其他人平日对祥林嫂也满是冷笑和鄙夷,但"冷笑"和"鄙夷"就是谋杀了吗?也有人认为是柳妈,是柳妈唆使她去"捐门槛",结果却让祥林嫂迅速走向死亡。但柳妈明明是好心,想要祥林嫂解脱呀!至此,我们似乎无法找到杀死祥林嫂的直接凶手。

不可否认,"谩骂""无情""冷笑""鄙夷"会给人带来沉重的心理负担,但它们并不必然导致祥林嫂的死亡!是什么让命运多舛的祥林嫂得不到人们的同情和帮助,反而在人们的"谩骂""无情""冷笑""鄙夷"中走向死亡?鲁四老爷"谩骂"和"无情"的是什么?鲁镇上的人"冷笑"和"鄙夷"的是什么?为什么"捐门槛"没让祥林嫂得到解脱,反而加速了她的死亡?种种问题,最后都指向一点——祥林嫂是个"不干净"的女人!而她自己对此也深信不疑,她不能接受这一点但又无法摆脱这一点。这一切都不是她想要的,是外界强加给她的,在夫权、族权、神权等多重压迫下,祥林嫂成为千夫所指,生命慢慢走向衰弱。至此,我们才能明白,所有人都没有实际作出杀死祥林嫂的行为,但却有无形的枷锁困住了所有的人,包括祥林嫂本人,封建礼教才是杀死祥林嫂的真正凶手。

综上,"谁杀死了祥林嫂"是《祝福》这一篇文章中"牵一发而动全身"的问题,通过对这一问题的探讨,学生不仅要全面细致地分析文中的人物、情节和环境,而且要在不断的质疑中,一步步对文章意蕴进行把握。这就是我们所说的整体把握课文的问题设计。

(2) 局部推敲的问题设计。这种问题设计不要求宏观把握全文,只需教师解剖文章的某个点,引导学生从局部入手去品读课文。

① 教师可以从语言教学的角度入手,到品味语言的风格、文章的表达方式及作用,或是品味重点句、关键句、意义含蓄的句子以及字词的妙用,像前面所说的"罩""托"等。

② 教师还可以从内容入手,让学生着眼细节感受思想情感。如《林黛玉进贾府》一文,很多教师都会在王熙凤出场时的道白上做文章,因为这里"未见其人先闻其声"的写法很有特点,但如果教学仅停留在这一点上,学生对王熙凤的认识也只能停留在一个肤

浅的表面。那么应该如何设计教学呢？程翔在讲授这一篇课文时做了如下设计①：让学生研读关于王熙凤的衣着描写、肖像描写，体悟曹雪芹对王熙凤的写作态度，认识王熙凤的性格特征。学生通过研读可以发现王熙凤通身穿遍了豪华服饰，王熙凤面部并不漂亮，"一双丹凤三角眼，两弯柳叶吊梢眉"。透过这些表面现象，学生可以认识王熙凤的粗俗本质，也可以看出曹雪芹不动声色的漫画笔法。

（3）整体总结性问题设计。这种问题设计一般用于一节课的结尾，可以是一堂课的内容的回顾与总结。

如《中国石拱桥》，这篇文章的标题是《中国石拱桥》，而课文主要写的是赵州桥和卢沟桥，这切题吗？既然课文写的是中国的石拱桥，并不是具体的哪一座桥，一个例子都不举行不行？教师通过让学生对上述问题进行研究思考，可得出结论：赵州桥和卢沟桥，它们既有自身独特的特点，同时又有中国石拱桥的一般特点，它们独有的特点叫"个性"，它们具有的中国石拱桥的一般特点叫"共性"，共性存于个性之中，这正如赵州桥、卢沟桥体现着中国石拱桥的共同特点。若教师能从这点出发引导学生从事物的个性中看到共性，学会分析问题的方法，那就深刻多了。

又如《祝福》一文，教师在带领学生从鲁迅三次描写祥林嫂的眼睛感受其悲剧命运后，可引出鲁迅的名言："要极俭省地画出一个人的特点，最好是画他的眼睛。"然后进一步启发引导学生，鲁迅之"画眼睛"是比喻的说法，并不意味着描写人物外貌非得画眼睛不可，使学生领悟到鲁迅所说的"画眼睛"的意思是：善于细致地精确地描绘人物外貌最富特征的部分，而舍弃与表现人物性格和精神面貌无关的其他东西。"画眼睛"是理论的概括，是艺术创作中典型化的一种手段。教师然后再组织学生对鲁迅小说中的"画眼睛"段进行梳理。

以上谈了三种问题的设计，另外还需注意的是，问题设计还应讲究梯度和深度。首先，对于预设性问题要精准层次，要建立思维梯度。如《祝福》一文，祥林嫂的悲剧是因为三次意外吗？祥林嫂经历了三次意外后，她想死还是想活？实际如何？为什么不分阶层，不分男女都跟祥林嫂过意不去？她犯了什么错，大家都这样讨厌她？其次，针对生成性问题要精准追问，要延伸思维深度。如有学生问：为什么祥林嫂不反抗呢？那么教师可以追问：祥林嫂反抗有用吗？当时那个社会会放过这个可怜的女人吗？最后，对于拓展性问题要精准设计，要拓展思维广度。如教师可以提问：假设阿毛没有死，祥林嫂的生活会不会就一直幸福美满下去了呢？

5. 板书设计

板书是教师教学设计的重要组成部分，好的板书是课堂教学的"集成块"，它集教材的"编路"、课文作者的"文路"、教师的"教路"、学生的"学路"于一体，是当代"微型技术的妙用"。

板书设计要简洁、科学、实用、具有艺术性。单元板书设计方式有以下两种。

（1）内容提要式板书。提要是对文本内容的提炼，提要就应字数简明、内容精要。通过提要，学生能够把握课文内容的核心。

如《藤野先生》一文，鲁迅以时间为顺序，以藤野先生为中心，以作者的思想感情变化

---

① 段作章.新课程理念下的中学学科教育[M].合肥：安徽教育出版社，2004：54-55.

为线索,叙写了自己的所见所闻所感。内容提要式板书可如下设计:

藤野性格特征　　　　　　　　　　　　质朴　严谨　关怀　教诲
地点切换,揭示了文章内容的空间变化　　(东京)(仙台)(离开仙台)
作者思想变化　　　　　　　　　　　　寻求—失望—学医—弃医从文—继续战斗

(2)对比式板书。有些课文内容本身就有对比性,教师设计板书时可抓住课文内容核心,利用语言差异、动作差异、色彩差异、名称差异等进行设计,使对比的差异尽可能明确化、具体化,让学生在比较中认识事物的本质,加强对课文的理解。

如《孔乙己》一课的难点就是对孔乙己的性格特征的理解,教师若能抓住第一次和最后一次出场做比较,学生就容易对孔乙己的性格特征作出明确判断。对比式板书可如下设计:

第一次　　　　　　　　　最后一次
身材高大　　　　　　　　盘有两腿,下垫蒲包
青白脸气　　　　　　　　脸上而且瘦　　　　　　　处境
穿件长衫　　　　　　　　穿一件破头袄　　　　　　悲惨
排出九交大钱　　　　　　摸出四交大钱
分辩,睁大眼睛说　　　　不十分分辩,眼色好像恳求

(二)学习任务分析

1. 学习任务分析的含义

教学设计流程可以分为三个步骤:教学目标确定并陈述,学习任务分析,教学步骤、方法选择。学习任务分析是指教师对达到终点目标之前的先行条件的分析,旨在揭示从学生起点能力到终点目标之间必须掌握的新能力类型及其层次关系,从而指导学生学习或使学习能够发展。

2. 学习任务分析的内容

(1)教师要根据教材和学情,确定教学目标。目标陈述要具体,教师可以进行观察和测量。

(2)教师要对教学目标中的学习结果进行分类。

(3)教师要分析作为教学目标的学生学习结果出现的条件,对子目标进行排序,确定优先的目标。

(4)教师要确定学生起点能力。

3. 学习任务分析的关键

知识点5:学生起点能力

学习任务分析最关键的是确定学生起点能力。学生起点能力是指学生在接受新的学习任务之前,原有知识、技能、习惯、方法、态度等方面的准备情况。

教师确定了学生起点能力,也就获得了学生习得新能力的内部前提条件,这在很大程度上决定了教师能不能进一步教,或者可以说是决定了下一步教学活动的成败。与此同时,教师确定了教学目标,探明了学生起点能力,也就理清了教学空间。教学在于用不同的教学任务去填补这个空间。美国心理学家奥苏伯尔(David Pawl Ausubel)曾说过,假如我把全部教育心理学仅归结为一条原理的话,那么我将一言以蔽之曰:影响学习唯

一最重要的因素就是学生已经知道了什么。[①]

确定学生起点能力的方法很多,在一般情况下,教师可以通过学生的作业、小测验,或课堂提问并观察学生的反应等方法,了解学生起点能力。在一个教学单元结束后,教师可以对照单元目标对学生进行测验,按照"掌握学习"的原则,学生必须掌握每个教学单元85%的教学目标后,才能转入下一个单元的学习。也就是说,一个教学单元终点目标的完成便构成下一个教学单元的起点。

我们常说:备课要"备学生"。在学习任务分析中,教师首先要分析学生的起点能力,这是达到终点目标的先决条件,分析学生的起点能力就是把"备学生"的观念具体化了。

(三)使能目标分析

知识点6:使能目标及其陈述技术

从起点能力到终点目标之间,学生还有许多知识、技能尚未掌握,而掌握这些知识、技能是达到终点目标的前提条件。使能目标就是以学生还不具备的前提性知识、技能作为教学目标,即使能目标是介于起点能力与终点目标之间学生应掌握的先决知识、技能。

1. 目标分类

教学目标是预期的学生学习结果。教学目标有教材目标、单元目标、单篇教材目标和单项技能目标之分。

(1)教材目标。一篇文章可吸收的东西很多,能够作为取舍依据的就是教材。高一阶段重在理解各种文体,高二阶段重在鉴赏文学作品,高三阶段重在学习写议论文、书评。

(2)单元目标。统编本高中语文教材必修上第一单元"青春激扬",属于"文学阅读与写作"任务群。按课程标准要求,该任务群旨在引导学生阅读古今中外诗歌、散文、小说、剧本等不同体裁的优秀文学作品,使学生在感受形象、品味语言、体验情感的过程中提升文学欣赏能力,并尝试文学写作,撰写文学评论,借以提高审美鉴赏能力和表达交流能力。单元导语中有两个目标:一是价值观念方面的学习目标,二是关键能力方面的目标。那么教师设计本单元教学要将这两方面的目标融合,围绕人文主题"青春的价值"设计单元学习核心任务。

(3)单篇教材目标。单篇教材目标有利于教师对学生训练的重点做到心中有数。例如,在鲁迅的《故乡》一文中,细腻的人物刻画、巧妙的情节安排、批判而深刻的主题思想、地域环境描绘、语言表现力等都可以作为研究的内容。但是如果将所有的内容都纳入教学设计中,未必有利于教学进程的推进。我们既要考虑文本的丰富性,也应该结合学生的学习需求与接受能力。根据教材的预习提示"闰土是一个怎样的孩子?想象一下,他长大以后会变成什么样子呢?",以及课后的思考探究"故乡的变化""可悲的厚障壁"等关键信息,我们可以捕捉到教学的重点可以放在"变"字上,而在环境、人物等变化中又以闰土的人物形象变化最为典型,由此,可从"厚障壁"的含义、表现、原因等入手,探究小说的主题意蕴。

(4)单项技能目标。单项技能目标则帮助教师诊断每堂课上学生的知识、技能。例如,教师教授《出师表》一课时,可把"学会有感情地朗读该篇文章"和"学会辨识通假字"

[①] 奥苏伯尔.教育心理学:认知观点[M].佘星南,宋钧,译.北京:人民教育出版社,1994:2.

等作为单项训练学生技能的目标。

2. 目标陈述

教学目标一旦确定,接下来教师在设计教案时,就面临着如何陈述教学目标的问题了。

(1) 传统目标陈述中的问题。传统语文教学目标的陈述总是含糊不清,一般都是用描述局部心理活动的词语来教学。例如,培养学生的文学鉴赏能力,领会作者的思想感情,理解作者遣词造句的意图,等等。这里的"培养""领会""理解"都是指向个体的心理状态的,用教育心理学的术语来说,是用"不可捉摸的词"来陈述的目标,学生是否达到了这些目标,教师是无法观察和不易测量的,即教学任务无法落实。

(2) 目标陈述的要求。教学目标陈述的应是学生预期学习的结果,包括知识、技能、策略等,而不是教师做什么,也就是说目标的主语应该是学生,如培养学生有感情地朗读,能根据所要表达的感情,给文中的一些句子标上重音符号,并根据重音定义陈述理由。

另外,陈述的目标应力求明确、具体,可以观察和测量。例如,《宝玉挨打》的教学目标可以是理解作者遣词造句的意图,找出有关林黛玉和薛宝钗典型描写的句子,能够说出两者思想、性格特点的异同等。

3. 目标陈述技术

(1) 行为目标陈述法。行为目标是用预期学生学习之后将产生的行为变化来表达教学目标,也就是用可观察和可测量的行为来陈述的目标。一个陈述得好的行为目标要符合三个条件:一是要说明通过教学后学生能做什么或说什么,即表述行为;二是要规定学生行为产生的条件,即表述条件;三是规定符合要求的作业标准,即表述标准。

例如,"通过教学培养学生分析能力"这一目标表述十分含糊,可以将其改为"提供报上的一篇文章,学生能将文章中陈述事实与发表议论的句子分类,至少85%的句子分析得正确"。在这个目标表述中,它包括了行为目标的三要素,并且已蕴含了学习结果的检测方法和评价标准。

(2) 内部心理与外显行为相结合的目标陈述技术。坚持学习的认知观的心理学家认为,学习的实质在于学生内部心理的变化,因此,教学目标并不是学生表面行为的变化,而是学生内在能力或情感、态度的变化。为此,学者们采取了一个折中的办法,即采用描述内部心理状态与外显行为相结合的办法来表述教学目标。

按照内部心理与外显行为相结合的方法来陈述教学目标,教师要明确如记忆、知觉、理解、创造、欣赏、热爱、尊重等内部心理状态的变化,如"培养学生的爱国主义精神"。但是,为了使这些内在变化可以观察和测量,还需要列举反映这些内在变化的若干行为样例,如"学完这篇课文后,学生能够写一篇赞美祖国的文章并朗诵"。

总的来说,对于内部心理与外显行为相结合的目标可以这样陈述:学生能够理解学习的概念(内部心理描述);教师提供有关学习的新的正例和反例,学生能够正确加以识别(外显行为样例)。

(3) 表现性目标陈述法。许多高级的教学目标并不是参加一两次教学活动就能达到的,教师也很难预期在一定的教学活动后学生的内部心理会发生什么样的变化。因此,有学者提出了表现性目标陈述法,以弥补上述两种陈述方法的不足。

表现性目标只要求教师明确规定学生必须参加的活动,而不必具体规定每个学生应从这些活动中习得什么。例如,爱国主义教育方面的表现性目标可以这样陈述:学生能认真观看学校组织的反映爱国主义的影片,并在小组内交流自己的观后感。

四、中学语文教学设计的功能

知识点7：中学语文教学设计的功能

教学设计是中学语文教师做好教学工作的重要前提之一，主要有以下功能。

1. 增强教学工作的预测性，为顺利解决教学过程中的问题奠定基础

教学设计是对整个中学语文教学活动开展具有预测性和前瞻性规划的活动，做好教学行为和教学效果的预测有助于保证整个教学活动的顺利进行。中学语文教学设计以教育教学原理为理论基础，结合中学阶段的课程标准和教材内容，对教学活动中教师的行为和学生的反应，教学中可能出现的有利或不利因素，以及整个教学活动的效果进行预测。在教学设计的前提下，教师能够精细设计教学环节，多方面地考虑教学要素之间的相互作用，从而对教学活动有一个整体的把控，为顺利解决教学中可能出现的问题奠定基础。

2. 提高教学工作的科学性，保证教学活动的高效和结果最优化

一个完整的教学过程必然会涉及一系列不同的教学要素，包含多种不同的教学环节，只有在教学设计的科学规划和合理安排下，这些教学要素和教学环节才能组合成最佳的教学方案，取得最佳的教学效果。教育的目的是促进人的全面发展，从本质上来讲，中学语文教学具有育人功能，是一个以提高中学生的语文素养，促进中学生的全面发展为目的的教学过程。要想充分发挥中学语文教学的育人功能，达到教学效果的最优化，教师就必须在开展教学工作前进行科学的教学设计。在中学语文教学设计时，教师应立足于语文教学的规律，运用科学的教学方法，客观地分析教学条件和教学环境，清晰地阐明教学目标，合理地组织教学环节，准确地预测教学行为，使中学语文教学设计成为更加科学和高效的中学语文教学工作的有力保障。

3. 发挥教学双方的创造性，促进师生之间的平等对话和交流互动

教学是教与学双方之间的交流互动，学生始终是教学活动的主体，而教师作为教学活动的组织者和引导者则在教学活动中发挥着主导作用。教学活动离不开教学双方的共同参与，更离不开教师与学生之间的交流与创造。在中学语文教学中，优秀的教学设计可以促进教学双方的良性互动，成为联结教学双方的纽带。语文教师能够在遵循学生的学习规律和学习习惯的基础上，通过教学设计全方位地分析学生的身心发展特点，运用多种教学方法和策略，创造良好的学习环境，合理有效地组织教学活动，鼓励学生主动与教师进行对话沟通，从而使学生更好地融入教学活动中来。

> **练习题**

1. （多项选择题）中学语文教学设计的原则包括（　　）。
   A. 系统性和全局性　　B. 预测性和前瞻性　　C. 再现性和操作性
   D. 开放性和创造性　　E. 育人性和导向性
2. （简答题）简述中学语文教学设计的功能。
3. （论述题）为什么说要想"达到教学效果的最优化，教师就必须在开展教学工作前进行科学的教学设计"？请结合具体教学实例谈谈你的看法。
4. （简答题）为什么要对学生起点能力进行分析？
5. （论述题）自选一篇高中课文，选用一种目标陈述技术，陈述该课文的教学目标。

第二节　中学语文教学设计的内容与要求

新时代的中学语文教育需要响应新的要求,为了适应社会发展的需要,中学语文教师要充分发挥语文教学促进学生发展的独特功能,使全体学生都获得较强的语文应用能力和一定的语文审美、探究能力,形成较为健全的思想道德素质和科学文化素质,为学生的个性化发展和终身学习奠定基础。一份合理有效的教学设计必定凝结着语文教师自身的语文素养和教育智慧,对语文教师组织教学活动具有重要作用。因此,教师需要深度思考,精心安排自己的教学设计。

一、教学设计的内容

知识点1:教学设计的内容

教学设计是指教师在上课前对教学目的、教材、学生以及教学方法等作出的全方位的策划。它是建立在教师对教材的深入解读和对学生的分析的基础上的。语文教学设计是一项系统设计,它需要按照一定的程序和步骤进行。在进行语文教学设计中,教师应积极贯彻《义务教育语文课程标准》(2022年版)所提出的课程理念:"从学生语文生活实际出发,创设丰富多样的学习情境,设计富有挑战性的学习任务,激发学生的好奇心、想象力、求知欲,促进学生自主、合作、探究学习。"

1. 确定教学目标

教学目标设计是指对教学活动预期所要达到的结果的规划,它是教学设计的重要环节。《义务教育语文课程标准》(2022年版)指出"语文课程围绕核心素养,体现课程性质,反映课程理念,确立课程目标",义务教育语文课程培养的核心素养是"文化自信和语言运用、思维能力、审美创造的综合体现"。教师在确定教学目标的同时应确定教学的重点、难点,例如《沁园春·雪》的教学目标和教学重点、难点的确定。

【教学目标】

A. 了解词的相关知识,学会抓住关键词句来体会这首词的语言艺术与风格特点。

B. 品味词中意象的活泼灵动和意境的雄阔深远,理解诗歌中运用意象来抒发情感的方法。

C. 感受革命领袖毛泽东改造世界的豪放胸襟和以天下为己任的伟大抱负,激发学生昂扬向上的青春热情。

【教学重点、难点】

A. 学会品味词中意象、意境的特点,掌握鉴赏诗词的技巧。

B. 感受毛泽东的豪迈激情和革命理想,树立对国家和民族的责任感,思考青春的价值。

语文教学目标体现了语文教学的整体性和阶段性,整个系统分为总体目标和学段目标两部分。纵向是文化自信、语言运用、思维能力与审美创造四个维度,这是隐性线索,引导教师在语文教学中带领学生于过程中掌握方法,获取知识并形成能力,培养情感、态度和价值观。横向是识字和写字、阅读与鉴赏、表达与交流、梳理与探究四个领域,这是显性呈现,引导教师在语文教学中组织有效的识字和写字、阅读、写作、口语交际、综合性学习的教学过程。语文教学目标的这种侧重不是绝对的,事实上,在语文教学中,四个维度、四个领域具有相互交融、渗透的关系,教师要辩证地、灵活地理解语文教学目标,努力把握其中的基本精神。

语文课程作为国家的母语课程,其特殊地位与作用是其他人文、社会科学学科无法比拟的。《义务教育语文课程标准》(2022年版)提出:"语文课程致力于全体学生核心素养的形成与发展,为学生学好其他课程打下基础;为学生形成正确的世界观、人生观、价值观,形成良好个性和健全人格打下基础;为培养学生求真创新的精神、实践能力和合作交流能力,促进德智体美劳全面发展及学生的终身发展打下基础。"

教师要做到有效地确定教学目标,可从以下几个方面着手:

(1)从宏观的设计上看,教师要能熟练掌握初中阶段语文课程标准(七年级至九年级)总的课程目标、教学要求。初中阶段是一个承上启下的学习阶段,上承小学一年级至六年级,下启高中三年,只有教师心中清楚地认识到初中阶段语文教学独特的特点,才能有效地确定教学目标。如初中阅读教学的目标有:"欣赏文学作品,有自己的情感体验,初步领悟作品的内涵,从中获得对自然、社会、人生的有益启示。能对作品中感人的情境和形象说出自己的体验,品味作品中富于表现力的语言。"教师只有准确地把握了课程目标,才能在教学过程中有针对性地设计教学目标,教学目标才能符合学生年龄、生理及心理特征,才能符合学生的认知水平,这样教学目标的设计才不会过于肤浅或过于深奥,让学生无所适从。

(2)从中观、微观的设计上看,教师要能了解教材中一个单元的课文在整个初中学习阶段的位置以及一篇课文在一个单元中的位置。教师要能明确每个单元在整个初中学习阶段的教学目标,要整合每一个单元中所选的每篇课文的教学目标,要注重分析每篇课文与本单元其他课文不同的、独特的重点、难点等。教师通过整合每一个单元中一组课文的教学目标,再引导学生品味、赏析、感悟课文,不仅可以减去许多烦琐无效的分析,而且可以节省课时,从而提高教学的效率。教师如果能明确初中语文阅读的总目标、单元目标、每篇课文的教学目标,在课堂教学时,就能做到有的放矢、有所侧重。

(3)每堂课的教学目标都要做到明确、清晰,这是教师应该做到的;每堂课都要有该堂课的重点,教师应重点训练学生某一方面的语文能力。例如,初中语文教学能力目标分为识记、理解、运用、评析四个层次,这四个层次又分为十个具体目标:识记、了解、分析、概括、掌握、综合、创造、欣赏、鉴别、评论。教师在开展每一项教学活动时,都要清楚是为了实现哪个能力目标,这样在实施教学活动时,教师对学生能力的培养才不至于带有盲目性、随意性。当然教师在设计能力目标时,不需要每节课十个目标都达成,应针对课文情况有所选择、有所侧重。

2. 设计教学内容

语文教学内容是指语文课程教学实践中供教师教和学生学的内容;这些内容是教师根据语文课程目标的相关要求,结合学生认知基础和学习需要,在备课中对教材内容进行选择、加工而设计出来的内容。语文教学内容不局限于教材内容,教师可以根据实际教学的需要,适当增加教材以外的学习材料,所增加的材料是对教材内容的丰富,也属于教学内容。

教学内容设计是教师认真研读语文课程标准、分析教材、合理选择和组织教学内容以及合理安排教学内容的过程。语文教学要求教师通过内容的教学达到教学目标,完成教学任务。在传统教学中,教学内容具有规范性和规定性,教师的任务只是忠实地传递教学内容。现代教学要求教师改变过去教学中死板、机械、沉闷、孤立、封闭的局面,使语文教学内容具有开放性和创新性,使学生在不同内容和方法的相互交叉、渗透和整合中开阔视野,提高学习效率,初步获得现代社会所需要的语文实践能力。《义务教育语文课程标准》(2022年版)明确指出要"突出课程内容的时代性和典范性,加强课程内容整合",强调要"注重课程内容与生活、与其他学科的联系"。语文教学内容变得更加丰富,不仅包括语文教科书和其他教材,还包括社会的、自然的一切语文资源。

华东师范大学教授钟启泉等人从较广的视野分析教材内容和教学内容的关系:语文教学内容既包括教学中对现成教材内容的沿用,也包括教师对语文教材内容的"重构"——加工处理、改编及更换、增删;既包括对语文课程内容的执行,也包括在语文课程实施中教师对课程内容的创生。

语文教学内容不仅限于文本,更需要教师和学生去体验。教师和学生是语文教学的主体和创造者,语文教学不只是严格地依据和实施语文课程标准、教科书,更要进行语文课程的创新与开发。

3. 选择教学方法

教学方法是指师生在教与学的过程中为有效完成一定的教学目标和任务所采用的方式和手段的总称,其中包括教师教的方法和学生学的方法。中学常用的语文教学方法包括讲授法、谈话法、讨论法、演示法、练习法、参观法、自学辅导法等。

《义务教育语文课程标准》(2022年版)明确指出"义务教育语文课程实施从学生语文生活实际出发,创设丰富多样的学习情境,设计富有挑战性的学习任务,激发学生的好奇心、想象力、求知欲,促进学生自主、合作、探究学习",同时强调要"关注个体差异和不同的学习需求"。这就要求教师在教学方法上推陈出新,课堂上灵活多样,充分发挥现代新技术的支持作用,拓展语文学习空间,培养学生主动探究、团结合作、勇于创新的精神。

教学方法使用的原则应是:第一,坚持启发式。启发式是教学方法使用的基本原则。教师在教学中要注意调动学生学习的积极性、自觉性,激发学生的思维活动,使学生主动探求知识,增强学生独立分析问题和解决问题的能力。因此,启发式不是具体的教学方式或方法,而是教学方法使用的原则。坚持启发式原则的关键在于既要重视发挥教师的主导作用,又要防止片面强调教师的权威性;既要尊重学生的自觉性、主动性,又不能放任自流。第二,坚持最佳组合。现代教学方法一般认为教学任务包括传授和学习系统的科学基础知识与基本技能、发展学生的智力和能力、培养学生正确的世界观和道德品质三个方面。这种高度概括的教学任务对于教师选择教学方法具有方向性的意义。教师对教学方法的优选和组合应注意它的针对性和启发性、多样性和选择性、实践性和迁移性。第三,坚持因材施教。素质教育提倡因材施教的方法。因为人与人之间存在差异,所以教育既要面向全体学生,又要尊重每个学生的个性特点。因材施教的目的是调动每一个学生的学习主动性、积极性,让每一个学生主动地、积极地发展。

教师在选择教学方法时,应从学生的语文生活实际出发,促进学生的自主、合作、探究学习。例如,《藤野先生》的第二课时,教师选择教学方法和设计教学活动可如下。

A. 阅读思考：① 本文作者主要记叙了哪几件事？表现了藤野先生怎样的品质？② 文章叙事的线索是什么？③ 本文表达了作者怎样的思想感情？

B. 合作学习：学生分学习小组围绕上述问题讨论，形成共识并做好发言准备。

C. 成果展示：教师抽出三个小组分别展示三道思考题的讨论结果，其他学习小组质疑和补充。

D. 总结归纳：教师对学生的探究成果进行点评、归纳和提升，要求学生整理笔记，进一步加深对课文的理解。

4. 安排教学过程

教学过程是达到教学目标的途径。一般来说，教学过程包含以下五个环节：

（1）导入新课：新课的导入是教师引导学生迅速进入学习状态的一个重要环节，一个引人入胜的教学情境，能够调动学生的学习兴趣，激发学生的学习动机。

（2）整体感知：学生可以通过朗读课文来整体把握全文，朗读的方式可以多种多样，可以集体朗诵重要篇章，可以分角色演绎重要片段，也可以选择默读。通过朗读课文，学生对课文有一个整体的把握，对作者、课文有自己的认识和理解，会产生一些问题，并在接下来的环节中努力解决问题。

（3）研读分析：在整体感知课文后，学生能够对课文中的有关问题通过小组合作的方式进行讨论以找到答案。语文教师在课堂讨论中，要积极引导学生结合自己的生活体验和知识储备，积极思考，开放思维，从多个角度去分析课文。

（4）总结升华：在学生研读探究课文后，教师可以让学生对课文进行口头或书面的总结，概括出自己对课文的体会，以及学完一篇课文之后的收获，这可以检验学生的学习效果。同时，教师应当对学生的总结予以评价，并根据教学目标进一步升华，以达到提高学生语文素养的目的。

（5）布置作业：教师设计课堂练习和课外作业，是为了帮助学生巩固学过的知识，培养学生的语文能力。

教师安排教学过程，要把握"循序渐进"的教学原则，合理安排课时和教学步骤。例如，《沁园春·雪》的教学过程可以按如下步骤进行：

A. 学生默读课文，扫除生字生词，了解作者及时代背景。

B. 师生朗读课文，感受诗歌精练、优美的语言和韵律，了解词的一般特点。

C. 教师分析课文，让学生领会诗人对祖国壮丽山河的热爱和伟大抱负，学习诗人以天下为己任、热爱祖国的美好感情。

D. 学生分组讨论，体会词中写景、议论和抒情相结合的写法，小组展示学习成果。

E. 学生小组内自评，学生互评后教师进行点评。

F. 教师总结归纳，布置课外作业。

5. 开展教学评价

语文教学评价是以教学目标为依据，运用可操作的手段，对语文教学活动过程的效能和结果作出价值判断，并为被评价者反馈信息的一种活动。科学的教学评价是构建中学语文课堂教学有效性的重要组成部分，只有实施科学、合理的教学评价，才能给予学生一定的鼓励，进而提升课堂教学效果。《义务教育语文课程标准》（2022年版）明确指出教师应树立"教—学—评"一体化的意识，要选择科学的评价方式，发挥评价的积极作用。

基于此,教师在开展教学评价的过程中要做到以下三点:第一,要针对目前课堂教学评价中存在的问题进行有效的调整,例如,教学评价语言应具有准确性、多样性和有效性。第二,教师在进行教学评价的过程中,要改变传统"一刀切"的评价方式,必须结合不同层次的学生制定出不同的评价标准,并对其进行有针对性的评价,力求使每一位学生都能获得发展。第三,教师可以通过多元评价主体,综合运用多种评价方法进行评价,通过这些方式可以挖掘学生身上的潜能,同时获得更加丰富的评价结果,从而增进对学生的了解,以便教师更好地调整与改进教学。

二、教学设计的要求

知识点 2:教学设计的要求

1. 教学内容应符合语文课程的性质特点

《义务教育语文课程标准》(2022 年版)和《普通高中语文课程标准》(2017 年版 2020 年修订)都对语文课程的性质进行了明确的表述:"工具性与人文性的统一,是语文课程的基本特点。"这对中学语文教学内容的确定是有指导意义的。语文课程标准肯定了语文课程的"工具性",认为"语言文字"是"人类社会最重要的交际工具",因此,教语文的重要目的是通过语文学习,使学生获得一种语文学习、交际的能力。

语文课本是语言的载体,也是语言表达的成果。语文教师在进行教学设计时,应把语言学习作为教学的重要内容,也就是注重字、词、句、篇、语法、修辞、逻辑等的学习,注重听说读写等语文能力的培养。《义务教育语文课程标准》(2022 年版)明确指出:"学生的思维能力、审美创造、文化自信都以语言运用为基础,并在学生个体语言经验发展过程中得以实现。"语文课程的"人文性"就是通过语文教育实现社会规范与人的尊严、价值的教育,实现个性、理想、信念、品德、情操的统一,从而领悟人文精神。因此,语文教学要重视感受、品味、领悟,重视熏陶感染,实施人文教育,使学生形成正确的情感、态度、价值观。工具性与人文性在促进人的全面发展的过程中应该是统一的,工具性着眼于语言的运用与实践,人文性着眼于人的存在与发展。因此,教师在确定教学内容时,不能只重视知识的积累,也应重视学生的情感、态度、价值观的教育,基本要求是在落实"双基"的过程中形成正确的价值取向,全面提升学生的核心素养。

2. 重视教材文本特点

作为中学语文教学内容的载体,语文教材文本是实现语文教育功能的物质基础,一切语文教学活动的展开都应立足于教材文本之上。因此,确定中学语文教学内容,必须重视中学语文教材文本。

(1)教学设计要重视文体特点。文体是指一定的话语秩序所形成的文本体式,作者独特的情感、性格、精神风貌等构成了文本的内涵。因此,解读文本,深入理解课文,确定语文教学内容,必须关注文体的特点。在进行教学设计时,教师要根据文章的文体特点确定教学内容。例如,小说文体的特点是有人物、情节、环境三大基本构成要素。在小说的教学中,教师要关注文本构成的基本要素,逐步引导学生分析人物形象、小说情节和典型环境,使学生在分析过程中积累知识、体验情感、培养能力。诗歌讲究韵律,富有音乐性,它饱含情感、富于想象、语言凝练、结构跳跃。在诗歌的教学中,教师要指导学生诵读,分析、探讨诗歌的意境,体会诗歌表达的情感。总之,不同文体的文章,其教学内容有不同的侧重点,教师在设计语文教学内容时,应充分考虑文章的文体特点,结合文体特点设计出适宜的教学内容。

(2) 教学设计要重视文本内容。文学作品是意蕴丰富的信息集合体,一个文本总是有很多空白和未定性,读者无法迅速洞察其全部内涵。在教学中,教师通常需要对文章的各层内涵、各处教学价值进行梳理,理清它们之间的关系,然后结合学生的实际需要,对各处教学价值进行排列,由此确定教学的主、次内容。文本内容蕴涵着文章的核心价值,语文教师确定教学内容时,要充分关注文本内容、充分挖掘文本内容的教学价值,结合学生的实际需要确定语文教学内容。

(3) 教学设计要注重作者意图。教师要做到深入理解课文,准确把握文本的内涵就必须与文本对话,与作者对话,准确地把握作者意图。教师在备课时,要结合文章的创作背景、作者的生活情况进行准备,要穿越时空和作者进行思想上的交流,尽量把握好作者的创作意图,以加深对课文的理解。在教学过程中,语文教师要想深入理解文本,把握文本的深刻内涵,挖掘出文本的教学价值,确定出适宜的教学内容,就必须把握作者的意图。

(4) 教学设计要重视编者意图。中学语文教材是在语文课程标准的指导下编写的,课程目标的实现有赖于教材编者选编的内容,教师如果对编者意图不清楚,对教材的处理也将难以下手。教师只有把握好教材编者的编写意图,知道文本在教材中的定位,在处理教材时才不至于停留在一般的阅读层面,才能深入到教材的教学层面,设计出适宜的教学内容。教师进行教学设计时,要站在整个单元、整册教材,甚至整套教材的高度,揣摩编者的用心,领会编者的意图,挖掘教材的育人功能,实现语文课程的育人目标。

3. 关注学生,了解学情

(1) 关注中学生心理特点和发展规律。王荣生教授提出"研学情,明起点",不同学段、不同层次的学生,他们的认知基础是不一样的,学生的心理特点和发展规律是教师确定语文教学内容必须要考虑的因素。例如,初中阶段的学生开始步入青春期,自尊心强,爱模仿,感情丰富且波动性大,易产生叛逆心理。在处理教学内容时,教师可以从学生的感情方面入手,抓住学生的兴趣点进行教学。中学生经过小学六年的语文学习,已具备一定的知识积累和理解能力,初中阶段的学习内容就不能仅停留在要学生知道"是什么"的层面,也要让学生在一定程度上明白"为什么"。这样做能让学生更深层次地理解课文,锻炼学生的思维能力。教师只有对学生的心理特点和发展规律有一个清楚的认识,才能确定出贴近学生生活、让学生易于接受的教学内容。

(2) 教学内容符合学生发展的需求。中学语文教学内容的确定,要做到与中学生的实际需要相契合,教师要树立学生是学习主体的意识,在教学设计时要以学生需求、学生发展为本,不仅要提高学生的语文知识,锻炼学生的语文能力,还要关注学生语言智慧、审美情趣、价值情操的提升。由于学生个体之间存在着知识结构、思维习惯、学习能力等方面的差异,所以教师在确定教学内容时,既要满足学生的共同需求,又要关注学生个性发展的需求。语文教学是为学生的发展服务的,教师确定的语文教学内容应满足学生发展的需求,学生的实际情况应是开展语文教学活动的起点,确定语文教学内容应关注学生、了解学情。

学生需求包括求知需求、情感需求和发展需求。解决学生问题、满足学生需求是"以人为本"理念的体现,也是教学设计的出发点和归宿。要做到这一点,离不开教师在求知、情感和发展等方面对学生需求的了解。应该说,深入了解学生的需求,是教学设计不可或缺的一点。教师要根据学生的求知需求、情感需求和发展需求设立教学目标、安排内容,把学生的发展作为教学追求的根本目标。教师不仅要使学生得到更快的发展,也要使教师自身的价值得以实现。

4. 发挥教师特长,充分利用资源

一般来说,每一位教师都有自己的特长,也都有某些不足,例如,有的善于讲授,有的善于管理,有的善于实践,有的善于理论,等等。这需要教师对自己有一个准确的认识:自己教学的优势是什么?缺陷在哪里?只有认清自己,教师才有可能在教学设计中扬长避短,发挥优势。

语文教学要充分利用教学资源。教学资源主要有物质和人两个方面。所谓物质,主要是指可供教学利用的一切硬件、软件资源。时代发展日新月异,语文课程重视内容的时代性,因此教师应该适应时代的要求,不断提升自己的信息素养,合理利用网络资源,将语文教学的传统经验与现代信息技术有机结合,不断探索语文教学与信息技术深度融合的方法,提高语文教学的效益。除了物质资源以外,人也是教学资源的重要组成部分。在实际教学中,学生的发言、对课文的理解都会对其他同学产生启发作用。善于教学的教师,会有意识地利用学生资源提高教学效率,最终达到促进学生发展的目的。

教师在教学过程中要重视与学生积极互动、共同发展。自主、合作、探究的学习方式给语文教学过程带来了积极的影响,语文教师应制定最优教育策略,从而达到教学相长的目的。教师要处理好传播知识与培养能力的关系,注重培养学生的自主性和独立性,引导学生质疑、调查、探究,在实践中学习,促进学生在教师的指导下主动地、富有个性地学习。教师应尊重学生的人格,关注个体差异,满足不同学生的学习需求,创设能引导学生主动参与的教育环境,激发学生的学习积极性,培养学生掌握和运用知识的态度和能力,使每位学生都能得到充分的发展。

> **练习题**

1. (单项选择题)教学方法是指师生在教与学过程中为有效完成一定的教学目标和任务所采用的方式和手段的总称,其中包括( )。
   A. 教师教的方法　　　　B. 学生学的方法
   C. 多媒体展示　　　　　D. 教师教的方法和学生学的方法
2. (简答题)教学设计包含哪些内容?
3. (论述题)结合具体教学案例,谈谈在语文教学中如何重视教材文本的特点?

第三节　中学语文教案编写的内容与原则

教师备课主要包括钻研教材、了解学生和设计教学方案三个方面的工作。教师应根据课程标准的要求,结合教材和学生的具体情况,编写出教学实施方案。教学实施方案简称"教案",它是教师备课中最全面、系统的具体设计,是保证教师有计划、有条理地上

好课的必备工具。教案体现了教师的教学思想、教学方法和教学组织能力。写好教案对每个教师提高教学质量、形成教学风格、锤炼教学艺术有着重要意义。

语文教案是语文教学设计的书面呈现形式,是教师使用的辅助教学的文书。即使是一名在三尺讲台上身经百战的优秀教师,也很难保证在没有教案的情况下能顺利进行有效的授课。所以,对于一名中学语文教师而言,能否撰写一份含金量高的教案是决定课堂教学效果好坏的关键。

一、教案编写的基本内容

(一) 不同类型教案的内容及编写要点

知识点1: 不同类型教案的内容及编写要点

编写教案是在认真备课,研究教材、学生和环境等的基础上,进行规划课堂教学的活动,它是一个动态的、持续创造的过程。这种规划可以以文本的形式表现,但更多、更丰富的内容是以非文本的形式存储于教师心中,犹如一眼泉。前者是有形教案,后者是无形教案;前者是显性备课,后者是隐性备课;前者是备课于书面,后者是备课于心中。要想提高课堂教学质量,使之更有效、更优质,这两种备课缺一不可。

教案的撰写形式主要有两种,即文字式和表格式。文字式是全部内容均以文字形式展现,可分简案和详案两种,由课题名称、教学目标、教学重难点、直观教具、板书计划、课的过程六部分组成。教学简案包括教学目标、教学流程、板书设计三部分。教学详案则包括设计理念、学情分析、学习目标、学习重点、学习难点、学习方法、课堂流程、作业设置、板书设计、教学反思、改进方案等内容,更为详尽。

教案设计的类型取决于课的类型和结构。课的类型有两种划分方法:一种是根据教学的任务来分,可分为新授课、巩固课、技能课、检查课。另一种是根据使用的主要教学方法来分,可分为讲授课、演示课、练习课、实验课、复习课。课的结构是由课的类型来决定的,不同类型的课有不同的结构,那么其相应的教案类型也不同。

1. 按课的类型划分

按课的类型划分,教案主要分为新授课教案、复习课教案。

(1) 新授课教案。

新授课教案的主要内容是提出新课的教学目标,把握传授新知识的深度、广度、重点、难点。其主要任务是完成新知识的传授。

教师在编写新授课教案时,要注意以下几点。

第一,抓好教学各环节的过渡与衔接。① 设计好复习引课的内容,抓准新旧知识间的联系,或挖掘学生日常生活中与本节课内容有关的常识,以旧知识或生活实际为基础,设计并提出适宜的问题,使学生意识到学习新知识的重要性和必要性,唤起他们学习的兴趣,从而使学生有准备地、自然地过渡到新知识的学习。因此,在教案中,引入新授课时提出什么样的问题,学生回答时可能出现的各种情况及针对各种不同情况追问什么样的问题,或用什么样的关键语言加以引导,如何顺利巧妙地过渡到新授课的内容等,都应具体明确地反映出来,以利于教学实施。② 要写明新授内容的逻辑层次。新概念的引出,新规律的获得,都应遵从循序渐进的原则,对于引出新概念所必须掌握的已学概念以及引出新概念的思维程序应简明地写在教案上。另外,新概念、新规律的内涵与外延需强调的要点,及其在应用中需注意的问题等,在教案中也要有所反映,为新知识的运用及巩固小结铺路架桥。巩固小结应设计好适当的方法和问题,便于学生把握知识的来龙去脉,系统地理解知识。小结中设计的问题,应使学生将所学新知识与旧知识挂上钩,或为后续学习设下伏笔。

第二,写明有效措施,便于突破难点。在教案中,应明确写出本课的难点是什么及突破难点的措施和方法。例如,针对概念抽象、学生又缺乏感性认识的知识,需列举哪些实例,何时做什么演示实验;提示学生注意观察什么,针对与学生生活经验相矛盾的教材知识,需要借用哪些问题的具体分析,如何引导学生从不同方面认识知识规律等,这些都应有书面提纲。

(2) 复习课教案。

复习课教案的主要内容是提出复习的范围和要求。其主要任务是帮助、引导学生巩固掌握已有的知识,并将知识系统化、网络化。

教师在编写复习课教案时,要注意以下几点。

第一,明确目标,提出问题。复习课应使学生在知识上、方法上、能力上形成完整的结构,实现理性认知的飞跃。因此,教案上除了应写清楚所复习内容的知识层次,还应写明在全面概括教材的基础上提出的新问题,写清在这段学习中学生常出现的错误以及技能、技巧等方面的不足,以便上课时能准确地针对学生学习中的欠缺进行复习。

第二,对症下药,及时补救。在复习课中,教师会针对学生学习中存在的问题,采取相应的补救措施。对理论性较强,新概念、新名词较多的内容,应在教案上写明复习提纲,以帮助学生理顺知识系统;对易混淆的相似概念、规律,应在教案上设计好具体的对照表格,帮助学生对比记忆。

2. 按应用功能划分

按应用功能划分,教案又分为:详细教案(简称"详案")、表格式教案(简称"简案")、课堂实录教案(简称"实案")。

(1) 详细教案。

详细教案的主要内容是课题、课时、教学目标、教学的重点和难点、教学方法、教具(包括学具)、教学过程(包括反馈检测题等)、板书内容、补充课外知识、教材前后知识点的衔接等,侧重把握教材的深度和广度。其主要任务是:① 教师完成对教材深度和广度的把握;② 通过多年的备课,搜集和整理大量的信息,不断地补充同一问题的新知识、新进展,同时完成教师的知识更新。

(2) 表格式教案。

表格式教案多适用于教学经验丰富的教师。其主要内容有课题、课时、教学目标、教学的重点和难点、教具(包括学具)、教学程序(所有教具的操作顺序、教学方法的具体操作过程、学法指导的具体操作过程)、板书设计等,侧重于教法、学法的具体操作。

(3) 课堂实录教案。

课堂实录教案多用于优质课评选、公开课等。它是教学改革和教学研究的产物,是教师在课堂上具体实施教学过程的安排表或实录。其主要内容有课题、课时、教学目标、教学的重点和难点、教具(包括学具)、教学过程、板书设计等,侧重于教学过程的具体安排。

课堂实录教案中导言、知识的过渡、重点的教法、难点的学法指导、教具的选择和使用等将体现教师的教学特色、教学改革意识和教学改革的具体做法。其主要任务是：① 为各级领导、各类教师听课、评课提供参考资料；② 为教师互相学习、交流经验，进行教学改革和研究提供学习的材料。

（二）教案的具体内容

知识点 2：教案的具体内容

教案主要包括以下具体内容：

（1）授课的课题：指一个教学内容（单元）或一课时的章节题目。

（2）教学时间安排：一般一课时编制一个教案，部分两课时连上的课程可以两课时编写一个教案。

（3）教学目的（教学目标）：教学中要体现课程的总体目标和章节目标及预期达到的效果和目标。

（4）教学的重点和难点：指课程重点、章节重点或教学单位的重点和难点部分，是学生必须掌握的知识点。

（5）教学的基本内容：指通过对课程标准、教材和主要参考资料的研究、分析，确定课堂教学知识信息的总和。教学内容应包括以下方面。① 教学内容的有序展开。② 与教学内容相关的例题、事例、案例的介绍分析。③ 每一个知识点的讲授方式、方法和手段，包括根据教学目的确定的教学方式、教学方法、辅助手段。④ 板书设计。板书是课堂教学的纲目，力求简明扼要、条理清楚、层次分明、醒目易记，关键性词语应打上重点标记。板书设计要布局合理，在一个课时的教学中，尽量不擦去全课板书内容，便于当堂课的小结。

（6）作业及课外训练：指为帮助学生掌握、运用所学知识而进行的辅助性的工作。《义务教育语文课程标准》（2022年版）在评价建议中指出："作业评价是过程性评价的重要组成部分，作业设计是作业评价的关键。教师要以促进学生核心素养发展为出发点和落脚点，精心设计作业，做到用词准确、表述规范、要求明确、难度适宜。"教师可以根据实际情况布置阅读、背诵、复习或预习的作业，也可以根据学生的水平特点布置不同类型的作业，从而更好地帮助学生内化知识。

（7）课后总结：课后总结是指教师对本课或本章节全部教学工作的分析总结，既包括对课堂教学中知识的科学性、完整性及学术观点的分析总结，也包括对教学过程、教学方法、学生学习效果等情况的分析评价，这就可以为以后的教学提供经验和素材。课后总结可以根据情况随着备课、授课进程写入教案，也可以在教案之外单独形成材料。

（8）授课日期：教案内容的课堂教学时间。

（三）教学目标的撰写

知识点 3：教学目标的撰写

教学目标是教案的重要内容之一。教学目标引导着教师的教学行为和学生的学习实践，教师只有明确"教什么"，才能精准确定教学重点和难点，合理安排教学流程，保证教学质量的提高和学生语文学科素养的落实。教学目标是教师和学生双方共同追求的目标,对于教师来说是授课目标,对于学生来说是教学活动最终产生的行为变化。同时,教学目标也是一种预期达到的结果,即教学活动发生后产生的结果。

教学目标可以分为三类:课程目标、单元目标和课时目标。在撰写教学目标时,需要根据不同类别对目标层次进行分析考虑。教案是针对课时定制的,因此需要着重目标的制定,教学目标的制定可从以下方面思考。

第一,从语文学科的视角出发。要让语文学习真实发生,教学目标的设置就必须体现语文学科的性质和语文学习的规律。语文教学的目标和内容必须聚焦于语言文字运用,学生的思维能力、审美创造、文化自信也都是以语言运用为基础的。语文教学应以语言和思维训练为核心,语文教师在制定教学目标、处理教学内容、设计教学流程时,要围绕语文、语言两个关键词进行,致力于学生语言运用能力的提升。

第二,从文本本身的视角出发。文本是语文学习的对象,是教师实施语文教学的主要依托和载体。文本教学是语文教学的主体。教师对文本的个性解读的质量,影响甚至决定了教学目标的方向,从而影响甚至决定了学生的语文学习质量。因此,想要精准确定教学目标,教师首先要熟知文本内容,准确解读文本,从语文学科的属性和语文学习的规律上分析文本,确定教学重点、难点,设计教学流程,从而实现"文本解读—目标确定—教学设计—教学实践"的转化。

第三,从单元教学的视角出发。语文是一门系统性的学科,学生的学习也应该具有系统性。教材中的每一篇课文既具有独立性,又都统一于单元总体教学体系中。语文教学目标不仅要立足于文本,还要体现教材的编写意图,尤其是单元编写意图。统编版初中语文教材采用双线并行的方式编排单元内容,各个单元的人文主题相对集中,语文要素也有较多交叉部分。每个单元都编排了单元导语,即单元导学目标。在教学功能上,单元导语揭示了单元主题,提示了学习目标和学习方法等。教师在设计具体文本教学目标时,需先认真解读单元导语,领悟编者意图,把所教文章置于单元教学中,再依据单元导语的提示分解所教文本的重点、难点,最后合理制定教学目标,为学生真实学习奠定基础。要精准制定某一文章的教学目标,教师就要充分发挥单元目标的导教、导学作用,把教师的教和学生的学纳入整个单元体系中。当然,单元教学的编写意图还在其他教材资源中有所体现,如编者提供的批注、预习提示、阅读提示、思考探究等,它们不仅对确定教学目标有非常重要的作用,而且对取舍教学内容、设计教学流程、选择教学手段等也有相当重要的作用,教师在备课时要善加利用。

第四,从学生学习的视角出发。教学目标是为学生的语文学习制定的,教学目标是否科学、有效,主要看是否适合学生。从语文学习的主体角度来看,教师确定的教学目标实际上就是学生的学习目标,所以,教学目标要充分考虑学情,体现学生学习的主体性。基于学情设置教学目标,需要考虑学生对文本语文要素的实际认知水平、对人文主题的情感基础。只有以学生的语文学习水平为出发点来设计教学目标,才能让学生的语文学习真实发生。

二、教案的编写原则

知识点4：教案的编写原则

（一）科学性原则

1. 符合课程标准的精神和规定的教学体系要求

一个好教案首先要依纲扣本，具有科学性。所谓符合科学性，是指教师要认真贯彻课程标准，按教材的内在规律，结合学生实际来确定教学目标、重点、难点，设计教学过程。

语文课程是一门学习国家通用语言文字运用的综合性、实践性课程。工具性与人文性的统一，是语文课程的基本特点。语文课程围绕核心素养，体现课程性质，反映课程理念，确立课程目标。义务教育语文课程培养的核心素养，是学生在积极的语文实践中积累、建构并在真实的语言运用情境中表现出来的，是文化自信和语言运用、思维能力、审美创造的综合体现。一篇课文，教师只通过讲解使学生懂得课文内容，学到一些语文知识，并不等于完成了教学任务。创设真实的语文学习情境，激发学生的学习兴趣，指导学生认真阅读课文，有目的、有重点地启发学生积极思考，有计划地引导学生动脑、动口、动手，通过听说读写和创造性思维活动，提高学生运用语文的能力。语言文字及作品是重要的审美对象，语言学习与运用也是培养审美能力和提升审美品位的重要途径。在这个过程中，教师要培养学生感受美、发现美和运用语言文字表现美、创造美的能力，使学生具备健康的审美意识和正确的审美观念。要达到这些目的，教师就不能把语文教案写成讲稿，要改变编写教案时只考虑教师如何讲，不考虑如何组织和指导学生进行听说读写和思维实践练习的传统倾向。学生的语文能力只有在实践中才能培养出来，教案应是针对学生进行语文训练和思维训练的教学方案。在课堂上，教师的"讲"应该侧重于启发和指导学生，而不应该在学生还没有充分阅读和思考的情况下，把自己的备课内容生硬地灌输给学生，这样难免会使学生囫囵吞枣，得不偿失，达不到理想的教学效果。教师的工作不是代替学生去学习，而是要设法让学生去学会思考问题和学习知识。语文教案既要体现教师的主导作用，又要以学生的学习活动为主体。

在备课和编写教案时，教师要充分考虑在教学中如何体现工具性和人文性的统一，致力于全体学生核心素养的形成与发展，既要提高学生的语言文字运用能力，更要为学生形成良好个性和健全人格打下基础。

2. 正确理解教材，符合教材的客观实际

教师在教案编写时所体现出的思想观点、内容知识以及传授方法都应该是准确的、科学的、富有效益的。为保证科学性，教师对教材应经历懂、深、融的过程。懂就是要分析教材的基本思想和概念；深就是要钻研教材，理清纵横联系；融就是教师的教育理念和教材的思想性、科学性交融在一起。对教材正确透彻的理解是教师备课的首要工作，也是写好教案的前提。例如，统编高中语文教材以课文学习为主的单元，设计有4个方面内容，包括单元导语、课文、学习提示和单元学习任务。对教材设计中一些新的教学形式，包括任务驱动、群文教学、活动、情境、整本书阅读、综合活动单元等都需要教师仔细研究和摸索，才能真正用好教材。教师对字、词、句、章要做到准确掌握，对课文的思想内

容和表现形式,包括文章的思路、线索、主旨、体裁、结构以及章法、技法、语言运用等各方面的特点,要正确深入地理解。教师不能养成只注重参考资料,甚至依赖参考资料写教案而不去独立钻研教材的习惯。如果以别人现成的东西来代替自己的独立钻研,必然会给教学造成照本宣科、生搬硬套、言不由衷等不良后果,不但学生难以理解知识,教师自身能力也得不到提高。因此,要提倡教师采用在借助工具书独立钻研教材的基础上,再使用参考资料的做法。

3. 制定正确的教学目标,并在整个教案中落实

教学目标用于指导教师的教学和学生的学习,它一般包括语文知识、语文能力、审美性以及思想性等几个方面的内容。一篇课文的教学目标,要依据课程标准的要求、教材的特点和学生的实际情况而定,在编写教案时,教师应该写得具体明确,详略得当,既不要写得过于笼统,大而无用,也不要写得过于琐碎,面面俱到,没有重点。教学目标不能定得过高,不能超过学生的实际水平,也不能定得太低,距离课程标准要求太远。

(二)发展性原则

1. 调动多元主体,优化教与学活动

在中学语文教案编写的过程中,贯彻"发展性原则"是确保教学活动与时俱进、富有活力的关键。从这一原则出发,要调动多元主体、优化教与学的活动,必须充分考虑学生、教师、教学内容以及教学环境等多方面的发展性需求。

(1)学生主体性的发展。

开展个性化教学:在教案设计中,教师应充分了解学生的个体差异,包括学习风格、兴趣爱好、能力水平等,并据此设计个性化的学习活动和任务,以满足不同学生的发展需求。

倡导探究性学习:鼓励学生通过探究、发现、合作等方式,主动参与到语文学习中来,培养他们的自主学习能力和创新思维。

(2)教师主导性的发展。

教师应不断更新教育观念,提高专业素养,通过参加培训、研讨、阅读等方式,保持教学方法和策略的先进性。同时,教师应根据学生的学习情况和反馈,灵活调整教学策略,确保教学活动的针对性和有效性。

(3)教学内容的创新性发展。

实现教学内容的创新性发展,可以从以下几个角度思考:在传统的文学作品教学基础上,引入时代性强、贴近学生生活的文本,丰富教学内容,拓宽学生的视野;加强语文学科与其他学科的融合,如历史、艺术、科学等,通过跨学科的学习活动,培养学生的综合素质;注重语文知识的实际应用,设计实践性强的教学活动,如写作、演讲、辩论等,让学生在实践中学习和提高。

2. 关注互联网时代语文生活的变化,探索语文教与学方式的变革

近年来,随着电化教学的普及和发展,课堂上广泛运用多媒体,这不仅可以让教师提供大量丰富的知识信息,还可以从视觉和听觉方面给学生营造出一个直观生动和充满审美情调的学习空间。目前多媒体正以其巨大的优势逐渐取代传统的语文教学手段。在编写教案的过程中,教师要考虑课堂的教学方法多样性,可适当运用多媒体为课堂增添

活力。

教师要关注互联网时代日常生活中语言文字运用的新现象和新特点,认识信息技术对学生阅读和表达交流等所带来的深刻影响,把握信息技术与语文教学深度融合的趋势,充分发挥信息技术在语文教学变革中的价值和功能。积极利用网络资源平台拓展学习空间,丰富学习资源,整合多种媒介的学习内容,提供多层面、多角度的阅读、表达和交流的机会。促进师生在语文学习中的多元互动。充分利用网络平台和信息技术工具,支持学生开展自主、合作、探究性学习,为学生的个性化、创造性学习提供条件。

(三)实用性原则

1. 课时分配要得当,教学重点、教学步骤安排要合理

一篇课文、一个单元要用多少课时,各课时要安排哪些内容,既要考虑它们的难度以及在本册课本中的地位,又要考虑教学目的的要求和学生的实际情况。教师要把教学重点和难点合理地分散在各个课时中,并用简洁的词句概括出来,使人一看就知道主要进行了哪些教学活动。各课时的教学步骤要井井有条,清楚醒目,既体现教学的阶段性,又体现完整性。教师要精心设计如何引入新课,激发学生的学习兴趣,使各个教学步骤互相衔接、前后照应,构成一个有机整体。

2. 要有目的明确、重点突出、文字简洁的板书设计

板书是教学的重要手段之一,是教案的一个组成部分。板书要有明确的目的性,要条理清楚、重点突出、简洁醒目、布局合理。板书有助于学生理解和记忆相关知识,有助于启发学生的思维力和想象力,有助于培养学生思维的连贯性、条理性和抽象概括能力。板书设计要注意以下几个方面:一是严密的逻辑性,板书顺序是逻辑的高度概括;二是概括性,板书应高度凝练地概括本课的教学主要内容;三是符合审美要求,板书设计要符合审美规律,给人以明确清晰、美观大方的良好审美感受;四是结构的完整性,即板书应对知识点有全面完整的表述;五是创新性,每个人在讲同一内容时由于文化背景、思维方式、表达方式、习惯等因素的差异,板书都会有所不同,板书应体现出教师个人的特点。

语文教学没有一套适宜于任何教材、任何学生、任何教学目的的固定不变的公式。教师都应在语文教学的基本原理的指导下,根据教材的特点、要求以及学生的实际情况,按照一定的教学思想把它们组成一个教学程序,并选择适合的教学方式,付诸教学实践。

> **练习题**

1. (多项选择题)教案的编写包括以下哪些内容?(   )
    A. 教学目标   B. 教学内容   C. 教学意图   D. 板书设计   E. 课时安排
2. (简答题)教案编写为何要包括课后总结?它有何作用?
3. (简答题)在教学过程中,教师的板书应该具备哪些特点?
4. (论述题)结合具体教学案例,谈谈在新课标颁布环境下如何制定正确的教学目标?

👉 本章小结

中学语文教学设计是在教学活动中,为了提高教学工作的效率,使教学效果最优化,教师根据教材、学生、使能目标等,统筹语文教学的各个因素和具体环节,并作出预期且行之有效的安排与规划的过程。

语文教学设计是一项系统设计,它包括确定教学目标、设计教学内容、选择教学方法、安排教学过程、开展教学评价等内容。中学语文教学设计应遵循系统性和全局性、预测性和前瞻性、再现性和操作性、开放性和创造性、育人性和导向性等原则;在进行教学设计的时候,教师应注意根据语文课程的性质和特点确定教学内容,既重视知识的积累,也重视学生的情感、态度、价值观的教育;教师在教学设计中要考虑到文体特点、文本内容、作者意图、编者意图等;要关注学生,了解学情,根据学生的求知需求、情感需求和发展需求设立教学目标、安排内容;要发挥自身优势和特长,充分利用各种教育资源优化教学设计。

教案编写是语文教师备课中的重要一环,一份好的教学实施方案,是符合课程标准规范和规定的教学体系要求的,是建立在正确理解教材的基础上的,需要体现科学性、发展性、实用性原则等。

👉 本章知识结构

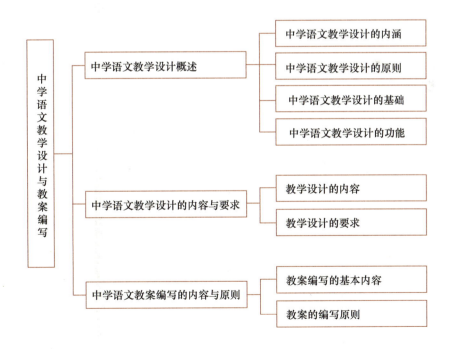

👉 本章参考文献

[1] 陈勇,梁玉敏,杨宏.中学语文教学论学程[M].北京:科学出版社,2016.

［2］代蕊华.课堂设计与教学策略［M］.北京：北京师范大学出版社，2005.

［3］加涅,布里格斯,韦杰.教学设计原理［M］.皮连生,庞维国,等译.上海：华东师范大学出版社，1999.

［4］皮连生,刘杰.现代教学设计［M］.北京：首都师范大学出版社，2010.

［5］钱加清.语文课程与教学论［M］.济南：山东人民出版社，2008.

［6］盛群力.教学设计［M］.北京：高等教育出版社，2005.

［7］王玉辉,王雅萍.语文课程与教学论［M］.北京：北京师范大学出版社，2012.

［8］武永明,朱晓民.中学语文教学论［M］.北京：北京师范大学出版社，2011.

［9］翟启明.新课标语文教学论研究［M］.成都：四川大学出版社，2005.

［10］中华人民共和国教育部.普通高中语文课程标准（2017年版2020年修订）［S］.北京：人民教育出版社，2020.

［11］中华人民共和国教育部.义务教育语文课程标准（2022年版）［S］.北京：北京师范大学出版社，2022.

［12］钟启泉,崔允漷,张华.为了中华民族的复兴 为了每位学生的发展：《基础教育课程改革纲要（试行）》解读［M］.上海：华东师范大学出版社，2001.

第六章

中学的阅读教学

☞ **学习目标**

识记：中学阅读教学的目标和内容；常规的阅读方法及阅读教学方法；阅读能力的构成要素。

理解：中学阅读能力的评价依据；课程标准对阅读能力的要求以及评价指标；中学阅读教学的过程和方法；各类文体的阅读教学；中学阅读教学基本技能。

运用：能根据课程标准的要求和教学的实际情况明确阅读教学目标，科学选择、优化与整合阅读教学内容，灵活有效地运用多种阅读教学方法和技能，提高阅读教学能力。

☞ **学习重点**

◎ 了解中学阅读教学的目标和内容、阅读能力的构成要素，能够根据课程标准对阅读能力的要求和评价指标，更新和优化阅读教学活动。

◎ 掌握中学阅读教学的过程和基本方法，能够区分不同文体的阅读教学，并科学合理地选择相关教学技能，从而帮助学生养成良好的阅读习惯，提高阅读素养。

☞ **学习导引**

阅读教学是国家教师资格考试的重点内容之一，更是学校教育的特殊任务，是各国中小学母语课的重要组成部分。阅读教学的质量与效率，在很大程度上决定着整个语文教学的质量与效率，甚至在一定意义上影响着其他各学科的教育质量。由此可见，阅读教学在教育体系中的作用之大、地位之重。

【引子】

阅读教学是语文教师带领学生运用阅读技能、策略获取文本信息，与文本展开对话和交流的过程。一首《木兰诗》，小学可以教，中学也可以教，教学方式和重点会不尽相同。在同一所学校的同一个年级，不同教师对同一篇课文的教学也会不同，如何根据教学对象、课文内容、教学资源等设置科学合理的阅读教学方案，是语文教师必须掌握的本领。本章就阅读教学的问题和你进行交流。

第一节　中学阅读教学的目标与内容

阅读是人类认识世界的最基本的方式和途径，通过阅读，人们可以获取生存发展的信息、了解世界、认识人生、发展思维、获得审美体验。阅读教学作为语文教学乃至整个教育中的一个重要组成部分，在促进学生的一般发展方面具有巨大的价值和作用。

对阅读教学的目标和内容的把握是语文教师开展阅读教学的起点。

一、中学阅读教学的目标

知识点 1：中学阅读教学的目标

阅读教学的目的，从根本上讲，就是培养学生的阅读能力。这是由语文课程的教学目标决定的，《义务教育语文课程标准》(2022 年版)和《普通高中语文课程标准》(2017 年版 2020 年修订)都指出要发展学生的阅读能力。

阅读能力其实是一个综合的概念。因为文本阅读是通过读者原有的知识和文章的相互作用而建构文章的意义模式的心理活动过程，所以根据目标分类学理论，构成阅读能力的心理因素可以分为以下三种。

1. 感知认读能力

感知认读，从信息论观点看，是指从信息源即书面语言中通过视觉感知获取信息的过程，即通过感觉器官辨认书面语言符号，并由字形的辨认唤起字音、理解字义。

2. 理解能力

理解就是读者运用原有的知识，解释和建构所读文章的意思，确定语言文字所包含的思想感情或社会信息。理解是阅读的核心。阅读要从书面语言文字中提取信息，即对读物从形式到内容全面的占有，具体地讲就是对读物的标题、题材、词句、段落、篇章结构、主题、思想、写作方法和技巧、作品的风格乃至作品的写作背景和作者的生平，展开全面的分析。简而言之，这些解题、析句、划段、理篇、明旨的能力，构成了阅读的基本能力。

3. 鉴赏评价能力

鉴赏评价是指读者鉴别读物内容的是与非，欣赏读物的写作技巧与语言特色，评价读物格调的高与低、社会作用的大与小等的能力。鉴赏评价能力是阅读能力的标志，鉴赏评价能力的高低在极大的程度上表明了一个人阅读水平的高低。

二、中学阅读教学的内容

知识点 2：中学阅读教学的内容

在阅读教学中，教师主要是通过课文的教学，培养学生的阅读兴趣，传授阅读知识，传习阅读方法，使学生养成阅读习惯，这些内容就构成了阅读教学的基本内容。

1. 培养阅读兴趣

俗话说"兴趣是最好的老师"，教师可通过培养学生的兴趣来激发学生的阅读动机，良好的阅读兴趣可以确保将阅读知识和阅读方法贯彻到学生的阅读实践当中去，从而转化为学生的阅读能力。

在教学实践中，教师要多创设阅读氛围，想方设法地激发学生的阅读兴趣，让学生在阅读实践中感受阅读的乐趣，并收到阅读的实效。

另外需要注意的是，教师培养学生的阅读兴趣，既要解决阅读兴趣的范围问题，又要解决阅读兴趣的质量问题。所谓阅读兴趣的范围，就是指教师应要求学生既要对审美性、娱乐性较好的一般文艺读物感兴趣，也不要排斥那些求知性、启蒙性较强的一般文化科技读物的阅读；既要读时尚，也要读经典；既要读自己钟情的作品，也不要排斥对其他作家作品的关注。所谓阅读兴趣的质量，就是指教师应要求学生对于阅读的兴趣，不仅有较好的广泛性，还要有深刻性与持久性。

2. 传授阅读知识

学生具有丰富的阅读知识是正确阅读的基础,是培养阅读能力的必要前提。

阅读知识有广义与狭义之分。广义的阅读知识是从汉语言知识分类学的角度来讲的,包括基本的文字学、语言学、文章学、文学、写作学、逻辑学、修辞学等方面的知识。狭义的阅读知识是从具体的阅读角度来讲的,包括指明阅读性质、内容、方法、策略、技巧的知识。

3. 传习阅读方法

阅读方法也叫阅读策略,是达到正确阅读的有效途径。

阅读方法包括一般的阅读方法与具体的阅读方法。一般的阅读方法包括朗读与默读的方法,精读与略读的方法,浏览、泛读与速读的方法,圈点、批注的方法等。具体的阅读方法渗透在一般的阅读方法之中,如制订阅读计划的方法、正确选择读物的方法、区分重要信息与非重要信息的方法、分析理解与概括归纳的方法等。

4. 养成阅读习惯

阅读习惯是一种定型化的行为,一经养成,有如"条件反射",是不需要强制的、自然而然的倾向。

阅读习惯包括爱书、专注、持续、有序、有目的、质疑、思考、动笔、使用工具书等。良好的阅读习惯能使有效阅读达到最高境界,让学生终身受益。

除此之外,语文阅读教学还有其他的"兼职"任务,如指导作文、兼顾口语交际,进行审美教育与思想道德情操教育,进行思维训练和智力开发,综合文化知识教育等。

> **练习题**
>
> 1.(简答题)构成阅读能力的心理因素有哪几种?
> 2.(论述题)请你结合具体例子谈谈对中学阅读教学基本内容的认识。

第二节 中学阅读教学的过程与方法

《义务教育语文课程标准》(2022年版)明确指出教师应引导学生"学会运用多种阅读方法,具有独立阅读能力"。在教师指导下的学生对于课文的阅读,有着不同的规律和特点。中学语文阅读教学的过程及方法,既是对这一活动过程的规律及特点的记录和反映,又是综合运用一般阅读学与阅读教育学、心理学知识和原理的结果。

一、中学阅读教学过程

阅读教学过程是教师根据学生掌握知识和能力的一般心理规律,引导学生以课文为主学习语文知识、训练语文能力、发展智力、陶冶性情所采用的教学程序。一个相对完整的教学过程一般由若干不同的教学环节构成,各环节之间的排列组合具有一定的规律性,这种不同的组合体现着不同的教育理论和教学观念,也决定了教学过程的不同价值。

知识点1:一般阅读教学的过程

一般阅读教学的常规过程,主要依据以课文为主体的语文知识本身的内在结构和学生认识语文知识、掌握语文能力的心理规律来构建教学模式。以单篇课文教学常规为例，一般阅读教学的过程通常分为四个阶段：感知认读—理解—鉴赏评价—应用和创新。

（一）感知认读

感知认读一般可安排在讲读前的准备性学习中，即预习阶段。阅读教学过程中的认读一定要结合具体语境来进行，教师应教会学生根据语境揣摩语句含义，运用所学的语文知识，理解结构复杂、含义丰富的语句，体会精彩语句的表现力。

（二）理解

理解是将感知认读阶段所获得的信息进行加工和创作，进而使其系统化和条理化。它能使学生从整体上把握文本内容，理清思路，概括要点，理解文本所表达的思想、观点和感情；使学生善于发现问题、提出问题，对文本能作出自己的分析判断，努力从不同的角度和层面进行阐发、评价和质疑。

（三）鉴赏评价

鉴赏评价是指对阅读材料的思想内容、表现形式和风格特点等方面进行鉴别、欣赏和评价。理解和鉴赏评价既有联系又相互区别。理解是鉴赏评价的前提，没有理解就不可能进行正确的鉴赏评价；而鉴赏评价又是对理解的深化，能够使阅读者对阅读材料的解读达到理性上的感悟、审美上的愉悦和情感上的沟通。

（四）应用和创新

应用和创新就是指阅读者能够把经过阅读理解、评价而储存起来的各种知识和信息，根据需要灵活提取使用。就阅读的类型来看，以掌握阅读方法、提高阅读技能和发展智力为主要目的的发展性阅读和以创造某种新产品或寻求新知识为目的的探究性、创造性阅读，就属于阅读的应用和创新。创新是阅读的最高境界。

感知认读、理解、鉴赏评价、应用和创新这四个阶段既分别体现了不同层次的阅读能力相对独立的特点和要求，又表现出相互之间的交叉与重叠。其中感知认读是阅读的起点，理解是阅读的核心，鉴赏评价、应用和创新是阅读在不同层次上的延伸。

二、中学阅读教学的方法

（一）常规的阅读方法

知识点2：常规的阅读方法

《普通高中语文课程标准》（2017年版2020年修订）明确提出："根据不同的阅读目的，综合运用精读、略读与浏览的方法阅读整本书，读懂文本，把握文本丰富的内涵和精髓。"在阅读教学中教会学生阅读的方法，指点学生阅读的门径，是阅读教学的一项重要任务。

1. 朗读

朗读是把无声的文字化作有声的语言，把单纯的视觉活动转化为各种感觉的综合活动,从而加强对书面语言的感知和理解,深入领会作者思想情感的阅读方法。朗读不仅可以增强学生的阅读感受力、理解力、欣赏力,而且可以激活思维,引起联想,培养语感,陶冶情操。科学实验证明,在相同的时间里对相同的语言材料,单纯通过视觉学习,能运用原有语言的 25％;通过视觉、运动觉、听觉的综合作用,能运用原有语言的 65％。

朗读的基本要求是:① 用普通话。② 正确:做到语音和语调的规范化,语音包括读音正确、停顿恰当、音质自然、音量适中等;语调包括高低适度、强弱适中、快慢适宜等。③ 流畅:做到语音连贯、不漏字、不落字、不改字、不颠倒、不重复等。④ 有感情:做到感情充沛、节奏鲜明,恰当地传达作者的思想感情。朗读技巧的训练应突出重音、停顿、语调、节奏等四个方面。

2. 默读

默读即不出声地读。它是阅读的基本方式之一,也是阅读教学的终极目标。默读不需要逐字逐句地细看,常常伴随着跳读和猜读,可以大大加快阅读的速度。此外,默读不必辨别字的声调,省去发音、监听等活动,便于读者将注意力全部集中于对课文内容的思考和理解上。

默读技能的关键是理解、速度、识记和评价。在默读教学中,教师要首先培养学生不出声、不指读的阅读习惯;然后在不同的教学环节,提出不同的认知、理解和评价的具体要求,采取限时限量的方式指导默读,训练学生默读技能。

3. 精读

精读是一种为了充分理解文本而进行的阅读。这种方式要求学生认真、仔细、精确地研读文本,最后完全理解阅读材料的内容和形式。在理解方面,要求学生对文章的词、句、段、篇进行深入的分析和思考。对于词,不仅要了解它表达的直接意思,还要领会它的象征意义、比喻意义等深刻含义。对于段落,不仅要概括它的大意,还要懂得它在全篇中的地位和自身的结构。对于全篇,不仅要领悟它的主旨,还要明了它的结构方式和作者的思路。在欣赏方面,要求反复涵咏,广泛联想,品味文章语言运用的精妙,深入理解课文的内容、思想和情感。在评价方面,要求能够对文章所表达的思想内容和表达方式作出客观的判断。精读是略读、速读的基础。语文课中的讲读课大都要求精读。

精读训练要注意以下几点:① 全面理解,逐个钻研,即教师让学生逐字逐句、逐段逐层地去钻研,做到精细理解、全面把握。② 咬文嚼字,融会贯通,即教师让学生对文中的关键词句,要仔细品味、推敲琢磨,达到透彻明了、融会贯通。③ 读思结合,边读边记。④ 灵活运用多种精读方法,如朗读涵咏法、质疑思辨法、比较阅读法、表达阅读法等。

4. 略读

略读是指有目的、有重点、有取舍的一种阅读。这种方式要求阅读者能在大量快速的阅读中,略去枝节,抓住主干,舍弃次要,抓住关键,快速准确地获取信息或确定需要精读的重点。

略读训练应注意以下两点:① 把握大意,抓住重点。教师重在让学生把握材料大意,准确捕捉关键信息。② 提高阅读速度。略读训练要以准确理解为前提,同时也对阅读速度提出较高的要求,要减少信息传递的环节,缩短反应过程,加快阅读速度。

5. 速读

速读即快速阅读。《义务教育语文课程标准》(2022 年版)规定:七年级至九年级阶段学生阅读时,应"有一定的速度,阅读一般的现代文,每分钟不少于500字"。速读训练应该注意以下几点:① 摒弃一切杂念,注意力要高度集中。② 阅读时不要出声,也不要动唇。③ 阻止回读,对不清楚、不理解的地方,待看完一遍全文后再考虑是否重复。④ 扩大视野,阅读时要以整句、整段甚至整页的文字作为一个阅读单位,一瞥之间就要掌握其要点。⑤ 捕捉要点,阅读时要紧紧抓住文本的主题、主旨,对其名称标题、作者简况、基本观点、主要事实、争论焦点、材料特点及其价值等关键性问题进行掌握。

(二)阅读教学的方法

知识点3:阅读教学的方法

中学语文阅读教学的方法种类繁多,按照不同的标准有不同的分类,以下介绍的讲授法、提问法、讨论法、练习法为阅读教学中的常用方法。

1. 讲授法

(1) 定义:讲授法又称讲述法、讲解法、讲析法、讲评法、讲演法、评点法、点拨法等,是一种以教师为主导、注重知识传授和启发引导的教学方法。它在帮助学生系统掌握语文知识和提升思维能力方面发挥着重要作用。

(2) 注意事项:

① 一般的地方运用叙述或描述的语言,叙述事物的发展变化,描述教学内容的外部形态特征,以引导学生感知教材或教学内容。

② 重点的地方讲解,即运用说明、解释或议论的语言,解说原理或阐明事理,以引导学生理解教材或教学内容。

③ 层次段落之间评论,即教师运用叙述和议论相结合的语言,发表对教材或教学内容的评价或看法,以强化或加深学生对教材或教学内容的理解或认识。

④ 全文讲完后总结。

(3) 优缺点:讲授法的优点在于能够充分发挥教师的主导作用,保证教学内容的系统性和深刻性,在有限的时间内有计划地完成对众多对象的教学任务,方法也简便易行。其缺点在于不易调动学生的主动性和自觉性,不易让学生进行读写练习,不易照顾个性差异。它的优缺点都是由它的信息传递的单向注入式特点所决定的。

2. 提问法

(1) 定义:提问法又称谈话法、问答法、疑问法等,是以师生、生生之间的相互问答为主要方式来组织课堂教学活动的教学方法。

(2) 注意事项:

① 注意提问的艺术,做好问题设计。教师提问要紧紧围绕教材的中心,服从总的教学目标,要有计划性、目的性和启发性。

② 正确评价学生的回答。教师要通过评价使学生获得规律性的知识。学生的回答一般是由现象到本质、由片面到全面,语言表达也多是由含混到确切、由模糊到清晰。教师在评价的过程中要引导学生逐步接近本质,并用确切的语言表达出来。

③ 正确对待学生的提问。在学生提问的过程中,教师要帮助学生理清思路,尽可能地把问题叙述清楚。

④ 正确处理面向集体提问和点名回答的关系。一般的提问都要首先面向全体,以引

起大家的思想感情活动,经过适当的时间间隔,然后点名让学生回答,使每一位学生都有充分的思想准备;被点名学生在回答问题时,其他学生仍能保持高度集中的注意力。

(3) 优缺点:提问法的优点是有利于调动学生的学习积极性,培养学生主动学习的精神和积极思考的习惯,以及口头表达能力,同时也有利于教师及时获得反馈信息,调整教学策略,改善教学活动。其缺点是不利于教师系统地传授知识,同时解决问题较费时,控制不好的话容易影响上课时间。

3. 讨论法

(1) 定义:讨论法又称议论法,是教师与学生围绕教材或教学内容,就某个问题展开师生、生生相互交流的一种教学方法。

(2) 注意事项:

① 明确讨论目的。讨论的问题要集中,要既有思考价值又有明辨需要,在讨论过程中教师要注意随时点拨。

② 调动学生的主动性和积极性。

③ 教师要有民主的态度。在讨论中,教师是组织者也是参加者,对争论中的问题要让各方充分发表意见,不要生硬地下结论,学生的意见如有错误要正确引导,不能把自己的意见强加于人,发现自己有错误或疏漏,要勇于承认和改正。

④ 讨论中教师还要注意通过学生发言的声音、表情、动作等来观察学生的心理活动,以便及时调整教学策略。

(3) 优缺点:讨论法的优点在于有利于活跃学生思维,开阔学生视野,激发学生主动学习、合作学习和探究学习的热情,同时培养学生评价、批判、鉴赏作品的高品位的阅读品质,发展他们提出问题、分析问题、解决问题的能力,以及交流、对话、质疑问题的口语表达能力。其缺点在于比较费时,且由于讨论的问题比较集中单一,不利于其他内容的学习,如果教师驾驭不好,容易流于形式,达不到深度学习的要求。

4. 练习法

(1) 定义:练习法又称巩固法、总结法、复习法等,是教师指导学生通过一定的实践方式学习与掌握知识技能的教学方法。在实践教学中,除了讲授法外,一切以学生为活动主体的阅读教学方法都被视为练习法。练习法是培养学生多种阅读能力和风格的一种方法。

(2) 注意事项:

① 练习法的运用要有计划、有步骤、有重点。

② 练习的形式要多样,频次要恰当。适当分配练习的次数、分量和时间。

③ 精选练习材料。把典型练习、变式练习和创造性练习密切结合,切实锻炼学生的阅读能力。

④ 教师要及时反馈练习的结果,并注意培养学生自练、自评、自改、自结的能力。

(3) 优缺点:练习法的优点在于练习是培养和提升学生的阅读能力的有效方法。知识可以传授,能力必须训练。教师要培养学生的阅读能力,必须对学生进行各项内容和各种形式的训练。其缺点在于练习的训练方式选择不当可能导致事倍功半,增加学生的学习负担,降低阅读教学的效率。

> 练习题

1. （判断题）"他用两手攀着上面，两脚再向上缩。"这个句子所采用的表达方式是描写。（　　　）

2. （判断题）"胡同是贯穿大街的网络，它距离闹市很近，打个酱油，约二斤鸡蛋什么的，很方便，但又似很远。这里没有车水马龙，总是安安静静的。偶尔有剃头挑子的'唤头'（像一个大镊子，用铁棒从当中擦过，便发出噌的一声）、磨剪子磨刀的'惊闺'（十几个铁片穿成一串，摇动发声）、算命的盲人（现在早没有了）吹的短笛的声音。这些声音不但不显得喧闹，倒显得胡同里更加安静了。"这段文字重点介绍了胡同接近闹市，环境却很安静的特点。（　　　）

3. （单项选择题）下面是史铁生《我与地坛》中的一段文字，分析不恰当的一项是（　　　）。

摇着轮椅在园中慢慢走，又是雾罩的清晨，又是骄阳高悬的白昼，我只想着一件事：母亲已经不在了。在老柏树旁停下，在草地上在颓墙边停下，又是处处虫鸣的午后，又是鸟儿归巢的傍晚，我心里只默念着一句话：可是母亲已经不在了。把椅背放倒，躺下，似睡非睡挨到日没，坐起来，心神恍惚，呆呆地直坐到古祭坛上落满黑暗然后再渐渐浮起月光，心里才有点明白，母亲不能再来这园中找我了。

A. 运用反复的手法，写出了对母亲逝去的强烈悲痛和对母亲的思念之情
B. 运用心理描写、景物描写与动作描写，表现了失去母亲后那种失魂落魄的情态
C. 写出了作者内心世界里对母爱极大的依赖之情
D. "似睡非睡挨到日没……心里才有点明白，母亲不能再来这园中找我了。"母亲的去世让他的心智已经完全失去了对世界的感知能力

4. （单项选择题）唐朝诗人张籍的诗"无数铃声遥过碛（沙漠），应驮白练（丝绸）到安西"，生动地再现了当时内地与西域各地之间（　　　）。

　A. 音乐的交流　　　　　　B. 频繁的贸易往来
　C. 服饰的相互影响　　　　D. 畜牧业技术的交流

第三节　中学阅读能力的构成要素与评价

一、中学阅读能力的构成要素

知识点1：中学阅读能力的构成要素

阅读能力到底由哪些因素构成，国内外研究者都有不同的论述和划分标准，其观点有许多是相同的，不同的是层级划分和分析方法上的差别。综合不同研究者的论述，我们把阅读能力的构成要素主要划分为以下四个方面。

（一）认知能力

认知能力也叫知识性阅读能力。这种阅读能力主要取决于学生对语文基础知识或

常识的掌握程度。语文基础知识或常识主要包括以下几种。

（1）基本字词知识：通过查阅工具书，正确认识汉字的形、音、义，具备基本的汉字识字量和词汇量，这是基本的语言积累；能辨析词语的外延和内涵，能了解语境中的语义及辨析词语间在语义方面的内在联系，能根据上下文推断陌生词语的近似语义。

（2）基本语法知识：包括认识常用的标点符号及其作用，能正确地断句、连句；了解词的分类、短语的结构、单句的成分、复句的主要类型和常见关联词语的用法。

（3）基本修辞知识：包括了解常见修辞格的一般用法。

（4）基本文学知识：包括了解课本所涉及的重要作家及其作品，了解记叙、描写、说明、议论、抒情等基本的表达方式，了解散文、诗歌、小说和戏剧等文学体裁的基本常识，了解常见文学表现手法等。

（二）理解能力

理解能力也叫理解性阅读能力。理解性阅读对阅读者的理性思维能力及体验感悟能力提出了较高的要求。理解性阅读能力主要体现在以下方面。

（1）转换能力：能用自己的语言或与原先不同的表达方式，来阐述、解释某一概念、问题、观点或交流内容。对于比较复杂的交流内容，能举例说明或用自己的话更通俗、更清晰、更简洁地表达出来，这是衡量个体是否真正理解交流内容的实质与核心的可靠办法之一。

（2）分析能力：能识别阅读材料所包含的逻辑要素或构成成分，能认识各要素、各成分之间的关系，了解将各要素、各成分联结在一起的组织原理等。这里的要求有三个：第一个要求指向要素分析技能，它主要体现在区分交流内容中事实与假设、事实陈述与规范性陈述、结论与证据等的能力，识别未加说明的假设的能力等；第二个要求指向关系分析技能，它主要体现在识别支持主要观点所必需的事实或假定的能力，识别各种观点、假定逻辑一致性的能力，识别观点与材料是否相匹配的能力，识别相关材料与无关材料的能力，识别主要问题与次要问题的能力，区分因果关系与其他顺序关系的能力等；第三个要求与阅读材料的组织原理或逻辑结构有关，它包括把握阅读材料的表达顺序与论证的内在逻辑，了解阅读材料的结构、主线与思路等。

（3）概括能力：能从整体上把握文章的主要内容、核心思想及情感、态度倾向。

（4）分类能力：能对阅读材料中有关对象，依据不同的性质标准进行逻辑分类，以弄清事物之间的主次关系、因果关系、先后关系、并列关系、类属关系、源流关系、本末关系等。分类能力在某种程度上依赖于前述的分析能力。

（5）推断能力：包括能结合上下文推断特定词、句在具体语言环境中的含义，能根据阅读材料的立场、观点及论证，合乎逻辑地推断出某些结论或可能性，并排除某些不可能的结果及可能性等。

（三）鉴赏评价能力

（1）鉴赏能力：鉴赏能力是对阅读材料所包含的美具有的一种感受、鉴别与欣赏的能力，以这一能力为基础的阅读可称为审美性阅读。鉴赏可以是对读物的整体，也可以只对局部或一个细节进行鉴赏和分析；可以在语境中、想象中赏析文章的文感，也可以就文章的内容、主旨、思路、写法等体会文感,更可以赏析文章的情与意,感受文中的思想、观点、气质、节操、情感等。审美性阅读在很大程度上要求阅读者具备一种体验感悟的能力,如细心品味作品语句所表达的不可言传的微妙情感,体会不同的用词所具有的不同表达效果,透过字里行间揣摩作者的言外之意等。

（2）评价能力：评价能力是对阅读材料包含的知识内容、思想观点、情感、态度、表现形式等的合理性,进行有根据的评价与判断的能力。由于独立的、具有一定力度和启发性的评价往往建立在批判性思维的基础之上,因此,以这种能力为基础的阅读多为批判性阅读。

（四）探究能力

探究能力是最高层次的阅读能力,以这一能力为基础的阅读可称为创造性阅读。它是指学生经过大量阅读后,将储存起来的知识在新的阅读过程中灵活使用,以获得新知识的能力。这种能力一方面表现为学生对文本某些问题进行探究,有见解、有发现、有创新,对课文具有与众不同的新颖见解,从不同角度和层面发掘出文本所反映的人生价值、民族心理和时代精神,探讨作者的写作背景和写作意图,对作品进行个性化阅读和有创意的阅读；另一方面表现为学生由此及彼、举一反三,获得新知识,能够超出原文给定的有限信息,从课文中引申出新颖的思想、观念,或者受课文的启发,在此基础上创造出有价值的新异作品等。

二、中学阅读能力的评价

（一）中学阅读能力的评价依据

知识点2：中学阅读能力的评价依据

关于阅读理解能力的层次,不同研究者使用的概念可能有所不同,但大多分为四个层次。这四个阅读理解层次的具体内涵是：

（1）字面的理解,即对文章的词、句、内容、观点的最初的、最直接的理解。

（2）解释性理解,包含以下不同的思维技能：从作品的字里行间获得另外的信息,进行概括,论证原因,预测结果,作出比较,了解动机,发现其中的关系。

（3）评价性理解,对读物的性质、价值、精确性和真实性等作出个人的判断和评价。

（4）创造性理解,产生超越读物的新思想,获得另外的见解,发现某问题的答案或者真正解决一个问题。

这四个阅读理解的层次水平,就是语文阅读教学过程中对学生阅读层级高低优劣判断的依据。

（二）课程标准对阅读能力培养的要求

知识点3：课程标准对阅读能力培养的要求

1. 初中语文课程标准对阅读能力培养的要求

《义务教育语文课程标准》(2022年版)在"课程目标"部分对学生的阅读能力提出总

要求:"学会运用多种阅读方法,具有独立阅读能力。能阅读日常的书报杂志,初步鉴赏文学作品,能借助工具书阅读浅易文言文。"其中,对初中(七年级至九年级)学生的阅读能力提出以下要求:

(1) 能用普通话正确、流利、有感情地朗读。养成默读习惯,有一定的速度,阅读一般的现代文,每分钟不少于500字。能较熟练地运用略读和浏览的方法,扩大阅读范围。

(2) 在通读课文的基础上,理清思路,理解、分析主要内容,体味和推敲重要词句在语言环境中的意义和作用。对课文的内容和表达有自己的心得,能提出自己的看法,并能与他人合作,共同探讨、分析、解决疑难问题。

(3) 在阅读中了解叙述、描写、说明、议论、抒情等表达方式。能区分写实作品与虚构作品,了解诗歌、散文、小说、戏剧等文学样式。

(4) 欣赏文学作品,有自己的情感体验,初步领悟作品的内涵,从中获得对自然、社会、人生的有益启示。能对作品中感人的情境和形象说出自己的体验,品味作品中富于表现力的语言。

(5) 阅读简单的议论文,能区分观点与材料(道理、事实、数据、图表等),发现观点与材料之间的联系,并通过自己的思考,作出判断。阅读新闻和说明性文章,能把握文章的基本观点,获取主要信息。阅读科技作品,还应注意领会作品中所体现的科学精神和科学思想方法。阅读由多种材料组合、较为复杂的非连续性文本,能领会文本的意思,得出有意义的结论。

(6) 诵读古代诗词,阅读浅易文言文,能借助注释和工具书理解基本内容。注重积累、感悟和运用,提高自己的欣赏品位。背诵优秀诗文80篇(段)。

(7) 每学年阅读两三部名著,探索个性化的阅读方法,分享阅读感受,开展专题探究,建构阅读整本书的经验。感受经典名著的艺术魅力,丰富自己的精神世界。

(8) 随文学习基本的词汇、语法知识,用以帮助理解课文中的语言难点;了解常用的修辞手法,体会它们在课文中的表达效果。了解课文涉及的重要作家作品知识和文化常识。

(9) 能利用图书馆、网络搜集自己需要的信息和资料,帮助阅读。学会制订自己的阅读计划,广泛阅读各种类型的读物,课外阅读总量不少于260万字。

2. 高中语文课程标准对阅读能力培养的要求

普通高中语文课程由必修、选择性必修、选修三类课程构成。《普通高中语文课程标准》(2017年版2020年修订)根据必修课程和选择性必修课程分别对学生的阅读能力培养提出如下要求:

(1) 必修课程学习要求。

必修课程对学生阅读能力的要求有:发展独立阅读的能力;灵活运用精读、略读、浏览等阅读方法,从整体上把握文本内容,理清思路,概括要点,理解文本所表达的思想、观点和感情;努力从不同的角度和层面进行阐发、评价和质疑,对文本作出自己的分析判断;能借助注释和工具书,阅读中国古代作品,读懂文章内容,背诵一定数量的名篇;注重个性化阅读,学习探究性阅读和创造性阅读。

学生在阅读实用类文本时,能准确、迅速地把握主要内容和关键信息,对文本所涉及的材料有自己的思考和评判。学生阅读论述类文本时，能准确把握和评价作者的观点与态度，辨析观点与材料(道理、事实、数据、图表等)之间的联系。学生阅读古今中外文学作品时，注重审美体验，能感受形象，品味语言，领悟作品的丰富内涵，体会其艺术表现力；努力探索作品中蕴含的民族心理和时代精神，了解人类丰富的社会生活和情感世界，增强民族文化自信。

(2) 选择性必修和选修课程学习要求。

选择性必修和选修课程对学生阅读能力的要求有：学习多角度、多层次地阅读，对优秀作品能够常读常新，获得新的体验和发现；能借助工具书、图书馆和网络查找有关资料，加深对作品的理解；选择性必修阶段各类文本的阅读总量不低于150万字。在阅读鉴赏中，了解诗歌、散文、小说、戏剧等文学体裁的基本特征及主要表现手法，了解相关的中国古代文化常识，丰富传统文化积累，汲取思想、情感和艺术的营养，培养健康高尚的审美情趣，丰富、深化对历史、社会和人生的认识。

学生在选读古今中外文化论著时，应在整体了解论著内容的基础上，把握论著的主要观点和基本倾向，了解用以支撑观点的关键材料，拓宽文化视野和思维空间，提高文化修养。学生应以发展的眼光和开放的心态看待传统文化和外来文化，关注当代文化生活，能通过多种途径开展文化专题研讨。学生应学会尊重、理解作品所体现的不同时代、不同民族、不同流派风格的文化，尝试对感兴趣的古今中外文学作品进行比较研究或专题研究，理解作品所表现出来的价值判断和审美取向，作出恰当的评价。

(三) 课程标准对阅读能力评价的指标

知识点4：课程标准对阅读能力评价的指标

1. 初中课程标准对阅读能力评价的指标

《义务教育语文课程标准》(2022年版)在"学业质量"部分以核心素养为主要维度，结合课程内容，对初中(七年级至九年级)学生的"阅读与鉴赏"能力应达到的水平作出如下描述：

(1) 阅读新闻报道、说明性文字以及非连续性文本。

① 能区分事实与观点；能提取、归纳、概括主要信息，把握信息之间的联系，得出有意义的结论。

② 能利用掌握的多种证据判断信息的真实性与可信度，能运用文本信息解决具体问题。

(2) 阅读简单议论性文章。

① 能区分观点与材料，并能解释观点与材料之间的联系。

② 能运用实证材料对他人观点作出价值判断。

(3) 阅读古今中外的诗歌、小说、散文、戏剧等文学作品。

① 能把握主要内容，并通过朗读、概括、讲述等方式，表达对作品的理解。

② 能理清行文思路，用多种形式介绍所读作品的基本脉络。

③ 能从多角度揣摩、品味经典作品中的重要词句和富有表现力的语言，通过圈点、批注等多种方法呈现对作品中语言、形象、情感、主题的理解。

④ 能分类整理富有表现力的词语、精彩段落和经典诗文名句，分析作品表现手法的

作用。

⑤ 能从作品中找出值得借鉴的地方,对照他人的语言表达反思自己的语言实践。

⑥ 能通过对阅读过程的梳理、反思,总结不同类型文学作品的阅读经验和方法。

⑦ 能与他人分享自己获得的对自然、社会、人生的有益启示。

⑧ 能借鉴他人的经验调整自己的表达,能根据需要,运用积累的语言进行口头或书面表达。

2. 高中课程标准对阅读能力评价的指标

(1) 水平 1。

① 能注意语境与交流的关系,能根据具体的语言环境理解语言。

② 在理解语言时,能提取和概括主要信息;能区分事实和观点,分析各部分内容之间的关系,发现观点和材料之间的联系;能利用获得的信息解决具体的实际问题。

③ 有欣赏文学作品的兴趣,能整体感受作品中的形象,把握作品的思想观点和情感倾向;能运用口头语言和书面语言传达自己对作品的感受和理解。在文学鉴赏中,有正确的价值观。

④ 能通过阅读文学作品,感受和理解不同时代和地区的文化。能主动梳理语文课程中涉及的文化现象,了解其中包含的中国传统文化内容。

(2) 水平 2。

① 能凭借语感,结合具体语境理解重要词语的隐含信息,体会词句所表达的情感;能发现语言运用中存在的比较明显的问题。

② 在理解语言时,能区分主要信息和次要信息,理解并准确概括其内容、观点和情感倾向;能对获得的信息及其表述逻辑作出评价;能利用获得的信息分析并解决具体问题。

③ 喜欢欣赏文学作品,能整体感受作品的语言、形象和情感,展开合理的联想和想象;能对作品的内容和形式作出自己的评价。在文学鉴赏中,有正确的价值观,有追求高尚审美情趣和审美品位的意愿。

④ 能主动梳理和探究语言材料中蕴含的中国传统文化内容,能理解各类作品中涉及的文化现象和观念,能理解和包容不同的文化观念。

(3) 水平 3。

① 能借助已有的语言知识和语感,结合具体语境分辨词语语义和情感上的细微差别;能凭借语感推断结构比较复杂的语句的意思,能体味重要语句在语言环境中的意义和作用。

② 在理解语言时,能准确概括观点和情感,能分析并解释观点和材料之间的关系;能比较两个文本或材料,能在各部分信息之间建立联系,把握主要信息,分析、说明复杂信息中可能存在的多种关系;能就文本的内容和形式进行质疑,并能主动查找相关资料支持自己的观点;能利用文本中的相关信息解决具体问题。

③ 喜欢欣赏文学作品,借助联想和想象丰富自己对文学作品的体验和感受,能品味语言,感受语言的美;能运用多种形式表达自己的体验和感受;能对具体作品作出评论。在鉴赏中,能坚持正确的价值观,体现高雅的审美追求。

④ 关注语言和文化的关系,有探究文化问题的意识。有比较、分析古今中外各类作品所反映的文化现象、文化观念的意识。

(4) 水平4。

① 能敏锐地感受文本或交际对象的语言特点和情感特征,迅速判断其表达的正误与恰当程度,察觉言外之意和隐含的情感倾向。

② 在理解语言时,能准确、清楚地分析和阐明观点与材料之间的关系,能就文本的内容或形式提出质疑,展开联想,并能找出相关证据材料支持自己的观点,反驳或补充解释文本的观点。能比较、概括多个文本的信息,发现其内容、观点、情感、材料组织与使用等方面的异同,尝试提出需要深入探究的问题。能用文本中提供的事实、观点、程序、策略和方法解决学习和生活实际中遇到的具体问题。

③ 在鉴赏活动中,能结合作品的具体内容,阐释作品的情感、形象、主题和思想内涵,能对作品的表现手法作出自己的评论。能比较两个以上的文学作品的主题、表现形式、作品风格上的异同,能对同一个文学作品的不同阐释提出自己的看法或质疑。在文学鉴赏和语言表达中,追求正确的价值观、高尚的审美情趣和审美品位。

④ 能在阅读中探析有关文化现象,能结合具体作品,分析、论述相关的文化现象和观念,比较、分析古今中外各类作品在文化观念上的异同。

(5) 水平5。

① 能发现所学的语言文学作品中的各类联系,对学过的重要作品和具有典型性的语言材料进行分类整理,加深自己对各类作品的理解和领悟。在整理过程中,能提出自己感兴趣的问题,尝试用所学的知识解决相关问题。

② 在理解语言时,能从多角度、多方面获得信息,有效地筛选信息,比较和分析其异同;能清晰地解释文本中事实、材料与观点、推断之间的关系,分析其推论的合理性,或揭示其可能存在的矛盾、模糊或故意混淆之处等;能依据多个信息来源,对文本信息、观点的真实性、可靠性作出自己的判断,并逻辑清晰地阐明自己的依据;能从多篇文本或一组信息材料中发现新的关联,推断、整合出新的信息或解决问题的策略、程序和方法,并运用于解决自己学习和生活中遇到的相关问题。能围绕某一方面的问题组织专题研讨,形成自己的观点。

③ 在鉴赏活动中,能从不同角度、不同层面鉴赏文学作品,能具体清晰地阐释自己对作品的情感、形象、主题和思想内涵、表现形式及作品风格的理解。能比较多个不同作品的异同,能对同一作品的不同阐释发表自己的观点,且内容具体,依据充分。能对作品的艺术形象及价值有独到的感悟和理解。

④ 能在阅读中探析有关文化现象;具有文化批判和反思的意识,能结合具体作品,从多角度、多层面分析、论述相关的文化现象和概念。尝试用历史眼光和现代观念,辩证地审视古今中外语言文学作品的内容和思想倾向。

> 练习题

1. (多项选择题)中学阅读能力的主要构成要素包含以下哪几方面?(　　　　)
   A. 认知能力　　　　　　　　B. 理解能力
   C. 鉴赏评价能力　　　　　　D. 探究能力
   E. 查阅工具书的能力

2. (简答题)中学阅读能力的评价依据主要包含哪几方面?

3. (简答题)《2019年普通高等学校招生全国统一考试大纲》(语文)对实用类文本阅读考查要求作出如下表述:"了解新闻、传记、报告、科普文章的文体基本特征和主要表现手法。阅读实用类文本,应注重真实性和实用性,准确解读文本,筛选整合信息,分析思想内容、构成要素和语言特色,评价文本的社会功用,探讨文本反映的人生价值和时代精神。"请分析以上考查要求分别对应哪些阅读能力要求。

4. (论述题)结合具体案例,谈谈如何在文学作品的阅读中培养学生的鉴赏评价能力。

第四节　各类文体的阅读教学

阅读一定是针对某种特定文体的阅读。不同的文体,因作者的表达方式、语言风格等的不同,决定了其阅读方式、方法的不同。教师须有清晰的文体意识,在阅读教学中应关注、辨别不同课文的文体及体式差异,并据此确定相应的教学内容和教学方法。

一、散文教学要点

知识点1：散文教学要点

在中学语文教学中,"散文"特指"现代散文",而且主要是指"文学性的散文"。

(一)散文教学的着眼点

1. 散文的言说对象

散文具有写实性,有外在的言说对象。比如,《荷塘月色》的外在言说对象是清华园里的荷塘,《藤野先生》的言说对象则是现实中真实存在过的鲁迅的老师。但散文的写实不是完全客观的写实,因为其言说对象是高度个人化的言说对象,是经过作者感官过滤的人、事、物、景,故散文中的所思所感一定也是高度个人化的所思所感,是作者在独特境遇下独有的个人体验。比如,《荷塘月色》里的荷塘只能是朱自清眼中的荷塘,是带着当时的朱自清的"当下体验"的荷塘;《藤野先生》中所刻画的这位日本教师为何最使鲁迅感激,必定与鲁迅当时的境遇有着密切关系,所以这篇散文中的藤野先生乃鲁迅眼中的"藤野先生",而非他人眼中的"藤野先生"。

2. 作者的独特感受

散文的关键点和最终的落点不在言说对象,而在所思所感。比如,《荷塘月色》的关键点不在"荷塘之景",而在当时那个"心里颇不宁静"的朱自清;《藤野先生》的落点不在"藤野"形象的描写,而在鲁迅对人物的感受。我们阅读散文,不仅要体会作者的所见所闻,更要理解作者的所思所感,要通过散文中所写的人、事、物、景来触摸那个写散文的人,去体验作者的体验,进而丰富自我体验。

(二)散文教学的要求

1. 散文教学切忌"半途而废"

散文教学切忌"半途而废",即将教学落点落在言说对象,而忽视了"作者"。例如,讲授《秋天的怀念》一文,只看到散文中那个暴怒无常的"我"和"我"那坚忍的母亲,进而将前者与后者进行对比,以突出"母亲"这一伟大形象,却全然忽略了散文中那个正在回忆"当时的我"和"当时的母亲"的"现在的我"。这个"现在的我"是怀着深入骨髓的愧疚和悔恨,并带着对母亲无尽的思念写下了《秋天的怀念》的那个"我"。

2. 散文教学切忌"向外跑"

散文教学切忌"向外跑",即从散文中"个人化的言说对象"跑到"外在的言说对象",或者从散文中作者"独特的情感认知"跑到一种概念化、抽象化的"思想""精神"。① 前者如,讲授《安塞腰鼓》,便给学生播放打腰鼓的影片,进而大肆讨论现实中的腰鼓艺术;讲授朱自清的《春》,则跳出课文去讲现实中的春季景物;等等。后者如,讲授《济南的冬天》,非要将作者对济南山水的喜爱之情升华为老舍对祖国大好河山的热爱;解读《春》中"小草偷偷地从土里钻出来,嫩嫩的,绿绿的"一句,硬是要抛开前后文中"偷偷地""嫩嫩的"等关键词,把"钻"字解释为表现小草的坚韧和生命力,全然不顾作者对小草可爱模样的描绘,以教师自己的经验取代作者的体验。当然也有两个"向外跑"兼具的情况:讲授《秋天的怀念》,重点落在作者对"母亲"的刻画,进而突出母爱,又由散文中的"母爱"跑到现实世界普遍性的"母爱",呼唤学生感恩母爱并将感恩化为具体的言行。

3. 散文教学切忌只见"情感",不见"语言",只见内容,不见形式

在散文言说对象和所思所感之间,有一个至关重要的中介,便是散文的言说方式。散文总是以作者独特的言说方式,借助言说对象来表达所思所感,即形式为内容服务。因此,散文教学的目标除了要引导学生体验作者的体验外,还要教会学生细读每一篇散文独特的语言,善于发现散文形式上的特点:可能是匠心独运的章法,也可能是个性化的表达方式,要善于发现"特别的写法",因为"特别的写法"肯定包含特别的想法,必定隐藏特别的情感。例如,莫怀戚的《散步》就是通过反复使用举轻若重的词语和并列对称句式来表达他对亲情和责任的体认,而《秋天的怀念》则是以叙事的双线结构即匠心独运的章法来表达自己对母亲彻骨的愧疚和思念。如果没有这些"特别的写法",作者独特的体验便难以深刻表达。

二、小说教学要点

知识点2:小说教学要点

小说大致可以分为两大类:一类是传统小说,另一类是现代小说。传统小说"是一种侧重刻画人物形象、叙述故事情节的文学样式"②;而现代小说则比较多元,除情节类小说外,还有心理小说和荒诞小说等。中学语文教材中所选小说篇目以传统小说为主。教学这种小说,教师应注意把握小说本身的特质。

(一)小说教学的着眼点

1. 小说的本质特征

传统小说最基本的层面就是故事,因此本质特征是叙述和虚构,这是它区别于

---

① 王荣生.散文教学教什么[M].上海:华东师范大学出版社,2014:10-11.
② 童庆炳.文学理论教程[M].2版.北京:高等教育出版社,1998:171.

散文、诗歌等其他文体的根本特征。一篇小说可以没有饱满的人物形象和跌宕起伏的情节,但绝不能没有叙述。虚构的叙述是小说最关键的特点,解读人物形象、分析故事情节或环境等最终都须从"叙述"入手。

2. 小说的多角度解读

一直以来,中学的小说教学已经形成了一套比较固定的模式,那便是从人物、情节、环境这三要素入手去探得小说主题。但这只是小说教学的一种方式,一种文体的教学不应只有一种方式,况且每一篇小说都有不同于其他小说的个性特征,千篇一律的教法难免会遮盖"这一篇"的独特之处。其实,除了从以上"三要素"入手,我们还可以从各种角度切入,比如叙述的视角。有学者将叙事作品不同的视角模式分为两大类:外视角和内视角。所谓"外视角",即观察者处于故事之外;所谓"内视角",即观察者处于故事之内。进而又可将"外视角"进一步细分为五种,将"内视角"细分为四种,[1]这可以作为教师学习的参考。不同视角具有叙述的不同功能,借助视角的分析可以帮助我们读懂小说。例如,课文《林教头风雪山神庙》有这样一段叙述:

且把闲话休题,只说正话。光阴迅速,却早冬来。林冲的棉衣裙袄都是李小二浑家整治缝补。忽一日,李小二正在门前安排菜蔬下饭,只见一个人闪将进来,酒店里坐下;随后又一人闪入来。看时,前面那个人是军官打扮,后面这个走卒模样,跟着也来坐下。

这段内容就发生了视角的切换,由叙述者的视角切换到文中人物李小二的视角。金圣叹也曾对此段评点道:"'看时'二字妙,是李小二眼中事……写得狐疑之极,妙妙。"[2]可见,金圣叹不仅看出了此处视角的切换,而且注意到这种切换对故事氛围变化的影响。这处一闪即过的视角切换为下文李小二的疑心、留心以及吩咐妻子偷听等行为设置了铺垫,由此也能看出李小二是个极善察言观色、十分机灵的人。

3. 小说教学的要求

小说教学切忌停留于对作品内容的反复讲解,也即是说,教学最终的落点不应在人物形象、故事情节和小说主题上,这些只是小说解读、学习的例子。小说所描写、反映的内容只是小说教学的内容之一,而小说教学的重点和落点应该在学生对小说解读方式的把握上。"小说教学的过程就是教师引导学生通过适当的解读方式进入文本、读懂文本的过程。"[3]

三、说明文教学要点

> 知识点3:说明文教学要点

说明文是以说明为主的文章,它是语文课程特有的概念。中学语文教材中的说明文以科普类文章为主。与文学阅读着眼于作品的艺术性不同,说明文阅读则主要着眼于获取文章的信息;前者重在鉴赏,而后者重在理解。

---

[1] 申丹,王丽亚.西方叙事学:经典与后经典[M].北京:北京大学出版社,2010:95-97.
[2] 金圣叹.金圣叹全集(一) 贯华堂第五才子书水浒传:上[M].曹方人,周锡山,标点.南京:江苏古籍出版社,1985:170.
[3] 王荣生.小说教学教什么[M].上海:华东师范大学出版社,2015:93.

（一）说明文教学的着眼点

说明文教学一般主要围绕以下四个方面进行：被说明事物的特征、说明方法、说明顺序和说明文语言。

1. 被说明事物的特征

被说明事物的特征是说明文的中心或主题，是理解说明文的关键。只有把握了被说明事物的特征，才能积累文化知识，领悟文章是如何说明这一特点的。

2. 说明方法

掌握说明方法是获得说明文写作能力的重点。常见的说明方法主要有下定义、分类别、列数字、做比较、打比方等，其中下定义、分类别和列数字是典型的科学思维、科学研究的基本方法，因而也是最根本的说明方法。说明方法的教学不能仅仅停留在让学生找出说明方法，更要体会作者是如何运用说明方法的，以及运用的效果如何。

3. 说明顺序

说明顺序是说明文结构的线索，是说明文写作谋篇的思路。"说明有序，而无定序。"①常见的说明顺序主要分为三类：时间顺序、空间顺序和逻辑顺序。时间顺序即按照事物发生发展的时间先后来安排内容，语言标志为表示时间的名词。空间顺序是按照事物的空间存在形式，或从上到下，或由内而外，或自南向北等依次进行说明。逻辑顺序是按照事物的内部联系或人们认识事物的规律来说明。常见的逻辑顺序主要有：从主到次，从整体到局部，由概括到具体，由原因到结果，由现象到本质等。

4. 说明文语言

说明文的语言是说明文教学的本质要点。说明文语言在本质上应当是科学语言，应平实、准确、通俗。当然，为激发读者兴趣，说明文语言也需有生动性。比如，《中国石拱桥》中有句话："大拱的两肩上，各有两个小拱。"这里的"两肩上"便是将准确与生动和谐统一的范例。

（二）说明文教学的要求

（1）说明文教学切忌游离于文本之外讨论科学知识和文化内涵，须将文化知识的扩展与语言能力的提高联系起来。

（2）说明文教学切忌将说明文教学的四个方面割裂开来，支离破碎地讲解，须引导学生把握四者的有机联系，以整体的眼光组织教学；当然，在不同的课文中，这四个方面也并非都要面面俱到，应根据学情有所取舍、有所深入，灵活处理。②

四、文言文教学要点

知识点4：文言文教学要点

文言文是中国传统文化的载体，是以先秦汉语为基础形成的一种古代汉语书面语写成的文章。在文言文中，文言、文章、文学和文化，一体四面，相辅相成。③

---

① 徐林祥.中学语文课程标准与教材研究[M].北京：高等教育出版社，2016：175.
② 王荣生.实用文教学教什么[M].上海：华东师范大学出版社，2014：60-63.
③ 王荣生.阅读教学设计的要诀：王荣生给语文教师的建议[M].北京：中国轻工业出版社，2014：237.

（一）文言文教学的特点

1. 文言

文言文的特点首先体现在"文言"。文言是以先秦汉语为基础形成的一种古代汉语书面语。学习文言文的前提是学习文言，了解文言的一套词汇、语法系统。

2. 文章

文章是指一篇文言文的功能。中学语文教材中的文言文选篇大多都有明确的功能，比如，《出师表》《报任安书》等，在古代，"表"和"书"作为两种文体都有其具体的实用功能；再如，《劝学》《师说》等为"载道"之文，《兰亭集序》《项脊轩志》则为言志之篇。

3. 文学

文学是指文言文的艺术表现形式，主要表现在语言的锤炼和章法的考究上。

4. 文化

文化是指文言文中处处渗透的文化层面的知识、意蕴、精神等，不论是文言本身，还是文言所体现的传统思维方式和表达方式，抑或文言文所传达的古人的情结、理想、情意等，都是中华传统文化的精髓。

（二）文言文教学的要求

(1) 文言文教学应依据文言文的不同体式和具体学情，对"四面"有所整合，有所取舍。"言"是读懂文言文的基础，不可或缺，但并非文言文学习的终点；文言文阅读的要点集中体现在"章法考究处、炼字炼句处"的"所言志、所载道"；文言文阅读教学的着力点在于引导和帮助学生通过"章法考究处、炼字炼句处"具体把握作者的"所言志、所载道"。

(2) 文言文教学切忌从头到尾的串讲，应坚持少讲多问原则①；更不要将其演变为古代汉语教学，把完整统一的文章肢解为一个个细碎的古汉语知识，须明确，文言知识的引入应有度，适当的引入有利于学生理解课文，并获得举一反三的迁移能力。

(3) 文言文教学切忌逐字逐句的全文翻译，适度的翻译更利于学生文言语感的培养；文言文教学应强化诵读，诵读意在玩味，意在"因声求气"。

五、古诗词教学要点

知识点5：古诗词教学要点

中国古诗词所创造的独特的言语表达手法，所渗透的极具民族特色的生命体验和文化精神，以及对其他古典文学样式的深远影响，都使之当之无愧地成为中国古代文学的艺术之冠。

（一）古诗词教学的着眼点

1. 古诗词的情感抒发

古诗词的主要特点体现在语词凝练、结构跳跃、极富节奏和韵律。中国是一个抒情诗的国度，叙事诗不是主流，中学语文教材中所选诗词也多为抒情诗词。因此，"强烈的

---

① 徐林祥.中学语文课程标准与教材研究[M].北京：高等教育出版社，2016：195-196.

抒情性"也应算是语文教学语境下的古诗词的一大特点。

2. 古诗词的语言形式

古诗词的主要特点既涉及内容也涉及形式,因此,古诗词教学绝不能只重诗词内容,不重诗词形式。有专家指出:"各种文学体裁都离不开语言。但小说、戏曲还有故事和人物,诗歌(抒情诗)连故事、人物也没有,它唯一给予读者的就是语言。一首五绝给了读者什么?不就是四五二十个字所组成的几句话吗?不管怎样分析,都必须从这二十个字入手。所以诗歌的艺术分析第一步就是语言分析。"[①]因此,发掘"这一篇"语言形式的特色,是语文教师改进和突破传统教学模式的根本途径。

3. 古诗词的体式特征

每一首流传千古的古诗词一定有其自身的体式特征,有无法被他者取代的"优越之处"。比如,马致远的《天净沙·秋思》被誉为"秋思之祖",原因何在?是诗人情感吗?凡"秋思"之作,情感皆落在"秋思"而已;是独创的意象吗?所谓"枯藤""老树""昏鸦""小桥""流水""人家"……皆为平常意象,并非马致远独创。那么,作者是如何做到以平常之景、抒平常之情的同时,又能让人过目不忘、拍案叫绝呢?这就是语言的巧妙之处。这首小令以多个意象并置,中间并无连接词,其最大特色不是意象的选用,而是意象的组合。这些组合看似随意堆叠,内在却"整齐中有变化,变化中有统一",这首小令流动的意脉情韵即是通过意象组合生成的。

再如《声声慢》,李清照经历国破、家亡、夫逝后的彻骨愁情在该词中是通过声音、意象和特殊语词传达出来的,尤其是声音。李清照乃宋代词人中最讲究音律者,这一点在《声声慢》中有集中体现:首先,词首七组叠字被称为"千古绝唱",为此篇最大特色,这些叠字多为闭口音,这种音发音低沉,多用来表达细腻、悠长、低沉的情绪;另外,《声声慢》"历来作者多用平韵格",李清照却改用仄韵,而且是入声韵,只为以声传情,因为古入声字短促、低沉,适合表达孤寂、抑郁、痛苦、悲壮、激愤等情感,能产生顿歇哽咽的效果。立足《声声慢》这一特点,教学中教师可引领学生反复吟诵,因声求气,体会声律对于古诗词情感表达的强大作用。

(二) 古诗词教学的要求

古诗词教学应避免"执其两端":即教学内容的僵化和随意化。"体会诗人情感,了解诗人创作风格"不应成为包打天下的古诗词教学内容和模式;"分析诗词艺术特色和表现手法"也不应总是以"欣赏喜欢的诗句"这种固定化的"面目"出现。当然,诗词的解读有其基本限度,诗词教学内容和形式也有基本限度,偏离诗词自身特质的教学不是创新,只是对诗词的误读,只有依体式、学情定教,才是正道。

> 练习题

1. (单项选择题)小说教学最终的落点是( )。
   A. 小说主题 B. 人物形象 C. 小说情节

---

① 袁行霈.中国诗歌艺术研究[M].北京:北京大学出版社,1987:2.

D. 小说环境　　　　　E. 解读方式　　　　　F. 写作手法
2. （简答题）请简述文言文的"一体四面"。
3. （论述题）分析当下散文（或古诗词）教学存在的问题，提出具体的改进意见。

第五节　中学阅读教学基本技能

教师掌握一定的阅读教学技能对于提高学生的阅读能力有着重要的作用。随着课程标准的修订与推行，中学语文阅读教学日益呈现出单篇（单篇课文）阅读教学、群文阅读教学和整本书阅读教学三者并立相容的趋势。不同阅读教学类型的教学定位及思路不同，这决定了教师在开展不同类型的阅读教学时所采用的教学技能往往具有针对性与差异性。

一、单篇阅读教学基本技能

知识点1：单篇阅读教学基本技能

由于"文选型"教材的长期使用，单篇阅读教学一直是中学阅读教学的基本形式。单篇阅读教学是指教师引导学生对一篇篇教材"选文"进行精读，一般两三个课时完成一个单篇课文的教学。从单篇课文"有什么""教什么"和"怎么教"三个阶段看，教师做好单篇阅读教学，需要具备以下三个方面技能。

（一）文本解读的技能

针对具体的文本采用合适的文本解读方法，能够更好地保障阅读教学的有效性。文本解读一般解决单篇"有什么"的问题。确定文本"有什么"，教师需要有"这一篇"和"这一体"的意识。虽然从"诗无达诂""文无定解"的道理来说，文本是可以被多元解读的，但这并不意味着教师可以随意解读文本。断章取义、过度解读和缺乏根据的个性化解读，都是不可取的。教师面对文本，需要追问："这一篇"文本最典型的特征是什么？比如，从借景抒情、情景交融、诗画合一等角度解读《天净沙·秋思》，都没太大问题，但这些角度几乎可以套用解读任何一篇写景抒情诗，却不是《天净沙·秋思》最典型的艺术特色，显然"这一篇"最典型的艺术特色是通篇名词性意象并置抒情。"这一体"的"体"是指文体，是指教师在文本解读的时候要有文体意识，要"辨体"，不同的文体预设不同的读法和教法。比如，《天净沙·秋思》属元曲中的小令，元曲又归属于中国抒情文学这个大的类别。教学中，应从抒情散曲这一文体来定义《天净沙·秋思》，教学的重点应落在语言的滋味、情感的韵味的品读上；企图通过一篇抒情散曲讲透某个人生道理，显然是不考虑文体特质的教学。

在文本解读过程中，以细读法和知人论世法最为常用。细读法兴盛于英美新批评流派的倡导，是指将文本看成一个独立封闭的、自成一体的艺术构造，聚焦文本的语言形式，对文本用字用句、画面声音、结构章法等层面做细致的感受、鉴赏。知人论世法又可叫社会历史批评，是指结合作者的生平经历、时代背景、社会文化等对文章进行还原、理解。当然，文本解读无定法，各种有利于发现文本妙处的方法都可以取用，如精神分析学、解构主义、叙事学、女性主义、新历史主义等西方文艺理论流派所倡导的批评方法，都可以在文本解读过程中综合运用。然而回归到语文教育中，教师在进行文本解读时偶有出现"为阅读而阅读"的取向，比如在某篇文章中作者写到公园里开着的菊花，教师将其解释为作者想表达充满生命力的不屈精神、高雅纯洁等，却不曾想作者在秋日的公园里正好看见的就是菊花，是美景，却不必须是深意。因此，各种解读方法运用到教学中时，都必须基于学情、回到语言、回到文本的根本层面来提供解释。尤其是对于经典文章的语言，教师应当在纵横网络中理解其不可替代性，在差异对照中体会其精深微妙处，在比较关联中把握其象征义、语境义、含混义的多重演奏，进而触探其文学魅力、文化内涵。

（二）目标确定的技能

目标确定往往解决单篇"教什么"的问题，在理解与内化"为何教"的基础上，教师还应具有"这一课"的观念和学情意识。充分的文本解读完成后，教师需要思考：单篇课文最值得学生获取吸收的内容是什么？一篇课文往往蕴含多个教学内容，但并不是每一个教学内容都需要在课堂中去讲透。课时的限制也不允许教师面面俱到地去教课文。教师需要在课程目标的指导下，充分考虑学生学情、教材编者意图，结合自己的教学优势，对文本解读的成果进行筛选、整合，以确定适宜的核心教学内容，引导学生领悟文本的语言、形象、情感与主题。核心教学内容实际上就是具体教学中的教学目标。

在具体的教学设计中，要区分学科教育总目标、语文核心素养目标与具体教学目标的差别，前两者是方向性的、综合性的课程目标，不适宜直接作为具体教学目标。教学目标是要在单位时间内予以实现的课堂教学目标，内容上具有针对性、具体性，容量小且操作性强。因此，提升学生的思维能力、提高学生的文学鉴赏能力、培养学生的爱国情怀之类的目标，只能是课程目标，而不宜作为单篇阅读教学的教学目标；而涉及学习行为动词的"理解""识记""分析"等，以及具体文本相关的概念性知识、程序性知识甚至元认知知识的目标设定，则是真正有效、可操作的教学目标。

（三）教学实施的技能

教学实施主要解决"怎么教"的问题。诚然，教学是一种遗憾的艺术，任何一堂课都不可能穷尽课文的妙处，任何一堂课在开展过程中总难免突发情况或课与文之间的错位，但一堂好课中的教学活动一定是立体的、具有互动生成空间的，而非平面铺排的。教师应该确定主线，以线带面，纲举目张，应该聚焦重点和难点，以点带面，层层深入。从"一课一得"的角度讲好讲透预设的教学目标，应该成为单篇阅读教学的追求。

在教学实施的过程中，教师需要注意以下几个问题：第一，教学的内容要匹配教学目标，教学环节的展开要紧扣教学目标；第二，教学方法的使用要服务于教学目标的实现，并根据学生的课堂反应、学习进度灵活调整；第三，教学环节的联结要有逻辑，要在统整中呈现层进性，一步一步导向教学目标的实现；第四，尽量设计课堂的主问题贯串教学，引导学生有针对性、全局性地关联思考，避免简单问、碎碎问、重复问；第五，拓展环节应紧扣教学内容，把控发散的程度与范围，避免跑偏到文本之外或教学内容之外；第六，适当搭建支架、提供相关学习资源，帮助学生理解教学难点；第七，作业布置与教学测评应回归课标与学业质量要求，紧扣教学内容，关照学生学情，适当分层，避免随意性。

二、群文阅读教学基本技能

知识点 2：群文阅读教学基本技能

作为一种阅读教学的新形式，群文阅读日益受到学界重视。什么是群文阅读？有学者认为"群文阅读就是在较短时间内，针对一个议题，进行多文本的阅读教学"①。与单篇课文阅读不同，群文阅读以一组（多篇）相关联的文本为阅读对象，聚焦一定的议题，按照一定原则或序列对多文本进行重组整合，展开以学生为主体的课堂阅读教学活动。由于课堂阅读量相对比较大，群文阅读重在培养学生的默读、浏览、略读、速读、跳读等阅读能力，重在培养学生提取和筛选信息、比较、整合、判断、分析、推论等思维能力，重在培养学生在复杂阅读情境中发现、质疑、理解并解决问题的学习能力。教师要做好群文阅读教学，需要具备以下四个方面的技能。

（一）确定议题的技能

群文阅读中的多个文本不是随意拼凑组合，而是以一定的议题为中心进行联结的。议题应当具有讨论性、包容性、延展性与可创造空间，可以是人文主题，也可以是文体、作者、题材、写法、写作风格、阅读策略，等等。比如，教师可以把同一组写童趣的文章放在一起，把同一组写秋愁的诗歌放在一起，把同一组写母爱的散文放在一起，引导学生思考同一主题所引发的不同人生态度，从而更为立体地看待某一人文概念，达到开拓思维、开放视野的目的。又如，教师可以把鲁迅《朝花夕拾》中的一组文章放在一起，引导学生从局部到整体地感知鲁迅回忆性散文的写作风格。再如，从以读促写的角度看，教师可以把一组"龟兔赛跑"题材的文章有机整合，在对比差异、提炼共性的过程中引导学生思考如何面对胜败或者如何改编故事；把一组具有典型意义的安徒生童话整合，引导学生了解安徒生文字背后的人文情怀或总结安徒生童话的叙事结构与艺术特色；教师可以把柳永、苏轼、李清照写"酒醒"的一组宋词关联起来教学，引导学生对比体会三位词人面对人生失意的不同态度；把某个有争议性的话题作为议题，引导学生分析、辨别不同文章的观点主张，在独立思考、讨论交流、碰撞与融合中作出自己的判断；教师还可以把运用了同样写作手法（如白描、首尾呼应、循环结构等）的文章陈列组合，引导学生对比辨析各种艺术手法使用的奥秘。总之，组织群文的议题非常丰富和多元。

但在单次群文阅读教学中，议题需要聚焦，不宜多个议题同时进行，以免耗散有效教学的时间，影响学生的知识吸收与消化。议题的确定应溯源文本的关键特色、教学目标的重点或疑难处，同样值得关注的是，议题的形成需要充分关照学生的年龄特点、认知规律与思维发展特征，适当设计适配于学生、贴合于议题的学习主题，创设真实的学习情境，引导学生在主题情境中开展群文阅读，感受文本精华，表达独特阅读体验，提升阅读素养，促进精神成长。

（二）组织文章的技能

一般来说，议题的确定和文章的选择是同时进行的，但往往围绕同一议题的可供选择的文章非常多，教师就需要作出取舍与筛定。文本的教学组织思路与方法可以是一篇

---

① 蒋军晶.让学生学会阅读：群文阅读这样做[M].北京：中国人民大学出版社，2016：4.

精读带多篇略读、泛读,可以是课内多篇文章之间的重组关联,也可以是围绕教材之外的特定议题、实用性话题或热点议题整合多篇文章。需要强调的是,无论课内、课外文本之间的关系如何处理,教师都需要注意考量以下几点:一是所选文章要比较鲜明地体现议题;二是同一议题下,尽量选择多种文类、多种行文特色、多种叙事风格的作品,选文尽量保持原貌;三是多个文本之间要同中有异、异中有同,能够为比较阅读提供线索;四是所选文章尽量贴近学生的生活经验,符合学生的认知规律,如此才更有利于将文本阅读与自主探究相结合,从而拓宽学生的思考范围、表达与交流的空间;五是关注群文文本的容量,不宜过大以免造成阅读负荷,也不宜过小而无法发挥比读、联读的价值。群文的选择,不仅要有利于教学目标的达成,更要保证学生能够聚精会神地阅读和思考。

(三)设计问题的技能

群文阅读教学以学生真实有效的阅读、积极深度的思考为依托,重在发展学生知识重组与整合、方法迁移与运用、评价反馈与自省等综合能力,对于学生阅读能力及素养的提升有着不可取代的作用。教师在组织群文阅读教学时,设计有含金量的问题至关重要。首先,教师设计的问题要有张力。教师要尽量避免提纯粹知识性的问题或封闭性的是非判断问题,而是提让学生有话说,但要想一想才能说得出的观点性、理解性问题。这些问题一般较为开放,没有硬性的标准答案,需要学生依据自己的阅读体验,经过综合性思考以后才能得出。其次,设计的问题针对所有文本。群文教学不等同于单篇课文教学的叠加,多个文本之间应当形成一个有机整体,教师要尽量避免仅针对某一个文本提问。比如,针对各个文本的异同点提问,引导学生同中辨异,异中炼同,发现规律。最后,提前设计问题单,以任务驱动的方式引导学生带着问题进行深度阅读、独立思考并探究讨论。问题单上的问题,可以是提取关键信息,可以是梳理主要情节,可以是分析形象,可以是总结写法,可以是辨析观点,可以是延伸写作……总之,需要聚焦于议题,扎根于教学目标,关照到学生学情。问题单设计的目的是搭建学习支架,在问题情境或具体任务情境中整合听说读写,驱动学生综合运用多种阅读方法开展阅读体验,实现有抓手的阅读与有意义的问题解决。

(四)实施教学的技能

群文阅读教学的主体是学生,其课堂形态应是学生投入地阅读、认真地思考、积极地讨论。第一,教师要保证学生的阅读时长。面对真实的、有一定篇幅的阅读材料,学生要在有限时间内完成阅读,形成思考,需要安静的阅读环境、较充裕的阅读时间与思考空间。若课堂教学时间较为紧凑,教师亦可以适当将部分阅读与思考任务放置在课前预习以驱动学生的自主探究与学习。第二,教师讲授要让位给学生讨论。教师起示范和引导作用,是课堂活动的组织者。教师示范阅读方法,比如抓取关键词思考问题的方法、略读的方法、做旁批的方法、文本解读的方法、提取关键信息的方法。至于方法的迁移与运用应交由学生来执行,教师组织其在有计划、有目的提供的阅读资源或路径中具体、深入、足量地阅读,从而获得真实的阅读体验、领会实用的阅读方法,在充分深入的讨论中掌握规律、养成习惯、提升素养。

教师作为课堂活动的组织者和引导者,重在激发学生阅读、表达与交流的兴趣;通过制定课堂讨论、驱动性活动的方式,组织学生在有层次、有意义的真实任务中逐步深入阅读；在师生对话、生生互评的过程中适时引导、点评、总结，让学生真正投入到文本网络当中，成为主动的阅读者、积极的分享者与有创意的表达者。

三、整本书阅读教学基本技能

知识点3：整本书阅读教学基本技能

为改变单篇阅读碎片化的阅读现状，应对日益丰富复杂的社会发展对阅读提出的新要求，建构中学生阅读整本书的经验与基本阅读素养，《普通高中语文课程标准》（2017年版2020年修订）专门把"整本书阅读与研讨"作为18个学习任务群之首，明确列为语文课程内容，且贯串高中三年。此外，《义务教育语文课程标准》（2022年版）更是在整合语文课程体系时针对第四学段（七年级至九年级）学生专设"整本书阅读"拓展型学习任务群，旨在激发学生的阅读兴趣与积累整本书阅读经验，实现整本书阅读的习惯养成、认知能力提升与精神世界的充实。课程标准对整本书阅读教学渐进的重视标志着整本书阅读成为语文课程的"正规军"，已经走上了课程化的道路。

整本书阅读教学，顾名思义，是指在相对集中的时间单位内，以完整的一本书为阅读对象，以培养学生良好的阅读习惯、高层次阅读能力为目标，统筹课内外、个人与集体，兼顾教师指导和学生自主阅读的综合性语文实践活动。与单篇阅读教学不同，整本书阅读强调"整"，教学内容更加关注面向学生自主阅读的兴趣导入、整体梳理、整合研究、综合学习等，提炼局部精华的精读活动也旨在增加整体阅读的深度，用局部学习习得可迁移的方法，由局部体会整体的艺术。在中学语文教育体系中，整本书阅读往往与名著阅读、经典研读有重叠之处，但其以更具综合性、探究性与开放性的课程形态呈现，对学生感受读书的愉悦、发掘整本书中的思想价值、文化艺术价值有更直接、更显著的作用。作为一种新的阅读教学课型，到底怎样做才有好的效果？教师在阅读活动组织和阅读成果评价方面需具备一定的专业技能。

（一）阅读活动组织的技能

《普通高中语文课程标准》（2017年版2020年修订）指出："阅读整本书，应以学生利用课内外时间自主阅读、撰写笔记、交流讨论为主，不以教师的讲解代替或限制学生的阅读与思考。教师的主要任务是提出专题学习目标，组织学习活动，引导学生深入思考、讨论与交流。"有效的阅读活动的组织是整本书阅读效果达成的重要保证。整本书阅读不同于学生自己的随意翻阅或者毫无目的的读书，它需要教师的系统规划和示范引导。一般来说，整本书阅读采用"课前指导—课内外阅读—课内分享与交流"的方式进行。教师课前指导包括向学生明确阅读篇目、示范阅读方法、布置阅读任务等。由于整本书含量大、难度高，教师需要鼓励学生利用课外时间自主阅读和思考。教师可组织学生制订计划，坚持每日阅读、每周复盘、每月分享等。课内分享与交流主要是教师用于对学生阅读效果的检测、反馈、评价，以便进行阅读策略和进度的调整，并以学生分享阅读经验为主，可采取成果汇报、议题讨论等方式进行。

好的阅读组织形式可以帮助学生实现整本书阅读效果的增益，《义务教育语文课程标准（2022年版）》中明确指出整本书阅读教学应以自主阅读活动为主，有层次、有计划地组织多样的语言实践活动，如师生共读、朗诵会、故事会、戏剧节等。在读书会、工作坊、课题研究等活动形式中，师生、生生之间的交流更自由、互动更充分，有利于学生在碰撞融合中形成多样观点、个性感悟,有利于学生发展高度概括、深度思考、自主探究的学习能力。读书会是指相近认知水平的学生共读一本书,并以相对集中的话题进行讨论交流,以促成学生的个性化阅读、批判性阅读。读书会的优势在于讨论主题相对聚焦,学生能够将阅读中的真实体验、真切收获整合内化并外化于众,更容易在互相倾听、碰撞、回应、协同中生成新的认知,促进学生思维能力的提升。工作坊是指学生在真实任务情境下的团队协作与经验分享,经由集体讨论,形成共同认识的一种学习形式。其优势在于通过丰富的研讨活动,实现学习的深度交流和意义建构。课题研究是以"研读"为关键环节,一般以"基于问题—阅读反思—呈现成果"为程序,指向深度阅读和问题解决,其优势在于学生在教师的指导与合作学习之下,能够发掘独立阅读中难以发现的趣味、值得探究的问题与值得深思延展的内蕴,从而丰富自身的阅读发现和阅读体验,促进精神成长和素养提升。

不管用何种阅读组织形式,整本书阅读教学应处理好教师指导和学生自主阅读之间的关系。教师指导需要在学生独立、自主阅读的基础上进行,是学生自主阅读的关键推手、帮手,但不能代替学生的自主阅读、体会和思考。在指导与组织之外,教师可以为学生提供拓展阅读、背景补充或品评鉴赏的相关参考资料、资源网站、音频视频作品等学习资源,发挥学习资源的激发兴趣、丰富体验、开阔视野的作用。

(二)阅读成果评价的技能

整本书阅读成果的评价可以分为过程性评价和成果性评价。

过程性评价重在考查学生阅读的真实过程表现,以保护学生的阅读兴趣、激发学生的元认知为重点,关注学生的学习过程与学习进步。整本书的理想阅读状态,应是学生不被打扰、兴致盎然、积极主动阅读的状态。教师布置的阅读任务不宜过重、过细,更不应在课中事无巨细地讲授知识性的内容或将观点结论全盘托出,而应该注意调动学生的阅读兴趣,尊重并鼓励其共享阅读体验与阅读心得。教师应该立足于整本书设计一些驱动问题,也就是学生感兴趣并乐于投入思考的问题,学生自由地阅读、思考后,带着阅读收获与教师、同学分享。教师应以资深读者的身份,"以自己的阅读经验,平等地参与交流讨论,解答学生的疑惑","应善于发现学生阅读整本书的成功经验,及时组织交流与分享。应善于发现、保护和支持学生阅读中的独到见解"。教师通过分享自己的阅读视角、策略和心得,将指导隐含在共读与分享的交流研讨活动中。

成果性评价重在考查学生的阅读收获。如可以考查学生是否读懂了整本书,是否读懂了作家,是否读出了自己,除了考查学生整本书"写了什么",更需要考查学生整本书"怎么写",组织学生整合、复盘与内化在感性认知与理性思考领域的所得所获。学生完成整本书阅读后,教师可以组织成果分享会让学生展示自己的阅读成果。学生进行成果分享时,可以用问题研讨的方式,与同学交流自己的所思所得;可以用小论文的形式,呈现自己的思考与探究;可以用改写、续写、改编等多种形式展现自己的创意与写作才能;此外,阅读过程中所产生的文字图表、思维导图等学习成果的展示与共享也能够展现自己的思维历程与心路轨迹。当然,成果产品最好是可视、可公开、可开放评价的真实产品,如此才能够让成果任务贯串学生的阅读全程,充分发挥读前兴趣驱动,读中串联进阶,读后整合迭代的作用。例如,上海市特级教师余党绪提出以"思辨读写"为指向的整本书阅读方式,将学术性写作作为一种重要的成果性评价方式。总之,成果分享的形式要尽量多元、丰富,评价主体可以多方互动、多维整合。教师在整本书阅读开始前的导入课中最好能够标准先行,呈现出评价量表,让学生在学习前把握尺度、内化标准;在阅读过程中观察小组研讨与交流情况,引导学生进行元认知阅读,利用评价工具调节自身的阅读状况;在学生成果分享之后需要有适当的回应、点评和总结,在师生、生生评价中引导学生学会评价、学会反思。

四、技能之间的关联、互通与整合

不同的阅读文本、教学取向与教学侧重等课程因素,影响着教师在阅读教学中应侧重采取哪些教学技能,运用何种方法进行文本处理与环节设计。更不可忽略的是,阅读过程中往往潜藏着复杂多层次的思维活动;不同学习阶段、不同阅读经验与成长经历的学生个体面对同样的阅读材料时的思维路径、理解程度与心理体验都可能有所不同。因此,在这一复杂学习过程中,以上提及各种课型所对应的各类教学技能并非只适用于特定课型或仅仅独立地发挥作用,而是在各自具有相对独立特征的基础上有交叉、有关联,能够在各类阅读教学中相辅相成、相互补足。要使得教学技能在阅读教学中发挥最佳效果,必然需要考量学生(学情)、教材(文本)、教师(特长)等多种要素。

练习题

1. (简答题)请简述群文阅读教学的基本技能。
2. (论述题)请分析在整本书阅读中,教师指导与学生自主阅读之间的关系。

☞ 本章小结

根据语文课程的教育教学目标,中学语文阅读教学的直接目的在于培养学生的阅读素养,包括感知认读能力、理解能力、鉴赏评价能力等。对应阅读能力,常规的阅读教学过程通常由感知认读—理解—鉴赏评价—应用和创新四个阶段组成,而培养学生的阅读兴趣、传授阅读知识、传习阅读方法、形成多种阅读思维、使学生养成阅读习惯、发展阅读素养构成了阅读教学的基本内容。

在对阅读理解能力进行评价时,大多从字面的理解、解释性理解、评价性理解、创造性理解四个层次展开,初中语文课程标准对阅读能力提出了要求,高中语文课程标准对阅读能力的评价指标分为 5 个水平,并且对于必修课程、选择性必修和选修课程的阅读作出了不同的学习要求。

常规的阅读方法有朗读、默读、精读、略读和速读等。常用的阅读教学方法有讲授法、提问法、讨论法和练习法。在选择阅读教学方法的时候应考虑到课文文体的特点,不同的文体,因其表达方式、语言风格等的不同,决定了其阅读方式、方法的不同,教师必须树立清晰的文体意识,选择科学合理的教学内容和教学方法。

随着新的课程标准的实施,中学语文阅读教学日益呈现出单篇(单篇课文)阅读教学、群文阅读教学和整本书阅读教学三者并立相容的趋势。不同的教学类型决定了教师所采用的教学技能会有所侧重和差别,其中,单篇阅读教学侧重于文本解读、目标确定、教学实施的技能;群文阅读教学侧重于确定议题、组织文章、设计问题、实施教学的技能;

整本书阅读教学侧重于阅读活动组织、阅读成果评价的技能。

本章知识结构

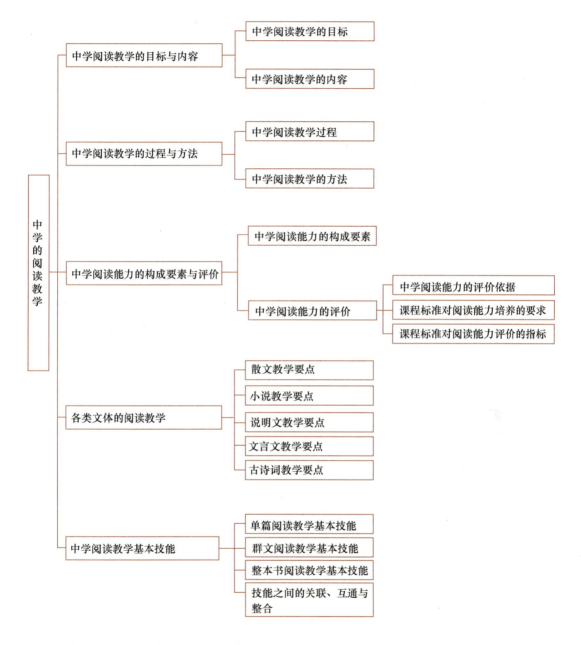

本章参考文献

[1] 陈建伟.中学语文课程与教学论[M].2 版.广州：暨南大学出版社,2008.
[2] 钱加清.语文课程与教学论[M].济南：山东人民出版社,2008.
[3] 王荣生.阅读教学教什么[M].上海：华东师范大学出版社,2016.

[4] 王玉辉,王雅萍.语文课程与教学论[M].北京:北京师范大学出版社,2012.

[5] 吴欣歆.培养真正的阅读者:整本书阅读之理论基础[M].上海:上海教育出版社,2019.

[6] 中华人民共和国教育部.普通高中语文课程标准(2017年版2020年修订)[S].北京:人民教育出版社,2020.

[7] 中华人民共和国教育部.义务教育语文课程标准(2022年版)[S].北京:北京师范大学出版社,2022.

[8] 周立群,庞车养.与新课程同行:语文新课程教学论[M].广州:华南理工大学出版社,2005.

[9] 朱绍禹.语文课程与教学论[M].长春:东北师范大学出版社,2005.

第七章

中学的写作教学

☞ 学习目标

识记：中学写作教学的目标与内容；中学写作能力的构成要素。

理解：中学写作教学的类型和方式；中学写作能力的评价依据；课程标准对学生写作能力的要求及评价指标；中学生作文思维范式训练；写作教学过程化的理念及实施。

运用：教师在了解中学写作教学的目标、课型、评价指标、训练序列等内容的基础上，结合课程标准对中学生写作能力的要求，落实中学写作教学目标，采用科学合适的路径帮助学生提高写作能力。

☞ 学习重点

◎ 明确中学写作教学的目标和内容，聚焦课程标准对学生写作能力的要求和评价指标，以此为依据调整写作教学。

◎ 了解中学写作教学的类型和方式，学会根据实际情况选择恰当的写作教学类型。

◎ 把握中学生作文科学训练系列，掌握各种类型的作文思维范式训练。

◎ 熟悉写作教学的过程，能够根据当前的写作教学现状，更新写作教学理念，并能借鉴国内外优秀写作教学案例。

☞ 学习导引

写作教学是国家教师资格考试考查的重点之一，要求考生具备较强的书面表达能力，熟悉写作教学的过程，能够指导中学生分析写作目的、内容及要求，掌握写作教学的一般思路和方法，并能根据教学需要选择使用，能帮助中学生自主、有个性、有创意地表达。考生在掌握写作教学相关知识的同时，还应学以致用，将理论运用到写作教学实践中去。

【引子】

写作教学是中学语文教学的重头戏。但长期以来，我们的写作教学的模式是以模仿与习得为主，写作教学走入了一种僵化的训练模式——忽略了平时的观察、积累、思考，不是鼓励学生发散思维，用富有个性的语言表达自己的思想，而是让学生按照一定的模式去套改作文。学生的写作水平不高，深层次的原因是学生缺少批判性思维，不清楚自己作文存在的问题。那么，教师应该如何有效地围绕学生存在的问题进行写作教学设计，让学生获得解决问题的技能，从而完成写作训练目标，提高学生的写作水平呢？学习完本章内容，相信你会找到答案。

第一节 中学写作教学的目标与内容

写作教学也叫作文教学,是指教师引导和培养学生为适应实际需要而运用语言文字进行表达和交流的综合性实践活动。

一、中学写作教学的目标

知识点1:中学写作教学的目标

由于写作是一种综合性的言语活动,因而写作教学的目标是多元的,但大致来说,包括两个方面:一是培养学生的写作能力,二是促进学生健康人格的形成。

(一)培养学生的写作能力

写作教学的直接目标是培养学生的写作能力。学生的写作能力是一种综合能力,包括写作的专门能力和写作的基本能力。

1. 写作的专门能力

写作是语言和思维交互作用的复杂的心智活动,它需要学生识字、写字、用词、造句、谋篇布局。因此,在写作教学中,教师要培养的学生的专门能力有以下五种:① 审题能力,即根据要求,弄清题意,打开思路,并且防止离题偏题的能力。② 立意选材能力,即确定中心(或主题)、选择材料、组织材料的能力。在当前信息时代,这种能力表现为迅速锁定信息、获取信息、分析信息、加工信息的能力。③ 谋篇布局能力,即在确定了中心(或主题)之后,解决材料安排的条理、次序、详略等问题的能力。④ 语言表达能力,即使用书面语言准确、鲜明、生动地表达思想的能力。⑤ 修改文章能力,即对写就的文章进行修改润色的能力。

2. 写作的基本能力

写作教学中教师要培养的学生的基本能力主要有:① 观察社会生活、抓住事物特征、积累写作素材的观察力;② 运用分析、归纳等思维方法进行审题、立意,确立文章的题材和体裁,明确写作中心,进而选材、组材的思考力;③ 在已有表象的基础上,创造出新形象来丰富材料、拓展思路的想象力;④ 由眼前感知事物而想起相关的其他事物,进而使文章的立意变得新颖的联想力。

心理学告诉我们,智力是由观察力、思维力、想象力、联想力等构成的整体。据此,我们可以说,写作可以促进学生智力的开发。这是因为在写作前,学生需要深入生活、观察事物、认识事物,需要调查研究,需要博览群书、积累写作素材;在写作中,学生要将思想感情、知识经验以文字的形式有条理地表达出来,成为书面语言文字,这是思考过程。在写作过程中,学生的观察力、思维力、想象力、联想力等各种智力因素都可以得到训练,从而得到和谐、全面的发展。因此,写作也是一种智力开发活动。

总的来说,在写作教学中,教师可以把文字、词汇、语法、修辞和各种语言表达方式,以及观察力、思维力、想象力、联想力等智力因素熔于一炉,进行多种因素的综合训练,从而达到培养学生写作能力的目的。这对于学生正确运用祖国的语言文字,特别是书面语言,具有重要意义。

(二)促进学生健康人格的形成

人格是指一个人具有一定倾向性的心理特征的总和,主要包括动机、兴趣、理想、信念以及行为方式等。"健康人格"在21世纪的含义是指具有"关心自己的健康,关心自己的家庭、朋友和同行,关心他人,关心社会和国家的经济和生态利益,关心其他物种,关心地球的生活条件,关心真理、知识和学习"①的心理品质。今天科学技术发展了,经济发展了,人们的生活水平也越来越高了,但越来越多的人却出现人格障碍,他们不会处理自己和他人、个体和群体的关系,造成了人与人的关系不和谐的局面,表现为道德滑坡等;人与自然的关系不和谐,表现为污染严重、物种灭绝、生态不平衡等。因此,学校特别要强调加强对学生健康人格的塑造,培养社会主义事业合格的接班人。

写作教学在促进学生健康人格形成方面有独到之处,这是因为学生在写作过程中会受到思想、品德、意志、审美、情操和习惯态度的教育。作文中包含着个人对事物的认识、感受,必然反映出自己的观念信仰、思想感情和态度。"文如其人",写文章的人赤诚与否,是瞒不过任何人的眼睛的,怀着一颗卑劣的心的人是不可能写出真、善、美的好文字的。写作和做人是可以和谐地统一起来的。因此,在写作教学中,教师应教育学生说真话、实话、心里话,不说假话、空话、套话,做一个言行一致的人。

教师发现学生作文中有不正当思想观念苗头时,可以及时地引导学生往正确的方向成长,促进学生思想品格的良性发展;学生通过作文,可以认识自己、发现自己的内心,从而自我教育、成长。总之,写作教学在现代社会中具有重要意义,它在切实提高学生的语言表达能力的同时,还能促进学生德智体美劳全面发展,促进学生健康人格的形成。因此,在狠抓"素质教育"的今天,写作教学具有重要的意义。

二、中学写作教学的内容

知识点2:中学写作教学的内容

(一)写作心理的养成

如果一个学生对写作不感兴趣,甚至惧怕写作,那他自然也写不好作文。因此,良好的写作心理对写作至关重要。写作心理是指学生在写作活动中所表现出来的心理特征,主要表现有以下几个方面。

1. 善于观察、感受、记录生活

法国艺术家罗丹(Auguste Rodin)说过,美是到处存在的,对于我们的眼睛来说,不是缺少美,而是缺少发现。学生处在丰富多彩的社会生活、集体生活、家庭生活之中,教师要教会学生留心生活,坚持多观察、多思考、多记日记、多积累,去理解和感受事物。学生对事物的理解和感受越强烈,就越能引发写作欲望;对事物的理解和感受越深刻,写的内容就越生动逼真。因此,在写作教学中,教师要注意引导学生投入、体验生活,多角度地观察生活,发现生活的丰富多彩,将对事物的观察深化为内心情感上的体验,并且养成随手记写的习惯,用观察日记随笔、周记等形式将观察、体验、感受到的事物转化为有一

---

① 李丹.青少年核心价值观教育读本:仁爱卷[M].北京:北京工业大学出版社,2012:193.

定意义的材料。

2. 热爱阅读,对写作感兴趣

德国教育家第斯多惠(Friedrich Adolf Wilhelm Diesterweg)说,"课堂教学艺术不是传授艺术,课堂教学艺术是激发、启迪、活跃"[①]。因此,教师要帮助学生逐步树立自信心,培养起学生对写作的兴趣,因为兴趣是最好的老师。此外,教师还应引导学生广泛涉猎读物,比如,指导学生在阅读活动中定向摘抄和采集文字材料;教师还可以教给学生积累写作材料的方式,比如,摘抄的归类与格式,专题积累的分类。

3. 意志信念坚定不移

在一定时间里完成一篇作文是一种高难度的智力劳动。学生在写作时,必须集中注意力,让自己进入写作状态,不受外界干扰,遇到困难时能够积极主动地寻求解决的办法。在写作教学中,教师既要理解学生写作的困难,也要给学生写作以积极的指导和支持,并要培养学生的意志力。

4. 思维的开放与创新

写作是富于创造性的思维活动,学生敢于创造出自己未曾感知过的新形象,就会使文章变得思路宽广、耳目一新。因此,教师要重视写作教学中对学生的思维训练,比如,培养学生辩证地看待问题,全面地认识事物,训练学生思维的开阔性、周密性。以作文题《保险与冒险》为例,一般分析认为人们应反对抱残守缺的保险思想,提倡积极进取的冒险精神,这样说理是符合时代精神的。但是,事物都有两重性,并且在一定条件下可以相互转化。因此,学生在分析题目时也应看到保险的可贵性、冒险的危险性,可以反对走简单蛮干式的冒险歧途,提倡走尊重科学的保险之路。经过这样的辩证分析,学生深挖题目的内涵,说道理时自然就会更加透彻严密,起到振聋发聩的效果。

(二) 写作知识的学习

任何能力的形成和发展都需要知识作为基础,写作能力的培养也是如此。教师写作教学的效果如何,在很大程度上是看学生对写作知识的掌握。作文的综合性与写作过程的复杂性,决定了写作知识的广泛性。写作知识主要包括以下内容。

1. 与文体写作相关的知识

不同体式的文章有不同的功能。历代学人不断强调,文章以体制为先,先体制而后工拙,文莫先于辨体,都是在反复申说文体定位的重要性。目前中学生接触到的文体主要有记叙文、议论文和应用文三种情况,其中又以记叙文和议论文为主。[②]

统编本初中教材建构了"热爱生活,热爱写作""学会记事"等36个写作教材的专题序列,涉及新闻、小传、读后感、演讲稿、游记、故事等文体,统编本初中教材的18个学习任务群则涉及诸如读书报告、调查报告、时事评论、学术论文、语言札记、人物(风物)志、文学评论等丰富多样的写作文体,其中以"通过写人记事、写景状物来反映社会生活、表现人物品质或抒发情感"的小传、游记等属于记叙性文体,而以"阐明某种主张或观点以使他人信服"的时事评论、学术论文、文学评论等属于议论性文体。不同文体的体式特征和写作要点不同。记叙性文体强调以事动人、以情感人,而议论性文体需要以理服人;诗

[①] 第斯多惠.德国教师培养指南[M].袁一安,译.北京:人民教育出版社,2001:177.
[②] 李煜晖.说理与思辨:议论性文章写作教学价值与内容新探[J].课程·教材·教法,2021,41(6):75-81.

歌是情感的艺术,而写文学短评则强调有自己独到的见解……文各有体,忽视文章的体裁,会导致最终成文的"四不像"。教师要依"体"而教,结合教材中对不同文体写作要点的提示,引导学生了解与运用文体写作相关的知识。

2. 与表达语言相关的知识

写作是语言的艺术,作文可以分为口头作文和书面作文,作文要涉及音、字、词、句等方面的知识,因为字、词、句是构成文章的基本单位。《普通高中语文课程标准》(2017年版2020年修订)在核心素养部分的"语言建构与运用"模块明确要求学生能凭借对语言文字特点和语言运用规律的把握,根据具体的语言情境和不同的对象,运用口头和书面语言文明得体地进行表达与交流。因此,在阅读教学中,教师要根据学生作文的实际情况讲授炼字、选词、造句的知识,通过语言知识的学习和训练使学生用词准确、得体、生动,以利于表达复杂的思想感情。

3. 与表达方式相关的知识

学生写一篇文章,一般都要有明确的目的,要么是叙述事件过程,要么是描写事物状貌,要么抒发感情,要么解说性状,要么阐述观点。为了更好地表达内容,学生必须使用特定的表达方式。常见的表达方式有五种:记叙(也叫叙述)、描写、抒情、说明和议论。表达方式是文体特征的重要标志,比如:以记叙为主要表达方式的文章叫记叙文,以说明为主要表达方式的文章叫说明文,以议论为主要表达方式的文章叫议论文。《义务教育语文课程标准》(2022年版)中对七年级至九年级学生写作文体方面的要求为:"写记叙性文章,表达意图明确,内容具体充实;写简单的说明性文章,做到明白清楚;写简单的议论性文章,做到观点明确,有理有据;能根据生活需要,写常见应用文。能从文章中提取主要信息,进行缩写;能根据文章的基本内容和自己的合理想象,进行扩写;能变换文章的文体或表达方式等,进行改写。尝试诗歌、小小说的写作。"因此,教师需要教给学生记叙、描写、抒情、说明、议论等表达方式的知识和相应的文体知识。

(三)写作能力的培养

在中学写作教学中,教师要注重培养学生的写作能力。学生的写作能力主要包括:审题能力、立意选材能力、谋篇布局能力、语言表达能力和修改文章能力。学生写作能力的培养,要求教师在每次的写作指导和写作训练中落实。写作的第一步就是审题。审题即审清作文题目的含义和要求,确定作文的主题、写作对象、写作任务、选材范围、体裁以及人称等;在写作教学中,教师要注意培养学生的审题能力。在审题完成后,即要确定作文的立意,教师应指导学生学习如何立意,启发学生思考自己在作文中要说明什么问题、讲述什么道理,或者想抒发什么样的情感。立意完成后,学生要围绕作文的中心思想,精心选择材料,并对材料进行恰当的组织安排,这就需要学生具备一定的选材能力和谋篇布局能力。教师可以通过指导学生学习编写结构提纲或利用思维导图等工具,将各部分材料组织成一个整体,培养学生的选材能力和谋篇布局能力。选材和谋篇布局确定后,学生要将所选材料用语言组织形成具有内在联系的完整统一体,这要求学生具有较好的语言表达能力。教师应注重培养学生的语言表达能力。作文写好后,学生还应对作文进行进一步完善,教师一般可要求学生将作文自读几遍,自我检查是否把要表达的意思都表达出来了,句子是否通顺,是否有错别字等,还可以读给别人听,征求听者的意见,然后再进行修改,最终成文。

总之,中学生写作能力的培养非一日之功,需要教师对学生进行长期的、循序渐进的写作指导与训练。

> **练习题**

1. (多项选择题)写作的专门能力包括( )。
   A. 审题能力　　　B. 立意选材能力　　　C. 谋篇布局能力
   D. 语言表达能力　E. 修改文章能力
2. (简答题)写作教学的内容主要有哪些?
3. (论述题)现在很多学生惧怕写作文,请问如何培养学生健康的写作心理?

第二节　中学写作教学的类型与方式

写作教学的类型是指根据写作教学的价值取向归纳出来的写作教学的种类,它反映的是一类写作教学策略的共同特征。写作教学的方式是指写作教学的方法和形式。从不同的角度看,写作教学可以分为不同的类型。任意一种写作教学类型都有其特定的教学方式,也会采用通用的教学方式。

一、按注重环节分类

知识点1:结果性写作教学与过程性写作教学

按注重结果还是注重过程来划分,写作教学可以分为结果性写作教学与过程性写作教学两种类型。

1. 结果性写作教学及方式

结果性写作教学是指主要以写出合乎某种标准的文章为目标的写作教学。

结果性写作教学有两个特点。一是主要看重最终的写作结果,对这种写作结果的评价往往是以某种范本、某种预定指标为标准的,所以一般要求学生对课本上或教师提供的范文进行模仿、参考或者以转化的方式完成写作任务。二是把写作视为由学生独立思考并取得的写作成果。

结果性写作教学的主要理论基础有两类。一是行为主义理论和结构主义语言学,在这类理论的影响下,写作被看作是为了形成语言习惯而特别注重句型结构和语言形式的训练。二是文体中心论,其在教学实践上表现为:教师注重培养学生对几种特别设定的文体的特征和模式的把握能力,通过训练引导学生掌握具体文体的写作方法。比如,按文体中心论的观点,中学语文教材应这样安排:初一以记叙文为主,初二以说明文为主,初三以议论文为主;高一以复杂记叙文为主,高二以复杂说明文为主,高三以复杂议论文为主。而这些文章的写作,往往以某些范本、格式为参考。

在教学方式上,结果性写作教学往往以模仿为起点构建线性教学模式。

2. 过程性写作教学及方式

过程性写作教学是指注重发挥写作过程的教学功能，以准确地表达思想感情为教学目标的写作教学。

过程性写作教学有三个特点。一是在特定的活动过程中进行写作教学，并同时以这个学习过程为教学内容，注重发挥过程的教育教学功能。二是强调写作学习的过程是一个群体间的社会性交互行为，注重以学生为中心、以小组为单位进行生生互动、师生互动，通过反复地进行协商、互评、监督、修改等，不断使写作者的思想感情得以清晰地表达。写作学习既提高了学生的写作能力，同时也提高了学生的思维能力、认知能力、交往能力。三是注重内容先于语言，即学生在写作过程中，先注重内容的选择、思想的完善，再进行语言的修饰。

过程性写作教学将学生写作的过程进行了划分，然后在教师的指导之下渐渐地将每一部分的写作任务完成。该方法具体可以分为五个步骤完成：第一步，学生在完全理解作文题目及其基本要求的基础上，将与写作相关的所有准备工作做好；第二步，学生在开始进行写作之前先把写作提纲列出来；第三步，在完成写作初稿之后，教师开始针对学生文章内容进行审阅和点评，并让学生针对其中存在的一些问题与同学展开交流；第四步，教师和学生在充分沟通以后，学生依照教师指出来的问题以及提出的相关意见对初稿进行修正与完善；第五步，进行文章定稿。①

过程性写作教学的主要理论基础是西方认知心理学派的写作过程理论。其在教学实践上表现为：教师注重培养学生对具体问题的认识能力和通过写作表达思想、解决问题的能力，提倡学生个性化写作。其在教材安排上表现为：以与阅读内容相配合的写作专题为主要方式，根据不同学段、年级学生的学习需要，充分考虑写作学习的规律，各专题之间构成一定的序列。在教学方式上，过程性写作教学要求教师注重充分调动影响写作的内在、外在的多种影响因素，建构相对有序、螺旋上升的写作教学体系。

二、按功能分类

> 知识点2：表达能力取向的写作教学、交际能力取向的写作教学、认知能力取向的写作教学

按写作教学的功能来划分，写作教学可分为表达能力取向的写作教学、交际能力取向的写作教学和认知能力取向的写作教学三种类型。

1. 表达能力取向的写作教学及方式

表达能力取向的写作教学是以学生能够掌握各种写作方法、达到相应文章的写作要求为主要教学目标的。

目前来看，在中学写作教学中，表达能力取向的写作教学占主流，它有各种各样的教学方式，我们主要介绍以下几种：

（1）重视模仿的写作教学。比如，优秀教师常青的"写作基本训练分格教学法"②

---

① 苏长勇.合理运用过程写作法，提升高中语文写作效率[J].课程教育研究，2020(43)：76-77.
② 崔石挺.思路·技巧·法则：介绍常青的"写作基本训练分格教学法"[J].语文教学通讯，1981(7)：36-40.

就是以模仿为起点的教学,他在"加格"语段写作训练中设计了"人+动作+话""人+动作+表情+话""人+动作+心理活动+话"三种语句格式,让学生模仿范例进行语言练习。

"分格教学法"由素、量、序三个元素组成,以"格"为基本教学单位,结合相应的名篇美文范例对学生进行单格训练。①

例1:行者将身一纵,跳上云端里,手搭凉篷,睁眼观看。……行者道:"师父,有吃的了。"——吴承恩《西游记》

例2:黑的人便抢过灯笼,一把扯下纸罩,裹了馒头,塞与老栓;……嘴里哼着说,"这老东西……。"——鲁迅《药》

范例的"素、量、序"解析如下表:

格素	人	动作	话
例1	行者	纵、跳、手搭……睁眼……	"师父……"
例2	黑的人	抢……一把扯下……裹了……塞与……	"这老东西……"
格量	人1	动作4	话1
格序	人	+动作	+话

从优秀的经验来看,模仿写作的目的并不是教学生鹦鹉学舌,而是通过模仿,让学生学习优秀的写作经验,为创造性写作做准备。教师的教学过程也不是止于让学生模仿,而是要引导学生逐步走向创造。

(2)重视文章思维训练的写作教学。所有的写作教学都必须重视思维训练,这里强调的文章写作思维,指的是在写作教学中,教师要注重基于写作活动本体的思维能力训练。例如,于漪以各种文体写作为经线,以审题、立意、选材、谋篇布局、语言运用等思维能力为纬线设计训练方案,构建起读写结合,分阶段、有层次的训练序列②;著名语文教育家章熊以思维训练为主要线索,以思维训练为手段,以培养学生的思维能力为主要目标,把语言练习、形式逻辑训练、想象与联想、综合与概括的训练、写作技巧的局部练习、阅读与分析练习等六个方面整合起来,设计和实施了"语言与思维结合"的写作训练体系。③

(3)重视生活感悟的写作教学。例如,语文特级教师刘朏朏、北京师范大学教授高原设计与实施的"观察—分析—表达"三级训练体系中,初中一年级教师引导学生写观察日记、观察笔记,着重进行观察能力训练;初中二年级教师引导学生写分析笔记,着重进行分析能力训练;初中三年级教师加强文章结构训练,增强语感训练,着重提高学生的表达能力。观察是基础,分析是核心,表达是结果,教学在真实的生活中进行。④

---

① 常青. 分格作文法:小学百格训练[M]. 北京:教育科学出版社,1997:8.
② 黄淑琴,桑志军. 语文课程与教学论[M]. 广州:广东高等教育出版社,2013:207.
③ 毕养赛. 中学语文教学引论[M]. 杭州:浙江教育出版社,1988:309.
④ 刘朏朏,高原. 作文三级训练体系概要[J]. 人民教育,1990(4):28.

2. 交际能力取向的写作教学及方式

交际能力取向的写作教学是以通过文章写作解决现实生活中的具体问题为教学目标的。

与表达能力取向的写作教学相比,交际能力取向的写作教学除重视文本写作能力外,还注重通过写作活动培养学生认识问题、解决问题的能力,以及学生的社会交往能力。

交际能力取向的写作教学注重写作过程中作者与读者的互动。一是写作过程中的生生互动、师生互动;二是强调写作的交际功能、问题解决功能。例如,广东省东南教育科学研究院基础教育课程专家周子房说:"交际功能视域下的写作教学,倡导恢复学校里学生所学习的写作成为具有某种用途、达到特定目的、针对具体对象的'真实'写作。"①

交际能力取向的写作教学,帮助学生确立"读者意识"是关键。这是因为交际能力取向写作是"为达成特定交际目的,针对某个话题,面向明确或潜在的读者进行的意义建构和书面表达。其主要特点是强调写作中的读者意识、目的意识、语境意识、文体意识等。其实质就是真实写作、生活写作"②。

比较典型的交际能力取向写作教学方式是任务驱动型写作。任务驱动型写作要求学生在特定的情境中发现问题,确定问题解决的对象,在矛盾化的选择中权衡利弊,得出有价值的观点,在思辨中论证观点,提出解决问题的意见。任务驱动型写作从深层次上契合了中学语文写作教学观念。

统编本义务教育语文教科书中的一些写作专题,就特别注重突出写作的问题解决功能。例如,八年级上册的新闻采访与写作、八年级下册的撰写演讲稿与举办演讲比赛、九年级下册的戏剧演出与评议等活动,单元设计以"范本学习—生活探究—问题解决"为基本模式,引导学生在真实的生活交际过程中,认识问题,通过写作解决问题。

3. 认知能力取向的写作教学及方式

认知能力取向的写作教学是以"写作促进认知"为价值取向的,认为写作除了表情达意功能之外,还有助于思考、学习和研究。③ 20世纪80年代,美国提出"学习:通过写作"的口号,认为写作可以提高有目的的阅读的质量,提倡用写作的过程串起读书学习和研究思考过程。

与交际能力取向的写作教学相比,认知能力取向的写作教学突破了语文写作的范畴,也突破了传统写作教学本体的功能,认为写作除了具有提高写作能力的功能外,还是一种学习、研究的有效方式。认知能力取向的写作教学还发现了写作的生命教育功能,认为写作能够有效地提高学生对生活、生命的认识,呼应、引领学生的生命成长。

认知能力取向的写作教学有两种重要的教学方式。

(1) 读写结合的教学方式。认知能力取向的写作教学认为,阅读能够促进写作能力的提高,写作也能促进阅读能力的提高,二者是互相促进的。例如,语文特级教师丁有宽创建了"读写结合"教学法。丁有宽认为读和写是个互逆的过程,有理解性的吸收,才会有理解性的表达,表达能力强了,又促进了理解吸收能力的提高。他主张把读写训练有

---

① 周子房.交际功能视域下的写作教学:2011年度教育论著评析之十一[J].中学语文(教学大参考),2012(11):15.
② 李英,张中法.教材写作课程资源的情境化开发[J].中学语文教学参考,2021(20):35.
③ 魏小娜.中小学作文教学的四种类型[J].语文建设,2013(1):25-28.

机地结合在一起,把着力点放在学生的读写训练上,做到有的、有序、有点、有法。

(2)研究性写作的教学方式。20世纪末开始的新课程改革之初起,"研究性写作"已经成为一种重要的学习方式。研究性写作是基于研究性学习活动的写作,是学生在研究性学习的过程中发现问题、提出问题,在特定的情境中研究问题、解决问题的过程记录、成果记录、成长记录。在这个过程中发生的写作是多种多样的,如研究方案设计、开题报告、学习日志、学习记录、学习心得、读书报告、材料综述、研究札记、研究成果小论文、学术论文、研究报告、学习反思等。对于中学生来说,研究的过程应该成为一个写作的过程,而这个写作过程也就是研究过程。

> **练习题**

1. (多项选择题)按写作教学的功能来划分,写作教学可分为哪三种类型?(　　　)
   A. 表达能力取向的写作教学　　B. 过程性写作
   C. 认知能力取向的写作教学　　D. 结果性写作
   E. 交际能力取向的写作教学
2. (简答题)如何理解写作学习的过程具有社会性交互性质?
3. (论述题)下面是两位著名的文学家关于"模仿"写作的言论,请结合本章所学理论,谈谈你的看法。
   (1)莫言:"一个孩子在初学作文的时候,反复的有意识的描写名家,模仿的多了,第一步先会很像。有很多的中学生写的作文很像鲁迅的风格。因为鲁迅的作品在中学课文里比较多。假如他既熟悉鲁迅的风格,又熟悉沈从文的风格,慢慢地会从更多的作品当中发现融入自己的风格。"
   (2)茅盾:"练习写作的首要的原则是,不要'学舌',要说自己的话;要从生活经验中拣取对自己印象最深,激励感情最热烈而真挚的事物,用自己认为最合适的字句表达出来。"
4. (论述题)请选取一位名师的写作教学案例,思考其教学属于何种类型?如何有效进行写作教学?

第三节　中学生写作能力的构成要素与评价

写作能力是衡量中学生语文水平的重要尺度,因为写作能力是学生语文水平的综合体现,写作能力不仅综合地表现他们字、词、句、篇、逻辑、修辞等的知识水平和听说读写的能力状况,而且能全面地反映出他们的观察力、思维力、想象力、联想力等智力因素和习惯、态度、理想、信念、世界观、情感、意志等非智力因素。因而,写作能力实际上是一种综合性、全面性的能力。

一、中学生写作能力的构成要素

知识点 1:中学生写作能力的构成要素

中学生写作能力到底由哪些要素构成?国内外研究者都有不同的论述和划分标准,

总体来说包括三大方面：认知能力（如观察、注意、思维等能力）、各种知识（各类关于社会、人生、科学等方面的知识）、文本操作能力（包括字、词、句、篇、逻辑、修辞、立意、选材、谋篇布局等能力）。综合分析，写作能力的核心要素主要有以下几个方面：

1. 观察力

观察力对写作非常重要。敏锐的观察力可以使我们避免受表面现象的迷惑，真正地看到事物的本质和变化的趋势。观察事物要有明确的目的性、条理性、敏锐性、准确性，观察必须结合思维，要由表及里，思考观察到的事物的本质。

2. 思维力

思维力包括形象思维和抽象思维：形象思维主要有表象、联想、想象，抽象思维包括概念、判断、比较、推理等。思维力是写作能力的核心。在语文写作教学中，教师可以在写作训练的审题、立意、谋篇布局等多个环节把语言的训练和思维的训练相结合，提高学生的思维力，发展学生思维的深刻性、敏捷性、灵活性、批判性和独创性等思维品质，进而真正提高学生的写作能力。

3. 选材能力

选材能力也是写作能力的一个重点。选材的基本原则是：要围绕中心选材，要选择典型材料，要选择真实材料，要选择新颖的材料。写作的材料一般有两种来源：一种是源于生活经验的选材，主要是指自己亲身经历过、感受过的生活与事物；另一种是源于间接经验的选材，主要来自读书、看报、浏览网站等途径。

4. 谋篇布局能力

谋篇布局是指按照主题需要，把所选的材料进行恰当的组织安排，使之具有某种内在的联系，形成一个统一的整体的过程。谋篇布局不单纯是一个技术问题，更是如何认识和反映客观事物的思想方法的问题。

锻炼学生的谋篇布局能力时，教师要教会学生编写结构提纲，注意安排详略，注意研究开头和结尾的写法，注意研究过渡照应等。记叙类文章谋篇布局要按照一定顺序将事件的开端、过程、结果呈现出来，学生写作时要注意叙述的顺序、线索、详略以及情节的冲突等内容。议论类文章谋篇布局要通过某些合理的论证方式把论点、论据有机地组合起来，一般按照"提出问题—分析问题—解决问题"的思路展开，学生要充分注意论点、论据、论证三者之间的关系。说明类文章谋篇布局要按照一定的逻辑顺序说明事物、事理，学生要注意说明的顺序、说明的层次、说明方法的运用等。

5. 语言表达能力

语言表达能力具体是指用词准确、语意明白、结构妥帖、语句简洁、文理贯通、语言平实、合乎规范，能把语言组织得简明、连贯、得体，更高级别的追求是能让语言准确、鲜明、生动。语言表达要准确、鲜明、生动，是要求中学生选用恰当精妙、新鲜传神、具有形象性、极具表现力的词语，使所描述的对象给人如闻其声、如见其形、如临其境的感觉，以增强感染力。

6. 修改文章的能力

修改文章的能力是一种重要的写作能力，其根本目的是引导学生认识自己文章的优缺点，领会应该怎样写文章才能更优秀，从而不断提升自己的写作能力。修改文章的主要形式有增、删、改、调、重写等。学生要善于从审题、立意、选材、剪裁、谋篇布局、表达方式、表现手法、遣词造句、标点符号、正确格式等方面进行全面、深入的修改提升。当然，在修改时，可以根据文章的具体情况有所侧重。

7. 非智力因素方面的能力

除了上述写作技能方面的智力因素外，写作能力高低还与习惯、态度、理想、信念、世界观、情感、意志等非智力因素密切相关。学生要养成良好的写作习惯，要有正确的关于写作的态度，远大的理想、正确的世界观、丰富的情感、顽强的意志等对写作能力的高低也具有极其重要的影响，在某些时候甚至会超过智力因素的影响。

二、中学生写作能力的评价依据

知识点2：中学生写作能力的评价依据

关于写作能力的层次，中学阶段一般采用基础等级和发展等级的评价方法。

1. 基础等级

（1）符合题意。
（2）符合文体要求。
（3）感情真挚，思想健康。
（4）内容充实，中心明确。
（5）语言通顺，结构完整。
（6）标点正确，不写错别字。

2. 发展等级

（1）深刻：透过现象深入本质，揭示事物内在的因果关系，观点具有启发作用。
（2）丰富：材料丰富，论据充实，形象丰满，意境深远。
（3）有文采：用词贴切，句式灵活，善于运用修辞手法，文句有表现力。
（4）有创新：见解新颖，材料新鲜，构思新巧，推理想象有独到之处，有个性色彩。

三、课程标准对写作能力的要求

知识点3：课程标准对写作能力的要求

1. 初中阶段（七年级至九年级）

《义务教育语文课程标准》（2022年版）中初中阶段"表达与交流"的要求如下。

（1）注意对象和场合，学习文明得体地交流。耐心专注地倾听，能根据对方的话语、表情、手势等，理解对方的观点和意图。

（2）自信、负责地表达自己的观点，做到清楚、连贯、不偏离话题。注意表情和语气，根据需要调整自己的表达内容和方式，不断提高应对能力，增强感染力和说服力。

（3）讲述见闻，内容具体、语言生动。复述转述，完整准确、突出要点。能就适当的话题作即席讲话和有准备的主题演讲，有自己的观点，有一定说服力。讨论问题，能积极发表自己的看法，有中心，有根据，有条理；把握讨论的焦点，并能有针对性地发表意见。

（4）多角度观察生活，发现生活的丰富多彩，能抓住事物的特征，为写作奠定基础。写作要有真情实感，表达自己对自然、社会、人生的感受、体验和思考，力求有创意。

（5）写作时考虑不同的目的和对象。根据表达的需要，围绕表达中心，选择恰当的表达方式。合理安排内容的先后和详略,条理清楚地表达自己的意思。运用联想和想象,丰富表达的内容。正确使用常用的标点符号。

(6) 写记叙性文章,表达意图明确,内容具体充实;写简单的说明性文章,做到明白清楚;写简单的议论性文章,做到观点明确,有理有据;能根据生活需要,写常见应用文。能从文章中提取主要信息,进行缩写;能根据文章的基本内容和自己的合理想象,进行扩写;能变换文章的文体或表达方式等,进行改写。尝试诗歌、小小说的写作。

(7) 注重写作过程中搜集素材、构思立意、列纲起草、修改加工等环节,提高独立写作的能力。根据表达的需要,借助语感和语文常识修改自己的作文,做到文从字顺。能与他人交流写作心得,互相评改作文,以分享感受,沟通见解。作文每学年一般不少于 14 次,其他练笔不少于 1 万字,45 分钟能完成不少于 500 字的习作。

2. 高中阶段

《普通高中语文课程标准》(2017 年版 2020 年修订)不再简单划分为阅读和写作板块,而是一方面按照必修和选修来要求,另一方面按照学习任务群来进行要求,后者是前者的具体展开,关于写作能力的要求如下。

必修阶段的要求:

(1) 自主写作,自由表达,以负责的态度陈述自己的看法,表达真情实感,培育科学理性精神。书面表达观点明确,内容充实,感情真实健康;思路清晰连贯,能围绕中心选取材料,合理安排结构。

(2) 进一步提高运用记叙、说明、描写、议论、抒情等表达方式的能力,并努力学习综合运用多种表达方式,力求有个性、有创意地表达。

(3) 能推敲、锤炼语言,表达力求准确、鲜明、生动。学会用现代信息技术辅助交流。

(4) 能独立修改自己的文章,乐于相互展示和评价写作成果。

(5) 45 分钟能写 600 字左右的文章。

(6) 课外练笔不少于 2 万字。

选修阶段的要求:

(1) 注意在生活和跨学科的学习中学语文、用语文,在学习和运用的过程中提高表达、交流能力。

(2) 能综合运用在语文与其他学科中获得的知识、能力和方法,运用多种方式展开交流和讨论。

(3) 留心观察社会生活,丰富人生经验,有意识地积累写作素材,广泛搜集资料,根据表达需要和体裁要求,尝试多种文本的写作,相互交流。

(4) 在实践活动中增强口头应用的能力,能根据交际的需要,选择恰当的时机和场合,提出话题,敏捷应对,注意表达效果。参加演讲和辩论,学习主持集会、演出等活动。

在 18 个学习任务群中,部分任务群有各自明确的写作目标。这是对必修、选修要求的具体化,指明在具体学习时应该如何操作,主要有以下学习任务群明确了写作目标,具体内容如表 7-1 所示。

表 7-1　学习任务群对写作目标的要求

学习任务群名称	写作目标要求
整本书阅读与研讨	用自己的语言撰写全书梗概或提要、读书笔记与作品评介，通过口头、书面形式或其他媒介与他人分享
跨媒介阅读与交流	学习运用多种媒介展开有效的表达和交流
语言积累、梳理与探究	反思和总结自己写作时遣词造句的经验，建构初步的逻辑和修辞知识，提高语用能力，增强表达的个性化
文学阅读与写作	了解诗歌、散文、小说、剧本写作的一般规律。捕捉创作灵感，用自己喜欢的文体样式和表达方式写作，与同学交流写作体会。尝试续写或改写文学作品。养成写读书提要和笔记的习惯，根据需要，可选用杂感、随笔、评论、研究论文等方式，写出自己的阅读感受或见解
思辨性阅读与表达	学习表达和阐发自己的观点，力求立论正确，语言准确，论据恰当，讲究逻辑。学习多角度思考问题。学习反驳，能够做到有理有据，以理服人。围绕感兴趣的话题展开讨论和辩论，能理性、有条理地表达自己的观点，平等商讨，有针对性、有风度、有礼貌地进行辩驳
实用性阅读和交流	学习多角度观察社会生活，掌握当代社会常用的实用文本，善于学习并运用新的表达方式。学习运用简明生动的语言，介绍比较复杂的事物，说明比较复杂的事理
中华传统文化经典研习	选择一部（篇）作品，从一个或多个角度讨论分析，撰写评论。学习传统文化经典作品的表达艺术，提高自己的写作水平
中国现当代作家作品研习	选择喜欢的作品，从不同角度撰写作品评论，发表自己的见解
外国作家作品研习	选择感兴趣的作家、作品或话题，撰写评论
科学与文化论著研习	撰写内容提要和读书笔记，学习体验概括、归纳、推理、实证等科学思维方法。把握科学与文化论著观点明确、逻辑严密、语言准确精练等特点
汉字汉语专题研讨	以撰写读书报告、语言专题调查报告、小论文等形式呈现学习成果
中华传统文化专题研讨	围绕中心论题进行有准备的研讨，围绕专题选择合适的方式展示探究的成果
中国革命传统作品专题研讨	结合研究专题，进行调查、访问，提升思想认识水平和语言运用能力
中国现当代作家作品专题研讨	围绕中心论题进行有准备的研讨，围绕专题选择合适的方式展示探究的成果
学术论著专题研讨	整理提炼专著研读或专题研讨的成果，借鉴专业学术论文的形式写成学术性小论文

四、课程标准对写作能力水平的评价

知识点 4：课程标准对写作能力水平的评价

《义务教育语文课程标准》(2022 年版)和《普通高中语文课程标准》(2017 年版 2020 年修订)要求通过学业质量水平来评价学生在完成本学科课程学习后的学业成就表现。关于写作能力水平的评价如下，需要注意的是，在高中阶段，水平 1 和水平 2 是必修课程学习的要求，水平 3 和水平 4 是选择性必修课程学习的要求，水平 5 是选修课程学习的要求。

(一) 初中阶段(七至九年级)

(1) 在学习与生活中，累计认识 3500 个左右常用汉字，能规范端正、整洁地书写常用汉字；在日常记录中使用规范、通行的行楷字，提高书写的速度。

(2) 发现并积累不同语境下具有个性化特征的词句和段落，能根据自己的表达需要和习惯选择使用。

(3) 能多角度观察生活，抓住事物特征，选择恰当的表达方式，合理安排详略，条理清楚地表达自己的感受和认识。

(4) 能从作品中找出值得借鉴的地方，对照他人的语言表达反思自己的语言实践；能通过对阅读过程的梳理、反思，总结不同类型文学作品的阅读经验和方法。

(5) 能与他人分享自己获得的对自然、社会、人生的有益启示，能借鉴他人的经验调整自己的表达，能根据需要，运用积累的语言进行口头或书面表达。

(6) 能通过口头或书面方式，向他人推荐中华优秀传统文化经典、革命文化和社会主义先进文化作品。

(7) 能根据具体情境要求，选择合适的文本样式记录经历、见闻和体验，表达感受、认识与观点。

(8) 用策划书、调查报告、小论文等形式发表研究成果，力求格式规范、内容完整、条理清晰。

(二) 高中阶段

1. 水平 1

(1) 能凭借语感和积累及时调整自己的语言表达，力求使语言表达准确清晰。

(2) 在表达时，能做到观点明确、内容完整、结构清楚。

(3) 能运用口头语言和书面语言传达自己对作品的感受和理解。

(4) 能主动梳理语文课程中涉及的文化现象，了解其中包含的中国传统文化内容。

2. 水平 2

(1) 能用多种形式整理、记录自己学习、生活中的所得。

(2) 在表达时，能注意自己的语言运用，力求概念准确、判断合理、推理有逻辑。

(3) 能对作品的内容和形式作出自己的评价。

(4) 能在自己的表达中运用富有文化意蕴的语言材料和语言形式，增强语言的表现力。

3. 水平 3

(1) 能根据具体的语境和表达的目的、要求，运用口头和书面语言，文从字顺、清晰明了地表达自己的真情实感。

(2) 在表达时，讲究逻辑，做到中心突出、内容具体、语篇连贯、语言简明通顺。

(3) 能运用多种形式表达自己的体验和感受；能对具体作品作出评论。

(4) 能根据语文课程学到的内容，对阅读和表达交流中涉及的有关文化现象展开讨论，有依据、有逻辑地阐明自己的观点。

4. 水平 4

(1) 能根据具体的语境和表达的目的、要求，运用口头和书面语言，文从字顺、准确生动地表达自己的真情实感。

(2) 在表达时，讲究逻辑，注重情感，能综合运用多种表达方式，从多个角度、多个方面表达自己的理解与感受，力求做到观点明确，内容丰富，思路清晰，感情真实健康，表达准确、生动。

(3) 能对同一个文学作品的不同阐释提出自己的看法或质疑。喜欢尝试用不同的语言表现形式表达自己的思想和情感，尝试创作文学作品。

(4) 能综合所学的知识，对自己感兴趣的某些语言、文学、文化现象及社会热点问题进行专题探究，尝试撰写相关调查报告或专题研究报告，发展自己的文化理解与探究能力。

5. 水平 5

(1) 能根据具体的语境组织表达内容，选择合适的表达方式，有效地运用口头和书面语言实现沟通交流。

(2) 在表达时，讲究语言运用，追求独创性，力求用不同的词语准确表达概念，用多种语句形式表达自己的判断和推理；喜欢尝试用多种文体、语体、多种媒介，多样地表达自己的思想和情感，追求表达的准确性、深刻性、灵活性、生动性。

(3) 能对作品的艺术形象及价值有独到的感悟和理解。有文学创作的兴趣和愿望，愿意用文学的形式表达自己的情感。

(4) 能综合运用所学的知识，对生活中自己感兴趣的某些语言、文字、文化现象及社会热点问题进行专题探究，写相关调查报告或专题研究报告，组织专题讨论和报告会；尝试用历史眼光和现代观念，辩证地审视和评论古今中外语言文学作品的内容和思想倾向，对当代文化建设发表自己的见解。

练习题

1. （多项选择题）中学生写作能力的主要构成要素包含以下哪几方面？（　　　　）

　　A. 观察力　　　　　　B. 思维力　　　　　　C. 选材能力
　　D. 谋篇布局能力　　　E. 语言表达能力　　　F. 修改文章的能力
　　G. 非智力因素方面的能力

2. （简答题）结合课程标准，谈谈高中阶段对写作能力水平的评价是如何体现层级性的？

3. （论述题）结合课程标准初级中学阶段（七至九年级）对写作能力的要求和高中阶段对写作能力的要求，说一说初、高中在写作训练上要如何衔接。

4. （论述题）最近几年（2018年至今），任务驱动型作文在高考作文考查中仍占有一定的比重。请结合高中作文能力的要求说一说任务驱动型作文有什么优点。

第四节　中学写作教学的科学序列

一、作文分类的角度

知识点1：作文分类的不同角度

按文体或体裁分类、按题材分类是作文分类常用的两个角度。有的学者突破了这两种分类角度的局限，如上海师范大学教授王荣生、华东师范大学教授倪文尖把作文分为写实、虚构、阐释、论证、抒情五大类；西南大学教授荣维东把作文分为记叙类语篇、描写类语篇、说明类语篇、议论类语篇、抒情类语篇五大类。① 这两种分类很好地避免了文体分类和题材分类的弊端，使写作教学变得真正有效起来。但是，这些分类相对于中国写作教学文化来说针对性还不太强，没能很好地照顾国人喜欢励志、长于设喻、惯于主张、乐于哲思等特点。从这一点出发，本书把中学生作文分为励志类、托物言志类、建议主张类、社会现象评说类、寓言类、哲理类、过程描述类七大类。这样的分类既尊重了分类的学理性，又照顾了写作教学及考试训练实际，并能有效地对中学生展开训练，从而提高中学生的写作水平。

二、作文训练序列的含义

作文训练序列，广义上是指培养学生作文能力全过程的科学安排，狭义上是指一次作文的教学过程。要有效提高中学生的写作能力，就必须要有一个科学的序列。鲁迅曾对旧式学堂的作文教学做过这样的描述："从前教我们作文的先生，并不传授什么《马氏文通》《文章做法》之流，一天到晚，只是读，做，读，做；做得不好，又读，又做。他却决不说坏处在哪里，作文要怎样。"② 因此，没有科学序列的作文训练效率是低下的。探索和建立科学的作文训练序列是提高写作教学效率的必由之路。

三、不同类型作文的思维训练序列

知识点2：不同类型作文的思维训练序列

思维训练已经成为语文写作教学的瓶颈。教师必须加强对学生的思维训练，练好思维才能使作文水平有质的飞跃。

---

① 荣维东.写作课程范式研究[D].上海：华东师范大学，2010：195-196.
② 北京师范学院中文系《鲁迅论中国历史文化》编写小组.鲁迅论中国历史文化[Z].北京：北京师范学院中文系，1973：91.

（一）励志类作文思维训练序列

励志类作文是常见的中学生作文类型。然而,励志类作文的话题大多是些无须证明的道理,行文空洞、简单成为中学生作文的通病。对此,教师可以采取以下对策对学生进行思维范式训练。[①]

1. 主题拆分

主题拆分是指将主题或话题对象进行拆分。只有通过不断变化分类角度,不断突破常规思维,才能不断接近题目的本质。

如 2015 年中考作文北京卷：

对话是现实生活中人与人之间沟通的一种方式。对话可以增进彼此的了解,可以倾诉各自的心声,可以碰撞出智慧的火花……

请你以"对话"为题目,写一篇文章,可以记录精彩的对话过程,可以描述对话产生的美好结果,可以阐述你对对话的认识……

主题拆分为递进式时,学生可以从以下角度写作："对话"可以化解矛盾,"对话"可以增进了解,"对话"可以加强合作。

主题拆分为并列式时,学生可以从以下角度写作："对话"可以碰撞智慧,"对话"可以开阔眼界,"对话"可以审视自我。

2. 人物拆分

人物拆分是指将行为的主人进行拆分,拆分力求形成递进互补关系。在这个过程中,分类优于举类,举类优于举例,而举例忌讳并列,应利用不同例子的差异形成递进关系。

如 2020 年中考作文深圳卷：

请以《见证美好》为题,写一篇文章。

人物拆分为递进式或并列式时,学生可以关注"见证"的人物主体：历史人物与当代人物一脉相承的群体（如教师等）,或是平行叙事自身（我、我们、同一代人等）、身边的人（父母、朋友等）。

3. 时空拆分

时空拆分是指通过不同时空来展示情境,使文章内容充实、主题深化。

如 2022 年中考作文湖州卷：

请以《我听见时间的声音》为题目,写一篇文章。

时空拆分成并列式时,可以按以下思路写作,如：四季轮转,春风和煦,夏莲绽放,秋叶金黄,冬雪飘零,皆由时光轻推。城乡变迁,屋舍街巷,随时代演进,我们聆听岁月滴答,感怀时代之声。

如模拟作文题：

题目："谈独创"。

时空拆分为递进互补式时,学生可以按以下思路写作：落后他人时要独创,只有独创才能真正缩短差距；竞争胶着时要独创,只有独创才能增大胜出概率；遥遥领先时要独

[①] 易朝芳.拆分审题 让作文有思路[J].中学语文教学参考·初中版,2011(4):60.

创,只有独创才能拥有持续优势。

(二) 托物言志类作文思维训练序列

托物言志类作文是中学阶段作文训练的重点,也是难点。托物言志,横跨了两种性质的内容,既要写形象化的"物",又要写抽象化的"志",所以它是形象思维和抽象思维的综合运用,是感性和理性的立体体现。①

"类比思维是托物言志类文章的核心思维。不管是审美语境中的比兴、用典、象征、借景抒情,还是说理文章中的借古讽今、因事言理、托物言志,无不因类比思维而使文章大放光彩。"②托物言志类作文的训练原则如下:

1. 多点相似原则

学生在写作时应尽量多地揭示喻体和本体之间的相似点。如果喻体和本体是近类关系,就着力揭示二者之间本质属性和其他属性的相似点;如果喻体和本体是远类关系,就尽量多地揭示二者之间非本质属性的相似点。

如2022年新高考Ⅰ卷:

"本手、妙手、俗手"是围棋的三个术语。本手是指合乎棋理的正规下法;妙手是指出人意料的精妙下法;俗手是指貌似合理,而从全局看通常会受损的下法。对于初学者而言,应该从本手开始,本手的功夫扎实了,棋力才会提高。一些初学者热衷于追求妙手,而忽视更为常用的本手。本手是基础,妙手是创造。一般来说,对本手理解深刻,才可能出现妙手;否则,难免下出俗手,水平也不易提升。

以上材料对我们颇具启示意义。请结合材料写一篇文章,体现你的感悟与思考。

材料看似立足"围棋术语",实则在说基础与创新的关系。命题人意在运用类比的手法,引导考生关注"本手"和"妙手"——基于本手,创新妙手,实现突破、提升。读出"言外之意"才是把握"本体"和"喻体"的关键。

2. 喻体特征大类穷尽的原则

学生写作时应优先揭示喻体大的方面的特征,力求利用这些大类特点与本体建立关联。喻体特征大类穷尽,有助于学生写作时在喻体中有更多新发现,进而与"本体"对应,使文章更新颖透彻。

如2016年高考作文山东卷:

阅读下面的材料,根据自己的感悟和联想,写一篇不少于800字的文章。

行囊已经备好,开始一段新的旅程。路途漫漫,翻检行囊会发现,有的东西很快用到了,有的暂时用不上,有的想用而未曾准备,有的会一直伴随我们走向远方……

(1) 从行囊的内容类型看:积累的个人财富,掌控的外部资源,拥有的生存能力。

(2) 从行囊的功能类型看:有助于确定方向路线的,能提供日常所需能量的,有助于攻坚克难的,到了目的地才使用的。

3. 先喻体后本体的原则

先喻体后本体的原则是指在喻体里发掘完意义后,需要回到本体,到本体里寻找对

---

① 胡家曙.托物言志类作文的优化路径[J].中学语文教学,2015(4):26-32.
② 易朝芳,李旭山.比喻类比化 文思繁花开:托物言志类文章思维训练原则及示例[J].语文教学通讯·高中,2016(2):64.

应点。喻体里有多少特点,本体里就有多少点与之对应。

如 2019 年高考作文江苏卷:

根据以下材料,选取角度,自拟题目,写一篇不少于 800 字的文章;除诗歌外,文体自选。

物各有性,水至淡,盐得味。水加水还是水,盐加盐还是盐。酸甜苦辣咸,五味调和,共存相生,百味纷呈。物如此,事犹是,人亦然。

"物各有性,水至淡,盐得味"是世间万物都有各自的秉性;"水加水还是水,盐加盐还是盐"谈到各自发展境界的局限。这些是本体的特点,为后面的喻体做铺垫。"酸甜苦辣咸,五味调和,共存相生,百味纷呈。"万物只有"互联互通,共存相生",才能异彩纷呈。自然过渡到谈论人的成长过程中需"共存相生",看到人与人之间,人与群体、社会乃至国家与国家之间通力合作的重要性,把握"小我"走向"大我"的路径。

4. 通过本体与喻体的差异来深化主题的原则

通过本体与喻体的差异来深化主题,有助于将本体与喻体的对比属性进一步强化,以此寻找新的突破点,写出新意,深化主题。

如 2019 年高考作文北京卷:

色彩,指颜色;不同的色彩常被赋予不同的意义。2019 年,我们隆重纪念五四运动 100 周年,欢庆共和国 70 华诞。作为在这个特殊年份参加高考的学生,你会赋予 2019 年哪一种色彩,来形象地表达你的感受和认识?

请以"2019 的色彩"为题,写一篇记叙文。

引言中的"色彩"显然是宏大叙事下赋予 2019 红色的纪念色彩,而许多应考的学生体会到的却是更加沉重的意义。考生可借助这种差异说出自己丰富而深刻的感受:理想与压力的双重作用下,有绿色草原不能看,因为我无法自由驰骋;有万家灯火不能欣赏,因为我要熬到万家灯灭时;有万紫千红不能驻足,因为下一刻也许是落英缤纷。艰苦备战,使原有的色调纷纷错位,红色不代表热烈,蓝色不代表沉稳,粉色不代表浪漫……若瞬间忘记高考,那眼前一定是绿色的树林和蓝色的海洋。

(三)建议主张类作文思维训练序列

1. "认识→态度→做法"范式

如 2019 年高考作文全国Ⅱ卷:

1919 年,民族危亡之际,中国青年学生掀起了一场彻底反帝反封建的伟大爱国革命运动。1949 年,中国人从此站立起来了!新中国青年投身于祖国建设的新征程。1979 年,"科学的春天"生机勃勃,莘莘学子胸怀报国之志,汇入改革开放的时代洪流。2019 年,青春中国凯歌前行,新时代青年奋勇接棒,宣誓"强国有我"。2049 年,中华民族实现伟大复兴,中国青年持续奋斗……

请从下列任务中任选一个,以青年学生当事人的身份完成写作。

① 1919 年 5 月 4 日,在学生集会上的演讲稿。
② 1949 年 10 月 1 日,参加开国大典庆祝游行后写给家人的信。
③ 1979 年 9 月 15 日,参加新生开学典礼后写给同学的信。
④ 2019 年 4 月 30 日,收看"纪念五四运动 100 周年大会"后的观后感。

⑤ 2049年9月30日,写给某位"百年中国功勋人物"的国庆节慰问信。

以选择第④个任务为例：2019年4月30日,收看"纪念五四运动100周年大会"后的观后感。按照"认识→态度→做法"范式可以按以下思路写作：

认识层面：第一,现在许多晚会在纪念五四运动时,只强调救亡不强调启蒙；第二,晚会的娱乐特性决定了观众的娱乐选择,娱乐背后的主题教育往往被人们忽略；第三,寄希望于一次文艺晚会来培养人的世界观、历史使命感,实在是有些天真。

态度层面：全面认识五四运动的意义,完整继承五四运动的精神,既要重视爱国救亡的意义,还要重视文化启蒙的意义,不忘民主、科学。

做法层面：在日常学习工作中贯彻科学精神,为民主化建设付出自己的努力。

2. "历史现象→历史规律→当下问题"范式

如2019年高考作文全国Ⅱ卷,以选择第④个任务为例：2019年4月30日,收看"纪念五四运动100周年大会"后的观后感。按照"历史现象→历史规律→当下问题"范式可以从以下思路写作：

历史现象：在民族巨变的历史时刻,总能看到青年冲锋在前的身影。

历史规律：民族巨变时期的青年觉醒快、觉悟高,有奉献精神,无后顾之忧,有使命感,改变现实的愿望强烈。责任感和理想主义把青年变成了历史弄潮儿。

当下问题：当代许多青年是精致利己主义者,安于现状,贪图享受；当代许多青年被个人生存与发展问题磨平了棱角、浇灭了热情,更多体会到的是个人前途的压力,而不是民族前途之压力。

3. "必要性→可行性→预测性"范式

如2019年高考作文全国Ⅱ卷,以选择第①个任务为例：1919年5月4日,在学生集会上的演讲稿。

确定演讲题目为"摆脱奴役,真正走上民族独立的道路",按照"必要性→可行性→预测性"范式可以从以下思路写作：

民族独立的必要性：亡国在即,我们的首要任务是争取民族独立。

民族独立的可行性：封建社会已推翻,有精英领导,国民已觉醒,因此争取民族独立具备了多个有利条件。

民族独立的预测性：中华民族屹立于世界民族之林,青年要实现民族的伟大复兴。

4. "回避事实→开始假设→走入逻辑"范式

在劝说和辩论语境中,事实若恰好支持的是对方,学生在写作时可以采取的对策是：回避事实,从假设开始,进入逻辑推理；最终在逻辑推理上赢得劝说和辩论。

如2014年高考作文江西卷：

探究作为我国现行课程标准倡导的学习方式之一,常常出现在课堂、实验室或课外学习过程中,有的同学觉得,探究给自己留下了一段难忘的学习经历；有的同学认为,探究是一种重要的学习方式；有的同学则抱怨,探究在教学活动中流于形式……

对课内外学习中的探究,你有何体验、见闻或思考？请自选角度,自拟题目,写一篇文章。

当我们确定了"探究应放课外"的立场时,但短时间内找不到课外探究成功的事实例子,而课内探究却深受欢迎,并成为不争的事实。我们必须回避对我方不利的事实,展开如下假设并推理：

假如放在课堂，短短的课堂时间中无法充分准备、充分展开，从而无法真正锻炼学生的探究能力。假如放在课外，学生就可以选择志趣相投者进行分工统筹，制订科学的计划，搜集大量的资料，提出自己的意见，撰写总结报告，进行评估与自我评估。课外，有可自由支配的时间，有巨大的扩展空间，有无限的自我发现的可能。这些是课内探索无论如何都无法做到的。

（四）社会现象评说类作文思维训练序列

1. 现象指向及思考方向明确的

如 2016 年高考作文北京卷：

《白鹿原上奏响一支老腔》记述老腔的演出每每"撼人胸腑"，令人有一种"酣畅淋漓"的感觉。某种意义上，可以说"老腔"已超越其艺术形式本身，成为一种象征。

请以"'老腔'何以令人震撼"为题，写一篇议论文。

这种现象指向及思考方向明确的题目，学生写作时应该把思考重心放在命题提供的思考方向上，并进行进一步的发散性思考，揭示社会现象背后深层次的意义。考生可依次发掘"老腔""令人震撼"的三大原因：激越高亢的声音形式，质朴简单的生存形态，渴望释放的精神诉求。

考生如果还能进一步思考，就可以揭示还不明确的意义："老腔"表现什么？渴求什么？延续什么？是再现历史中的原汁原味的"老腔"，还是表达今天"老腔"后继乏人的悲慨？这样文章就可以达到很高的境界。

2. 现象指向不明、任务不带倾向的

如 2016 年高考作文上海卷：

随着现代社会的发展，人们的生活更容易进入大众视野，评价他人生活变得越来越常见，这些评价对个人和社会的影响也越来越大。人们对"评价他人的生活"这种现象的看法不尽相同，请写一篇文章，谈谈你对这种现象的思考。

这种材料价值指向不明、作文任务不带倾向的题目，学生写作时应该把思考重心放在社会现象产生的原因或结果上。针对例题，学生在写作时可以进行如下方面的思考：

产生这种现象的客观原因：

（1）人们的生活暴露在所有人面前；

（2）评价他人有很方便的条件；

（3）评价他人有足够的自由。

产生这种现象的主观原因：

（1）表达对信息资源不对称的不满；

（2）表达对富有阶层炫耀的羡慕或不满；

（3）将什么都娱乐化的时代心理。

评价他人生活的积极影响：

（1）对影响公众和社会利益的个体行为的曝光与批评，有利于惩恶扬善、去浊扬清；

（2）各种不同的见解，有利于提供看问题的多样角度；

（3）具有思想深度的评论，有利于改善自我看法的偏颇。

评价他人生活的消极影响：
(1) 私生活的暴露和隐私权的丧失；
(2) 恶意评论给他人带来精神损害；
(3) 恶意评论让社会充满戾气。

（五）寓言类作文思维训练序列

我们对待寓言故事应该有三个层面的思考：

第一层面——接受层面：对寓言接受并以寓意为作文主题，联系现实展开文章。

第二层面——发挥层面：在原寓意的基础上进行进一步的深化和发挥，或对寓言的讲述进行适当的补充和修正。

第三层面——反思层面：在透彻研究寓言及寓意的前提下，对寓言进行全新的思考，或放弃寓意，或反思质疑寓意，或颠覆寓意。

1. 启智类寓言评析

模拟作文题：

阅读下面寓言，说说自己的思考。

哲学家问船夫："你懂哲学吗？""不懂。"船夫回答。"那你至少失去了一半的生命。"哲学家说。"你懂数学吗？"哲学家又问。"不懂。"船夫回答。"那你失去了百分之八十的生命。"突然，一个巨浪把船打翻了，哲学家和船夫都掉到了水里。哲学家在水中挣扎，船夫问哲学家："你会游泳吗？""不会。"哲学家回答。"那你将失去整个生命。"船夫说。

接受层面：人的低端技能关乎个人生存，人的高端技能关乎个人和社会发展。但在许多时候低端技能起决定作用。

发挥层面：渔夫本来就不懂哲学、数学，谈不上失去什么生命意义。哲学家懂得哲学、数学并不意味着拥有了一切。

反思层面：假如哲学家在风浪中长大，他就不会有生存难题；以己之长比他人之短，是两人的共同不厚道。

2. 尚德类寓言评析

模拟作文题：

阅读寓言《小和尚雕佛像》，写一篇作文。

有一个小和尚耐不住禅院的寂寞，怀疑自己能不能修成正果，于是向老禅师发牢骚、诉说苦恼。老禅师笑道："山腰的工地上，石匠们正在为本寺加工佛像，你反正也静不下心来，就跟他们去劳动吧，做个帮手，学点手艺。"小和尚特别高兴。三天以后，小和尚回来找老禅师："师父，我还是回来修行吧，连粗糙的岩石，都能被工匠雕琢成栩栩如生的佛像，何况我是一个人呢？"老禅师舒心地笑了。

接受层面：老禅师教育有方；小和尚应该持之以恒，耐住寂寞。

发挥层面：修正果不靠体力而靠心力，小和尚也许是害怕做苦力才回心转意。

反思层面：人心比石头难雕琢得多，小和尚认为人心易雕，这是一种肤浅的错误认识。

（六）哲理类作文思维训练序列

1. 关键词解读法

言简意赅的哲理，深层意义总是深藏于某些关键词中。应该抓住这些关键词进行充分深入的阐释。

模拟作文题：

请你谈谈对"向后看才懂得生活，向前看才能生活"的理解。

学生写作时可抓住关键词从以下思路写作：

（1）"向后看"：吸取曾经的经验与教训，明白其间的得到与失去，比较各人的幸福与不幸，珍惜当下的朝夕与点滴。

（2）"懂得"：是入门，是明白，是通晓（理性）；是体验，是感受，是享受（感性）；是彻悟，是自知，是知足（感性理性结合）。

（3）"向前看"：曙光在前头，挑战等待着我，新的奥秘吸引着我，旧的烦恼与伤怀才会离开我。

（4）"生活"：没有了"向后看"的嚼头，没有了"向前看"的奔头，就没有了享受当下的劲头。

2. 语境导引法

在面对哲理类作文时，学生常常只注意到哲理核心表述部分，而忽略了语境部分，严重影响了其对哲理的理解和把握，因此，教师应该引导学生注意分析语境，并由此导向哲理核心表述部分，完成对哲理的真正理解。

如2016年高考作文江苏卷：

俗话说：有话则长，无话则短。有人却说：有话则短，无话则长——别人已说的我不必再说，别人无话可说处我也许有话要说。有时这是个性的彰显，有时则是创新意识的闪现。

根据材料，选取角度，自拟题目，写一篇不少于800字的文章。

题目中"有时这是个性的彰显，有时则是创新意识的闪现"的"有时"，提出了语境问题，但没有明确到底是什么语境。这时交流大语境下具体有两个小语境。

讨论交流是否有价值时，说"有话则长，无话则短"，"话"指的是自己要说的话。全句强调交流要有价值。

讨论交流是否有独特价值时，说"有话则短，无话则长"，"话"指的是别人已经说过的话。全句强调要减少重复他人的话，保证表达的独特价值。

3. 续写哲理法

有的哲理句虽然凝练概括，但语义开放而隐蔽，学生在面对这类哲理类作文时，如果将哲理句进行大胆的续写，就会产生让人惊喜的新意。

模拟作文题：

"自从有了镜子，人就能直面自己和客观评价自己了。"对这句话你怎么理解？请说说你的看法。

续写：但镜子里的我，只是现在的我。过去的我，镜子不能再现。将来的我，镜子也无法预告。

4. 化整为零法

化整为零法是指对核心概念和短语进行语意切割和结构分解，进入对哲理丰富的揭示中。

模拟作文题：

以"生活没有彩排"为题写一篇作文。

我们抓住"彩排"这一设喻，展开如下分析：

没有剧本，谁都无法给自己设计精彩与曲折，它总是平淡琐碎。

没有导演，无人将你的生活裁成分镜头，无人给你指导说戏。

没有固定的主角和配角，谁也不知道下一出会遇到谁，遇到多少人。

没有固定的舞台和场地，无人为你拉幕打灯光。

没有固定的观众和粉丝，没人等着为你喝彩，向你拍板砖。

5. 情境还原法

许多哲理语言，情境模糊或不完整，掩盖了更多内容，容易使人理解片面，学生写作时使用情境还原法还原情境，可以使哲理清晰起来。

如2014年高考作文福建卷：

"有些人一提到空谷就想起悬崖峭壁，而另一些人想到的却是栈道桥梁。"

上面的材料，引发你怎样的感悟和联想？请就此写一篇不少于800字的议论文或记叙文。

顺着材料提示，我们想到遇到悬崖峭壁险阻的悲观，想到寻找或架设桥梁的乐观；我们想到悬崖峭壁能激起英雄斗志，想到栈道桥梁则会使人趋向安逸。

不管是有关悬崖峭壁的悲观与豪情，还是有关栈道桥梁的乐观与安逸，这都是材料提示的"有价值"联想，如果还原联想的真实情景，还会想起空谷鸟鸣、空谷水声这些"无价值"的联想。于是利用完整的情景理出三大联想：悬崖峭壁是情感联想，栈道桥梁是功利联想，鸟鸣流水是审美联想。

（七）过程描述类作文思维训练序列

这类作文的训练我们可以以经典文章为范例，梳理文章的布局结构，借鉴范式思路构思写作。

《荷塘月色》在叙述方式上整体结构体现为"轮廓→细节→轮廓"的范式，在内容呈现上整体结构体现为"现实→非现实→现实"的范式，在主题表达上整体结构体现为"有我→无我→有我"的范式。这几个范式叠加使用特别适合表达想获得短暂忘却与超脱的情感。

《兵车行》和《安塞腰鼓》在时态上整体结构体现为"现在时→过去时→将来时"的范式。这种范式常见于触景生情类的文章。

《狼》《项链》《孔雀东南飞》在接受心理上整体体现为"期待及落空→再期待再落空→三期待出乎预料"的范式。这种范式常见于情节取胜的文章中。

《麦琪的礼物》在构思故事上整体结构体现为"误会→反转→再反转"的范式。这种范式被喜剧、小品大量采用。

练习题

1.（多项选择题）下列哪几项属于本节对作文类型的划分？（　　　　）

A. 励志类 　　　　 B. 托物言志类 　　　 C. 建议主张类
   D. 社会现象评说类 　E. 寓言类 　　　　　 F. 哲理类
   G. 过程描述类
2. （简答题）简述建立中学作文科学训练序列的意义。
3. （论述题）请结合具体实例谈谈如何科学地进行中学生作文训练。

第五节　中学写作教学的过程与课例

一、写作教学现状和教学过程

写作教学是中学语文教学的重点与难点。学生的作文水平不高，不少人觉得是因为学生积累少，缺乏写作素材，其实深层次的原因在于学生缺少批判性思维，不清楚自己写作存在的问题，教师不能有效地围绕学生存在的问题进行写作课堂教学设计，让学生获得解决问题的技能，进而完成写作训练目标。如何提高学生的作文水平？语文教师在写作教学中通常采取这样两种方式：一是让学生大量阅读，勤奋写作，自己摸索出窍门；二是讲解"什么是好作文"以及"如何写好作文"的要求与方法，但没有给学生提供具体的指导，结果对提高学生的作文水平作用不大。长期以来，我们的写作教学模式是以让学生模仿与习得为主，是以牺牲学生大量的时间、精力成本为代价的，是低效高耗的。探讨高效达成语文教学目标的合理途径，提高写作教学的效率，是一个不容回避的问题。

写作教学过程不同于写作过程，它是教师指导和学生写作的合作过程，即对写作教学目标的实施过程。我国传统的写作教学过程一般包括命题、指导、批改、讲评四个环节。命题是学生写作的开端，有了命题才能进入写作；指导是命题的继续和发展，是命题内容和要求的具体化，又为后续的批改和讲评奠定了基础；批改是对教师写作指导和学生写作实践的检查，又是讲评的依据和准备；讲评是对本次写作的客观总结，又是本次写作训练的升华和提高，能为下次写作进行必要的指导。这个写作教学的过程包含了教师在写作教学工作中的定向、执行、反馈环节，在整个过程中，批改和讲评这一环节应受重视。

二、写作教学理念

21世纪是信息多元时代，21世纪的写作教学理念也呈多元发展态势。根据学者归纳总结，国内外的写作教学方法主要有三种："结果—文本"取向的"结果教学法"、"过程—作者"取向的"过程教学法"和"交流—读者"取向的"交际教学法"。相应的，我国21世纪前后的写作教学理念也主要有三种，即知识中心写作教学理念、经验中心写作教学理念和交际中心写作教学理念。其中，从活动体验视角来看，过程教学法主要对应"经验中心写作教学理念"，因为这一理念十分强调写作前的"专题性或综合性活动"过程。经验中心写作教学理念在我国20世纪八九十年代开始被提倡，至今依然是中小学比较盛行的一种写作教学理念。①

三、写作教学过程化的理念及实施

为了全面促进学生个性发展,鼓励学生大胆创新,近几年的写作教学有了新的导向,即提倡学生自主选题,多写话题作文,能与他人交流习作心得,互相评改作文等。根据新的导向,教师应重新认识整个写作教学过程。写作教学过程可划分为四个阶段:教师引导,学生定向;教师指导,学生写作;教师批改,学生参与;交流评改,互相沟通。尽管写作教学理念看似取得了一定的进展和突破,但在现实写作教学活动中,还是基于多写多练、自然生长的训练模式,即基本由学生独立完成,学生在写作的"进行时"里,缺少必要的讨论和具体的帮助,教师的指导和训练无法融为课程的有机部分。因此,教师的写作教学思路必须改变,写作教学过程必须具体化,教师通过写作教学过程指导给学生提供切实的帮助。如果教师在学生的写作过程中能提供有效的指导,则可以大大缩短学生写作由"生"变"熟"、从"拙"到"巧"的路程,从而提高写作教学的实效性。

写作教学过程化的探索可以简单地归为两条思路:一是从作文的写作过程入手来探讨写作教学过程的合理性和有效性;二是从构成作文的知识和能力要素入手来设计写作分期训练过程。写作教学过程化最大的价值不在于简单地将教学分为几个环节,而在于写作教学的每个阶段都有具体明确的关于"教什么""怎么教"的可操作的内容。教师在写作指导过程中不只是简单指示学习目标,更需要提供实现目标的路径,写作训练课不只是提出要求,还要落实具体的指导过程。如描写的训练,教师不只是让学生知道描写要具体、生动,而且要帮助学生掌握使用什么方法能做到具体、生动地描写;教师教授选材时,要说明用什么方法来选材,如何做才能选择出具体、生动、典型、新颖的材料;教师教授议论文时,应指导学生如何审题立意、如何使用恰当的论证方法、如何证明自己的观点、如何进行反驳、如何做到表达准确严密,等等。除了有教师的方法指导以外,还要有学生能够做并且愿意做的一系列活动,学生能在这一系列的活动过程中获得写作知识技能。

写作教学过程化有三大环节:确定影响写作的要素与技能、设计具体可操作的训练步骤、实施教学训练。这些环节是循序渐进不断深入的。影响写作教学过程化进展的主要障碍在于实践层面,即如何落实写作的过程指导,如果不能设计出能够覆盖中学生主要写作活动并且体现过程指导特点的系列教学思路,那么实现写作教学过程化将是一句空话。中学写作课要注意过程化设计,要针对学生的困难,把写作教学看成是一个解决学生困难的过程,特别是要找到一些写作训练的分解动作,探索一些写作训练的简单有效的定式,对学生进行写作过程的指导,或者说增加写作学习的可操作性,使写作教学有章可循,提高效率,其效果是可以期待的。

四、国内写作教学过程化的课例

知识点1:写作教学过程化理论的实施策略

上海师范大学教授郑桂华高中课例《用事实证明观点》教学实录:

---

① 段双全.经验中心写作教学理念的价值与实现[J].语文建设,2022(7):22-25.

材料二（投影）：

只有淡泊名利，才可能使我们成功。曾记否，那傲然站立在元军铁骑下的铮铮铁骨——文天祥。当年的他，被元军抓获后，依然顽强地抵抗着。元军一次又一次用金钱财富与高官名位来诱惑他。而他呢？依然不屈服。最后的他，死亦悲壮。在名利的面前，他没有动摇，他淡泊的心境主导着他不能屈服。无论多么巨大的名声，多么庞大的利益，他依然淡泊地回答着"我不会跟随"。淡泊名利，表达了他的志向，也造就了一个响当当的男子汉。

生：我觉得这段话的事实与观点是不符合的，文天祥的事例无法证明"成功"。

生：事实和观点的侧重点应该一致。文天祥当然有淡泊名利的一面，但这段材料主要体现的是文天祥铮铮铁骨、顽强抵抗的品质，和淡泊名利、取得成功无关。

师：是的，文天祥这个人物最重要的特点不是"淡泊名利"，而是"爱国"。你说的是材料表达的角度要调整，要侧重表述材料最本质的特点。对吗？

……

材料三（投影）：

历史上怀揣着一颗平常心去做事从而获得成功的人遍及中外。

汉代的史官司马迁因惹怒汉武帝而遭受腐刑这一奇耻大辱。常人受此大辱结果自是悲愤欲绝，而司马迁却能怀着一颗平常心，继续他的工作，完成了"史家之绝唱"——《史记》。正是司马迁的平常心使得《史记》没有成为一本谤书而丧失价值，也正是他的平常心使得他自己也被刻入丹青名传后世。

荷兰的科学家居里夫人也是一个怀有平常心的人。她怀着一颗平常心，不畏艰难，从数吨的废料中提炼出了镭。在以一个女性的身份获得诺贝尔奖的殊荣后，她仍然怀着一颗平常心继续她的研究。不久她又发现了一种元素，再获诺贝尔奖。如此荣耀加身，她却始终以一颗平常心对待。而正是这种平常心使她化为教科书里的单位"居里"，正是这颗平常心使得爱因斯坦对她大加赞誉："在众多科学家中，玛丽·居里是唯一一个没有被盛名宠坏的人。"

生：有一个问题，居里夫人到底是哪个国家的？

师：波兰。但是这个学生写成了什么？荷兰！这显然在事实层面上就失真了，犯了知识性的错误，常识出了问题。这违背了材料的真实性的原则（板书写"材料应真实，不能有错误"）。很好，感谢你的贡献。还有什么问题？

生：司马迁因惹怒汉武帝而遭受腐刑，但是他依然完成了巨著《史记》。这个材料也不是讲平常心的。

师：很好！大家看过司马迁的《报任安书》吗？读懂这篇文章，就能够了解司马迁是什么样的人，就能够充分证明你的看法。司马迁写《史记》，是因为他有很多话要说，有强烈的意图，而不是什么"平常心"。这是和观点很不一致的材料，就不适合运用论证这一观点。

生：居里夫人获得诺贝尔奖好像也不能说是由于怀着平常心来做事。

生：居里夫人的材料前面说她"不畏艰难"才获得成功，可后面又说她怀有平常心，这就有点不太一致了。

生：居里夫人这个例子和司马迁的例子不同。居里夫人身上有好几方面的品质，一方面是科研上的执着,不畏艰苦,忍受种种生活上、工作上的不便。但另外一方面呢,她确实有平常心的一面,比如《跨越百年的美丽》中讲她把自己的奖牌给孩子当玩具,就很能说明她对待荣誉是有着一颗平常心的。因此,在运用居里夫人这个材料时,我们就应该侧重她平常心的一面,描述材料就要有所侧重,有所突出。所以当我们用事实来证明观点的时候,一定要选取与观点一致的材料。而当材料有多个侧面时,我们就要侧重选取与这个观点一致的角度,这非常重要。

师:说得真好!其实你提到一个非常重要的原则——材料与观点之间的契合点一定要有所展开(板书写"展开契合点")。现在我们总结一下刚才几段文字中暴露出来的问题。第一,材料必须真实,说居里夫人是荷兰人,这就是材料失真,要避免;第二,司马迁的例子,与观点不一致,不能使用;第三,居里夫人的例子,侧重点不一致。这些问题在写作中我们都要注意避免。

师:大家经过了辛苦的一堂课学习,回忆一下这节课学到了什么?你记住了什么?你理解了些什么?哪些是你能够应用的?哪些是你准备应用的?

郑桂华老师在这堂课上提出了问题及对策,并对这堂课进行了知识总结。

【问题】材料与观点是否有偏差?

对策一:写作时应选择那些核心特征与观点吻合的材料。

对策二:对具有多面性的材料,叙述该材料时应该有所侧重。

【知识总结】如何确保论证严谨?如何确保材料与观点的一致?

写作中可从如下方面核查用来证明观点的材料:

材料中的信息是准确的吗?

材料是否不支持观点?

材料与观点是否有偏差?

……

该课例的教学目标源自学生写作中的实际问题,教学材料来自学生写作中的真实材料,教学过程完全是学生现场研读斟酌的思维展开过程。这是一堂基于学生实际的写作指导课。通过对郑桂华老师这一节践行写作教学过程化理论的课例进行复现与分析,我们可以了解到郑桂华老师写作教学过程化理论的实施策略:一是聚焦一个关键问题,找出学生在写作过程中出现的偏差;二是有效的教学内容,通过对偏差的分析帮助学生溯源产生偏差的原因并进行反思;三是有针对性的活动设计,为学生铺设纠正写作偏差的阶梯。

五、美国写作教学过程化介绍

20世纪70年代末,美国学者华莱士·道格拉斯(Wallace Douglass)提出:写作是一个过程,写作课应该在写作过程中教授方法。该理念后来发展成"过程写作教学法"。

美国的写作教学过程化理论主张教师应介入到学生写作过程中去教写作,由对结果的关注转向对整个写作过程的关注。美国写作教学过程化在实施中有以下特点。一是重点关注写作过程中的预写作、起草、修改、校订、发表几个阶段。二是重视在写作教学过程中借助"写作清单"进行过程监控。写作清单是教师管理学生写作行为的重要媒介,即教师将作文要求以清单的形式有序排列,它主要包含写作内容、表达方法、写作策略方面的知识,供学生在写作过程中自检或互评。三是运用"合作学习"的策略,即在修改、校订阶段,写作教学过程化高频率地运用同伴和小组"合作学习"策略。这是教师创设的一个合作、对话、交流的写作共同体,以支持、帮助和促进每位学生建构和生成写作知识。

在写作教学过程化的实施中,美国教师通常采取以下三种示范方式:一是在学生面前写,展示给学生看,指导学生,向学生展示如何选择写作题目,如何开始写第一稿,如何修改内容和语言等;二是修改初稿,向学生介绍修改技巧,并将修改后的稿件进行展示,让学生学以致用;三是示范如何深入修改文章,如如何扩展内容,如何组织语言。

美国写作教学过程化对我国写作教学的启示如下:美国写作教学过程化以"写作清单"和"合作学习"为核心,注重学生写作过程的有效监控和指导,从以"教"为中心转向以"学"为中心。

练习题

1. (多项选择题)下列词语没有错别字的一组是(　　　)。
   A. 坍塌　　歧视　　绊脚石　　乐不可知
   B. 国粹　　阑珊　　结骨眼　　金榜提名
   C. 祛除　　纨绔　　乐陶陶　　振聋发聩
   D. 博奕　　蝇营狗苟　浩然正气　痴心枉想
   E. 杯弓蛇影　贪赃枉法　意气风发　各行其是

2. (多项选择题)下列哪些事例可以证明"成功离不开勤奋"这个论点?(　　　)
   A. 民族英雄文天祥从小就喜爱读书写作,被俘后在狱中不忘创作,写下了有名的《正气歌》,表现了自己的铮铮铁骨。
   B. 邓亚萍身材矮胖,高不足1.5米,但她能针对自己的弱点坚持刻苦训练。她除了认真完成教练布置的训练任务外,还自觉延长训练时间,提高训练难度。功夫不负有心人,她终于成为世界顶级的乒乓球运动员。
   C. 爱迪生一生的发明数以千计,他经常为解决一个难题而连续工作数天不出实验室一步。他说:"天才就是一分智慧加上九十九分汗水。"
   D. "沧海可填山可移,男儿勇气当如斯",铁人王进喜和他所率领的1205钻井队正是凭借着这种精神,在艰苦的条件下打出了我国第一口高产油井。
   E. 少年毛泽东即胸怀大志,"指点江山,激扬文字""怅寥廓,问苍茫大地,谁主沉浮"。他这种"以天下兴亡为己任"的精神鼓舞着他克服了日后革命征程中的重重险阻。
   F. 鲁迅是我国现代文豪,有人向他请教写作秘诀,他说道:哪里有天才,我是把别人喝咖啡的工夫都用在工作上的。

3. (单项选择题)写作教学中,教师指导全班学生修改文章,能有效提高学生"独立修改自己的文章"的能力的活动设计是(　　　)。
   A. 提供修改性的作文,教师做详细的分析

B. 选取典型的考场样文,教师做权威讲解
C. 讲授写作修改知识,要求学生梳理总结
D. 学生分享修改经验,当堂进行修改实践

4. (单项选择题)阅读下列作文题目,按要求作答。

郭沫若评价张衡是一个全面发展的人,课外搜集资料,以"我看张衡"为题目写一篇600字左右的作文。

下列选项说法正确的一项是(　　)。
A. 该题目有具体的读者对象
B. 该题目侧重训练学生口头表达能力
C. 该题目能引导学生运用资料
D. 该题目重在考查叙事的能力

☞ 本章小结

中学写作教学的目标主要在于培养学生的写作能力,形成学生的健康人格。写作教学的内容包括写作心理的养成、写作知识的学习、写作能力的培养。写作教学的类型是指根据写作教学的价值取向归纳出来的写作教学的种类,从注重结果与注重过程的角度看,写作教学可以分为结果性写作教学和过程性写作教学两种类型;从写作教学的功能角度来看,写作教学分为表达能力取向的写作教学、交际能力取向的写作教学和认知能力取向的写作教学三种类型。写作能力是学生语文水平的综合体现,是一种综合性全面性的能力,其核心有观察力、思维力、选材能力、谋篇布局能力、语言表达能力、修改文章的能力以及非智力因素方面的能力。在对中学生写作能力进行评价时,一般采用基础等级和发展等级的评价方式。《义务教育语文课程标准》(2022年版)对初级中学阶段的写作能力进行了具体的要求,而《普通高中语文课程标准》(2017年版2020年修订)不再简单划分为阅读和写作板块,而是一方面按照必修和选修来要求,另一方面按照学习任务群对写作能力要求作出了具体表述。另外,《普通高中语文课程标准》(2017年版2020年修订)的写作能力评价指标共划分为5个水平。

在具体写作教学中,教师可以从励志类、托物言志类、建议主张类、社会现象评说类、寓言类、哲理类、过程描述类作文进行系列训练,这样既尊重了分类的学理性,又照顾了写作教学及考试训练实际,能有效地对中学生进行训练,提高中学生的写作水平。

长期以来,我们的写作教学模式是以让学生模仿与习得为主,是以牺牲学生大量的时间、精力成本为代价的,是低效高耗的。因此,写作教学的思路必须改变,即要将写作教学过程化,对写作教学的每个阶段中规定具体明确的关于"教什么""怎么教"的可操作的内容,通过写作教学过程指导给学生提供切实的帮助。

第七章 中学的写作教学

☞ **本章知识结构**

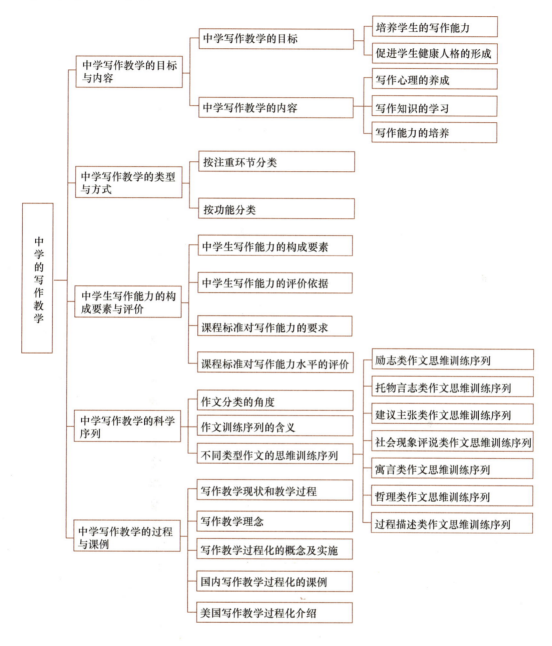

☞ **本章参考文献**

[1] 毕养赛.中学语文教学引论[M].杭州:浙江教育出版社,1988.
[2] 常青.分格作文法:小学百格训练[M].北京:教育科学出版社,1997.
[3] 程少堂.流派纷呈:作文教学改革30年[J].教育理论与实践,2008(15):10-11.
[4] 崔石挺.思路·技巧·法则:介绍常青的"写作基本训练分格教学法"[J].语文教学通讯,1981(7):36-40.

[5] 胡家曙.托物言志类作文的优化路径[J].中学语文教学,2015(4):26-32.
[6] 黄淑琴,桑志军.语文课程与教学论[M].广州:广东高等教育出版社,2013.
[7] 靳健,马胜科.中学语文课程与教学设计[M].北京:高等教育出版社,2014.
[8] 李敏.美国过程写作教学的原理、实施及其启示[J].新课程研究(上旬刊),2016(8):4-7.
[9] 李旭山.轻松突破作文瓶颈:构建范畴思想下的作文思维[M].重庆:西南师范大学出版社,2017.
[10] 李旭山.社会现象评析作文思维训练:以2016年高考作文为例[J].语文教学通讯·高中,2017(5):68-69.
[11] 李旭山.缘同化异的劝说逻辑:劝说类作文思维训练[J].语文教学通讯·高中,2017(10):60-62.
[12] 李英,张中法.教材写作课程资源的情境化开发[J].中学语文教学参考,2021(20):35-37.
[13] 李煜晖.说理与思辨:议论性文章写作教学价值与内容新探[J].课程·教材·教法,2021,41(6):75-81.
[14] 刘朏朏,高原.作文三级训练体系概要[J].人民教育,1990(4):28.
[15] 潘新和.语文:表现与存在[M].福州:福建人民出版社,2004.
[16] 潘涌,水小琴.美国母语写作教学的价值取向、设计特点及其启示[J].比较教育研究,2009(7):44-48.
[17] 苏长勇.合理运用过程写作法,提升高中语文写作效率[J].课程教育研究,2020(43):76-77.
[18] 王可.中学生的写作认知能力与培养[M].北京:科学出版社,2011.
[19] 王荣生.我国的语文课为什么几乎没有写作教学[J].语文教学通讯·初中,2007(12B):4-7.
[20] 王荣生.写作教学教什么[M].上海:华东师范大学出版社,2014.
[21] 王文彦,蔡明.语文课程与教学论[M].2版.北京:高等教育出版社,2006.
[22] 魏小娜.中小学作文教学的四种类型[J].语文建设,2013(1):25-28.
[23] 易朝芳,李旭山.比喻类比化 文思繁花开:托物言志类文章思维训练原则及示例[J].语文教学通讯·高中,2016(2):64-65.
[24] 易朝芳.拆分审题 让作文有思路[J].中学语文教学参考·初中版,2011(4):60-62.
[25] 中华人民共和国教育部.普通高中语文课程标准(2017年版2020年修订)[S].北京:人民教育出版社,2020.
[26] 中华人民共和国教育部.义务教育语文课程标准(2022年版)[S].北京:北京师范大学出版社,2022.
[27] 周庆元.语文教学设计论[M].南宁:广西教育出版社,1996.
[28] 周小蓬.中外母语教学策略[M].北京:北京大学出版社,2011.
[29] 周子房.交际功能视域下的写作教学:2011年度教育论著评析之十一[J].中学语文(教学大参考),2012(11):15-17.

第八章

中学的口语交际教学

👉 学习目标

识记：中学口语交际教学的内涵、目标，口语交际能力的构成要素。
理解：中学口语交际教学的特点、价值，口语交际能力构成要素及评价。
运用：运用中学口语交际教学的途径与方式，落实口语交际教学的目标。

👉 学习重点

◎ 了解中学口语交际教学的内涵，明确中学口语交际教学的目标。
◎ 理解并初步掌握中学口语交际能力的构成要素及评价。
◎ 能初步运用中学口语交际教学的途径与方式。

👉 学习导引

"口语交际教学"是中学语文教学的有机组成部分，是国家教师资格考试的重要内容，考生应在熟练、准确地掌握、记忆本章知识点的同时，理解语言运用能力培养在语文教学中的重要性，强化语文能力目标与人文素养目标统一的教学理念，并运用相关知识去解决实际语文教学活动中存在的问题。

【引子】

为了训练学生的口头表达能力，李老师在每节语文课的前五分钟，安排两位学生到讲台上分别讲述自己准备好的内容，然后组织班上学生进行评议，最后李老师进行小结。一个学期下来，班上的每位学生都有1~2次发言的机会。

但同年级组的刘老师不太赞成这种做法，他认为，每节课的教学过程都有老师讲课、学生听课和回答问题，这就是口语交际训练，不需要额外花时间，而且学生的阅读能力和写作能力才是语文教学的重点。

你认同哪位老师的做法呢？为什么？你还有更好的做法吗？学习完本章内容后，你应该能明确地回答出来。

第一节 中学口语交际教学的意义与目标

语言文字是人与人交流和交际不可缺少的工具。语文课程的目标是致力于培养学生的语言文字运用能力。语文教学包括对学生听说读写四个方面能力的训练和培养，其中，综合"听"与"说"的口语交际能力自然是其中重要的内容。

口语交际能力是现代公民的必备能力，口语交际教学是中学语文教学的重要组成部分。能听会说是人类运用语言进行社会交流的最基本能力，更是现代信息社会中不可或缺的基本素养。培养中学生良好的口语交际能力，既是社会发展的需要，也是中学生自身发展的需要。

一、中学口语交际教学的意义

（一）中学口语交际教学的内涵

知识点 1：口语与口语交际

口语就是口头语言，是与书面语言相对的，指非书面的、日常生活中规范应用的语言，包括听和说两个方面。口语是通过声音传播的，是最早被人类普遍应用的语言形式。所有的民族都有口语。口语是用来表达思想、情感的，而文字是记录语言的书写符号，文学作品就是以文字记叙口语，表达具有作者的个人独特性的特定思想、情感。

根据《现代汉语词典》（第 7 版），"交际"是指人与人之间的往来接触，即社交。①

"口语交际"实际上就是人们运用口头语言表达思想、进行交际的过程。具体而言，口语交际是交际双方出于特定的目的，运用口头语言和适当的表达方式进行信息、思想、感情交流的言语活动。有修养的口语交际不是简单的口齿伶俐、虚文缛绕，而是要"修养到一言片语都合于论理，都出于至诚"②。

知识点 2：口语交际教学与听说教学

语文学科自独立以来，就有口头语言表达训练的内容，学生的听说能力培养也一直受到重视。从"听说教学"到"口语交际教学"的演变意味着语文课程内容取向及训练方式的变化。

"听说教学"侧重在"听话"和"说话"的训练，相对静态、单一。与"听说教学"相比，"口语交际教学"更重视口头语言的人际交往功能，注重实践，注重学生参与，这也意味着语文教学在学生语言运用训练方面的调整。"口语交际教学"包含了"听"和"说"，但又不限于"听"和"说"，它更强调口头表达的"交际"功能和目的，具有明显的临场性和互动性，也强调交际要合乎伦理道德、文化规范。因此，"口语交际教学"强调能力训练，更强调素养提高。

（二）中学口语交际教学的特点

知识点 3：口语交际教学的特点

强调语言实践运用的口语交际教学具有以下特点：

1. **情境性**

口语交际教学主要培养中学生的日常口语交际的基本能力，而且这种能力要能在现实生活中适时地运用，因此，教学的内容不是简单地把书面语言转化为有声语言，而是具有一定情境性的现实生活层面的口头表达。这需要教师在开展口语交际教学时，设计接近真实生活的情境，让学生在情境中模拟真实口语交际的过程，提高语言运用的能力。

《普通高中语文课程标准》（2017 年版 2020 年修订）在课程性质中指出："语文课程

---

① 中国社会科学院语言研究所词典编辑室.现代汉语词典[M].7 版.北京：商务印书馆,2016：649.
② 张定远.重读叶圣陶·走进新课标：教是为了不需要教[M].武汉：湖北教育出版社,2004：9.

应引导学生在真实的语言运用情境中,通过自主的语言实践活动,积累言语经验,把握祖国语言文字的特点和运用规律,加深对祖国语言文字的理解与热爱,培养运用祖国语言文字的能力。"在学科核心素养中也指出:"语文学科核心素养是学生在积极的语言实践活动中积累与构建起来,并在真实的语言运用情境中表现出来的语言能力及其品质。"并且在语言建构与运用这一核心素养及与之相关的课程目标中也多次提及"情境"的重要性,可见口语交际的教学及其能力养成都有着明显的情境性。

2. 交互性和随机性

口语交际是听与说的交际双方的互动过程,交际双方包括教师与学生、学生与学生。口语交际教学的交互性是指在教学过程中,交际双方进行双向交流、倾听对方、表达自我的过程。口语交际是交际双方在互动的情境下开展的语言实践活动,需要交际双方的互动才能实现,因此,口语交际教学也必然具有交互性。

口语交际教学的随机性主要体现在两方面:一方面是指教学过程中内容的随机性,这是与交互性相结合的。语文口语交际训练的内容是在模拟的生活情境下进行的,不同的个体面对情境的反应可能不一样,这就需要教师全身心关注学生、及时引导学生和调整教学内容,以保证教学过程的顺利和目标的完成。另一方面是指教学时机的随机性。日常的语文课堂教学过程就是口语交际的活动,教师输出信息,学生接收信息并反馈,学生的反馈可能是口头语言,也可能是身体语言,教师应当重视课堂教学的真实过程并充分利用,随时巧妙地组织口语交际活动,把口语交际训练融合在日常教学过程中。

3. 综合性

在口语交际过程中,人们主要运用有声语言进行人际沟通,同时还会运用无声语言辅助交际。无声语言也称副语言,包括体态语言、服饰语言和距离语言等。无声语言传递着情感、态度、礼仪、修养等非常丰富的信息,对交流具有非常重要的作用。

正因为口语交际是综合了多种因素的过程,所以口语交际教学具有综合性。因此,教师在中学口语交际教学过程中,既要训练学生正确而得体地运用有声语言表达的能力,又要培养学生学习运用无声语言表情达意的能力,如对学生音量、目光等的要求,或是对学生得体表达的肯定和赞许等。此外,不容忽视的是教师个人对于体态语言、服饰语言等无声语言的运用,也每时每刻影响和教育着学生。

(三)中学口语交际教学的价值

知识点4:口语交际教学的价值

1. 口语交际教学有利于提升中学生语言运用能力

语文课程要培养学生运用语言文字的能力,而掌握一门语言,必须从听说读写四个方面进行整体训练,其中,听和说是语言运用的基础,也是语言运用范围最广的技能。

听、说能力对于读、写能力的提升是有重要作用的。听和读都是接收信息的能力,说和写都是输出信息、表达思想情感的能力;两类能力共同形成了语言运用能力,它们是相互促进、相辅相成的,是语言能力的有机组成部分。正如著名语言学家吕叔湘说的:"让学生在语言方面得到应有的训练,说起话来有条理性,有头有尾,不重复,不脱节,不颠倒,语句连贯,用词恰当,还愁他不会作文?"①所以说,听、说训练有利于读、写能力的提高,口语交际能力的提升,有助于学生更好地运用语言文字,从而促进学生阅读、写作能力的发展。

口语交际教学既包括听、说训练,还包括关注学生文明沟通和社会交往等情感、态度、价值观方面的内容。口语交际教学要培养学生倾听、表达和应对的能力,需要在大量的语言实践中进行。学生的口语交际学习资源和实践机会无处不在,无时不有,但学生日常的实践是自发的、盲目的,要切实地提高学生的口语交际能力,还需要教师有针对性、渐进式地开展训练,帮助学生能够正确、得体地与他人交流,并形成文明和谐地与他人进行人际交流的素养,这样才有利于促进学生在日常生活中更好地运用语言,文明交际。

2. 口语交际教学有利于训练中学生思维力

口语交际教学是教师设计情境,让学生模拟人际沟通和社会交往的过程,这就需要学生同步调动言语表达与思维,对学生的思维力训练具有显著作用。

首先,在口语交际过程中,学生倾听别人时,需要保持专注的态度,筛选和提取有效信息;学生表达自己时,要对应情境、组织语言,选择得当的措辞、运用得体的语言把自己的思想情感有效地传递给对方。整个过程,学生的思维都得到充分的锻炼。其次,由于口语交际教学所具有的交互性和随机性,学生思维训练更丰富、灵活,有利于创新思维的发展。最后,每一种语言都是一种思维方式,学生在学习文明、得体的沟通和交往过程中,也必然潜移默化地吸收了语言所蕴含的文化元素和思维方式。久而久之,在口语交际训练中,学生的思维力必然能在准确性、条理性、逻辑性和创新性等方面得到提高。

二、中学口语交际教学的目标

(一) 七年级至九年级口语交际教学的目标内容

知识点5:七年级至九年级口语交际教学的目标内容

教师要开展口语交际教学,必须要明确语文课程目标中的相关内容,包括义务教育第四学段和普通高中阶段的课程标准中口语交际的目标和内容。

《义务教育语文课程标准》(2022年版)的九条总目标中,跟口语交际教学有关的有三条:

(1) 认识和书写常用汉字,学会汉语拼音,能说普通话。

(2) 学会倾听与表达,初步学会用口头语言文明地进行人际沟通和社会交往。

(3) 有理有据、负责任地表达自己的观点。

在第四学段(七年级至九年级)学段要求中,口语交际部分包含以下六条:

(1) 注意对象和场合,学习文明得体地交流。

(2) 耐心专注地倾听,能根据对方的话语、表情、手势等,理解对方的观点和意图。

(3) 自信、负责地表达自己的观点,做到清楚、连贯、不偏离话题。

(4) 注意表情和语气,根据需要调整自己的表达内容和方式,不断提高应对能力,增强感染力和说服力。

(5) 讲述见闻,内容具体、语言生动。复述转述,完整准确、突出要点。能就适当的话

---

① 刘新才.培养说话能力 提高学生素质[J].语文教学与研究,2003(3):60.

题作即席讲话和有准备的主题演讲,有自己的观点,有一定的说服力。

(6)讨论问题,能积极发表自己的看法,有中心,有根据,有条理;能把握讨论的焦点,并能有针对性地发表意见。

结合课程标准的表述,可以明确七至九年级口语交际的目标特点。

第一,全面性。一方面,全面性体现在不仅就整个义务教育阶段提出了整体的口语交际教学目标,还对每一学段提出口语交际教学目标要求。另一方面,义务教育阶段语文课程的总目标及学段要求对口语交际教学提出的要求涵盖内容广泛而全面,主要体现在根据不同的交际情境和目的分别提出不同的目标要求,此外还对无声语言的使用提出一定的建议,这些全面而详细的要求使得口语交际教学有清晰的目标导向,利于提高教学成效。

第二,阶段性。口语交际的学段目标呈现出螺旋上升的状态,随着年级的升高,教学要求逐步提升。如:在第一学段,要求学生讲小故事力求完整,能简要讲述见闻即可;到第四学段,对学生说话的要求明显提高,要求学生不但能讲述见闻,而且要做到内容翔实、语言形象,同时还提出了复述、演讲等新的组织形式的要求,开始引导学生在公共场合文明得体地发言。相较于第一学段,第四学段的学生经过前三个学段的积累,口语能力已经发展到一定的水平,因此课程标准对第四学段学生的要求更为具体,组织形式更加多样化。

第三,前瞻性。口语交际目标力求面向现代化、面向未来,因此教师应尽量联系学生的生活实际,要求学生积极主动地进行人际沟通和社会交往,为学生将来走向社会奠定基础。另外,教师开展口语交际教学的活动形式应多种多样,同时要更加注重学生综合素养的提高。

课程标准倡导应通过实践活动和人际交往来提高学生的口语交际能力,口语交际能力不只是在语文课中才能得到培养,教师应该教会学生随时随地进行口语交际训练,使口语交际渗透到日常生活的方方面面。

(二)普通高中口语交际教学的目标内容

知识点6:普通高中口语交际教学目标

《普通高中语文课程标准》(2017年版2020年修订)明确提出了普通高中口语交际教学的目标。

其中,在"课程目标"部分,有两条提出了语言表达、运用方面的要求,第一条虽然不是直接对应口语交际的,但其中提及的"言语活动经验"显然是包含口语交际的内容的。

(1)语言积累与建构。积累较为丰富的语言材料和言语活动经验,形成良好的语感;在已经积累的语言材料间建立起有机的联系,在探究中理解、掌握祖国语言文字运用的基本规律。

(2)语言表达与交流。能凭借语感和对语言运用规律的把握,根据具体的语言情境和不同的对象,运用口头和书面语言文明得体地进行表达与交流;能将具体的语言文字作品置于特定的交际情境和历史文化情境中理解、分析和评价。

"必修课程学习要求"第五点提出以下目标要求:"增强人际交往能力,在口语交际中树立自信,尊重他人,文明得体,仪态大方,善于倾听,敏捷应对。注意口语的特点,能根据不同的交际场合和交际目的,恰当地进行表达。借助语调和语气、表情和手势,增强口语交际的效果。学会演讲,做到观点鲜明,材料充实、生动,有说服力和感染力,力求有个性和风度。在讨论或辩论中积极主动地发言,恰当地应对和辩驳。朗诵文学作品,能准确把握作品内容,传达作品的思想内涵和感情倾向,具有一定的感染力。"

"选择性必修和选修课程学习要求"第三点提出以下目标要求:"注意在生活和跨学科的学习中学语文、用语文,在学习和运用的过程中提高表达、交流能力。能综合运用在语文与其他学科中获得的知识、能力和方法,运用多种方式展开交流和讨论。留心观察社会生活,丰富人生体验,有意识地积累写作素材,广泛搜集资料,根据表达需要和体裁要求,尝试多种文本的写作,相互交流。在实践活动中增强口头应用的能力,能根据交际的需要,选择恰当的时机和场合,提出话题,敏捷应对,注意表达效果。参加演讲与辩论,学习主持集会、演出等活动。"

这些内容体现了普通高中口语交际教学目标的三个特点:

一是注重语言内容的丰富性。课程标准要求高中生善于从日常生活以及不同科目的学习中积累语言素材,并在素材间建立有机联系,这是从口语交际内容的层面对学生提出了更高的要求。

二是注重语言表达的感染力与个性。课程标准要求高中学生不仅要能听会说,还要会演。要求学生会演讲、会朗诵、能表演,在一定程度上对学生的体态、动作、表情等提出了要求,这样的表达能够增强语言的感染力,体现学生的个性和风度。

三是重视语境。课程标准再次强调了语境的重要性,要求高中生在日常交流时,要根据具体的语言情境和不同的对象,运用口头和书面语言文明得体地进行表达与交流。在分析作品时,能将具体的语言文字作品置于特定的交际情境和历史文化情境中去理解、分析和评价。这一要求有利于引导学生将口语交际训练迁移到日常生活与学习中去。

与《义务教育语文课程标准》(2022年版)相比,《普通高中语文课程标准》(2017年版2020年修订)对口语交际训练提出了更高要求,不仅要求学生关注语境,还在语言内容、感染力和个性表达等层面对学生提出了要求。

练习题

1. (多项选择题)七至九年级口语交际教学的目标要求有(　　　　)。
   A. 注意对象和场合,学习文明得体地交流
   B. 自信、负责地表达自己的观点,做到清楚、连贯、不偏离话题
   C. 能听出讨论的焦点,并能有针对性地发表意见
   D. 能较完整地讲述小故事,能简要讲述自己感兴趣的见闻
   E. 讲述见闻,内容具体、语言生动
2. (简答题)口语交际教学与听说教学有什么不同?
3. (论述题)在口语交际教学中培养学生文明得体地交流,对阅读、理解能力的提高有什么影响?
4. (论述题)试结合具体例子,谈谈你对中学口语交际教学目标的理解。

第二节　中学口语交际教学的途径与方式

中学口语交际教学的途径和方式是指中学阶段一系列组织学习运用口语的活动、方式与过程。根据所达成的目标层次，可以将中学口语交际教学的途径和方式分为达成课程目标的途径和方式、达成教学目标的途径和方式。

《义务教育语文课程标准》(2022年版)指出口语交际教学应"引导学生在多样的日常生活场景和社会实践活动中学习语言文字运用"。

一、达成课程目标的途径和方式

知识点1：达成课程目标的途径和方式

达成课程目标的途径，主要包括日常生活的"听-说"结合，阅读教学的"读-说"结合，以及写作教学的"说-写"结合。

各种口语交际教学途径有其相应的口语交际活动内容、方式与过程，中学阶段主要有"讲述""复述与转述""应对""即席讲话""讨论""辩论""朗诵""演讲""访谈"等。

（一）日常生活中的"听-说"结合的途径和方式

1. 在学校生活中进行口语交际训练

课堂教学是提高口语交际能力的基本途径。常见的口语交际形式是类似即席讲话的课堂发言，讲究言之有序，要求观点明确、针对性强，有一定说服力，语言精练隽永、简洁明快。另外，课间即兴交流也是一种重要形式。中学生每天要在学校度过几个小时，同学之间一起玩乐，有许多交流的内容和机会。如果引导学生把自己丰富多彩的所见所闻、所思所感与大家分享，尽量做到每一个话题的表述都流利、准确、条理，并且选择恰当的对话方式，对于他们形成良好的训练氛围和说话习惯，无疑大有裨益。此外，教师可以在开展各种学校活动时借机进行口语交际教学。比如，在春游活动时，往往在活动之后，学生余兴未尽，会有"一吐为快"的欲望，教师可趁机组织学生把活动过程中自己最感兴趣、最有意义或最能给自己带来快乐的情节说给大家听，这样，学生就会兴趣盎然，有话可说。

只要教师有口语交际意识，愿意组织学生去做，在学校生活中随时都能找到口语交际教学的训练点，找到提高学生口语交际能力的途径。

2. 在社会生活中进行口语交际训练

课堂小社会，社会大课堂。口语交际教学为社会生活服务，社会生活又是学习口语交际的场所。如果教师能够激发学生日常生活中口语交际的兴趣，增强学生口语交际的意识，引导学生在日常生活中自觉、主动地锻炼自己的口语交际能力，变日常生活中的随意口语为有意识、有目的的自我口语交际训练，必然事半功倍。社会上可以进行口语交际训练的机会比课堂上更多，内容更加丰富多彩。在日常社会生活的各个方面，教师都可以给学生安排口语交际任务；在各种社会活动中，教师也可以借机安排口语交际训练。在"用"中学，在"学"中用，学生才能习得更贴合社会生活实际的口语交际能力。

3. 在家庭生活中进行口语交际训练

家庭是重要的口语交际场所,学生有丰富的说话内容和机会。教师可以给学生布置交流讨论类的亲子家庭口语交际实践作业。如"我说你做",就是在引导学生把话说清楚,同时也要认真倾听别人的发言。课堂上的小游戏,孩子们可以在家和家长一起玩,一个人说,一个人来做动作,既锻炼了学生的口语交际能力,又增进了亲子感情;每逢节假日,教师可以向学生交代,走亲访友或朋友亲戚到自己家里来应该说些什么以及怎样说;开家长会,教师可以借机强调,在可能的情况下,家长应该尽量带孩子出去走走,去接触社会,去接触人;学校里发生的值得向家长说的事,或有关通知,教师可以将其当成一项家庭作业要求学生向家长叙述、转述;家里来了电话,教师可以建议家长让孩子接听,并借机教会孩子如何把话说得清楚、简洁、具体。家庭是孩子说话最多,也是说话最自由的场所,在家庭生活中进行口语交际训练,是提高学生口语交际能力的一条有效途径。

(二)阅读教学中的"读-说"结合的途径和方式

阅读是获得口语交际内容的重要途径,为口语交际提供丰富多彩的说的内容。阅读教学为口语交际创造了大量说话的机会。同时,书面语言的阅读还能够规范和指导口头语言的学习、发展和提高。"读-说"交流的形式多种多样,有"讲述""复述与转述""讨论""朗诵"等。

讲述是把事情、道理、故事、自己的思考、感受等讲给别人听。讲述故事和见闻是学生喜闻乐见的口语训练方式。

复述是把读物的内容用自己的话说出来,主要有详细复述、简要复述和创造性复述三种形式,其基本要求是完整准确、抓住中心、突出重点、层次清晰。转述是把别人的话说给另外的人听。要求信息传递得准确、完整、不改变事实;要把握重点,不遗漏要点;根据转述对象改变人称、时间、空间等。

讨论即探讨寻究,议论辨析,是学生围绕某个话题表达意见,寻求共识或解决问题的一种平等交流的方式。

朗诵是学习语文的重要方式,它能有效地培养语感,提高口语表达能力。

在口语交际教学中,"读-说"结合的多种方式,可灵活结合,综合使用。

口语交际能力的培养是一个漫长的过程,教师要充分认识到阅读与口语交际的内在联系,充分利用阅读教学去提高学生的口语交际能力。在阅读教学中,教师要以课文为依托,与学生一起学习,一起探究,一起争论,并留出一定的时间和空间与学生交流,让学生谈谈心得,谈谈自己对课文的理解,谈谈自己的内心感悟,引导学生展开想象的翅膀,大胆地进行口语交际,使学生有感而发,有感要发,有感不得不发。对于学生的疑问,教师要积极引导、点拨,循循善诱,让学生自己去讨论、争辩、释疑。让学生在讨论中想说,在争辩中敢说,在释疑中乐说。①

(三)写作教学中的"说-写"结合的途径和方式

从说到写是写作的基本规律之一。

1. 写前说话

写作过程分为"计划""转译"和"回顾"三个环节。"计划"属于写前环节,其任务是产

---

① 黄源镜.语文教学培养学生口语交际能力的途径探究[J].语文建设,2016(29):7.

出文章的思想、内容和结构。写前说话就是促使学生在动笔之前,将"计划"的内容陈述出来,言之有物,言之有序。产出文章思想内容常见的方式有访谈、读说、讨论等。当学生能把所要写的思想内容和结构形式说出来时,接下来才是写。

2. 写后说话

写后说话主要就是把写作的"回顾"环节说出来,这个环节包括在文章中发现错误和改正错误两个部分。教师可以让学生自行修改,方法是"再读,再读,再读",然后抽几个学生朗读自己所写的作文,在学生朗读的过程中教师当堂批改;教师也可以让学生结合本次写作要求评析自己的文章,发表意见;教师还可以发给学生其他同学所写的文章,教给他们改正的方法,要求他们发现错误、改正错误,然后和教师讨论改正的过程。写后说话就是教师要求学生就某一个专题各自事先写好文章后,就所关心的问题交换意见,陈述自己对事情的认知过程,提出自己的观点,发表自己的想法和看法。

3. 口头作文

口头作文是指运用口头语言叙述事物、事理、情感的独立成篇的有组织的讲话。教师应教授学生构思口头作文的基本方法,从文章的中心、选材、结构等方面定下几个"点",连"点"成"线",再扩"线"成"面",然后由易到难、从部分到整体、从形象到抽象,按照记叙—说明—抒情—议论的文体顺序进行训练。教师要侧重训练学生审题构思、遣词造句、组织成文的能力,采用先说后写,说话训练与写作训练结合起来的方式,质量更高。教师可以从学生最熟悉的生活入手,设计口头作文内容,引导学生从自己说起,包括生活、思想、性格、兴趣和情感,由近及远,由自己到家人,由家庭到学校,形成以"自我认识"为主旨的口头作文内容体系。如新生入学第一次作文课,可以安排学生"说自己",向同学和老师作自我介绍,要求用故事的形式,反映自己的个性、情趣、爱好和梦想等,说了之后,把它写成文章《这就是我》。[①]

二、达成教学目标的途径和方式

知识点 2:达成教学目标的途径和方式

中学口语交际课堂教学的途径,从行为方式上讲,是指在一个课时或若干课时中,教师如何引起、维持、促进学生口语交际学习的全部行为方式的路径;从教学思路上讲,是教学思维所走的一条路,即一堂具体的口语交际课应该从什么地方出发,怎样一步一步往前走,先做什么,后做什么,最终到达教学目标的路径。

(一)中学口语交际课堂教学活动的起点

口头语言表达的主要特点之一是情境化。创设口语交际语境,激发口语交际需求,是中学口语交际教学的起点。语境是说话的现实情境,即运用语言进行交际的具体场合。口语交际教学的成功,关键在于语境创设。语境创设有语境适应、语境利用和语境改造,对不同人说不同话是对语境的适应,投其所好是对语境的利用,变不利环境为有利环境是对语境的改造。

口语交际教学是在说的活动中去教会学生说,学生不说就没法去教,因此,教师首要考虑的是如何调动学生言语交际的积极性,激发学生表达的欲望,让学生有说的需求。

---

① 杨祥明.基于思维训练的作文教学策略[J].中学语文教学,2013(8):32.

如果能把学生置于一个有说的强烈愿望、喜欢说、愿意说、不得不说的语境中,学生有了强烈的表达欲望,学生畅所欲言地说起来,那么口语交际教学就成功了一半。

知识点 3:中学口语交际教学的语境创设

1. 创设不吐不快的语境

口语交际最主要的是要有对生活的认识和感受。许多时候,学生说不好是因为缺少对生活的自我认识、体验和感受,或者说感受不深。因此,要让学生说得好,教师就要想办法激发学生强烈的感受,让他们有说的强烈动机,有说的丰富内容,有说的深刻感受。教师激发学生感受的关键就是了解学生的心理,知道他们在什么情况下会"不吐不快",借机给他们创设表达交流的环境,进而成功地锻炼学生的口语交际能力。

2. 创设表演语境

似我非我,装谁像谁,便是表演语境。表演本身是一种既能增添学习兴趣,又能灵活地训练语言的活动方式。把表演搬入口语教学中,能使口语交际迅速情境化,并且可以随时在现实与非现实之间自由切换,师生可以随时进入不同角色、扮演不同身份的人进行口语交际,又可以随时跳出假设的情境,站在现实的角度旁白或谈论方法技巧。在表演语境中,更有利于教师对学生进行口语交际训练。

教师可以组织学生编演课本剧,给学生创设一个表演语境。编演课本剧,从确定剧目到角色选定、服装设计、舞台编排、台词训练等全都由学生自己完成,这个过程本身也就是一个口语交际的过程。学生自导自编自排自演,不仅有利于加深对课文的理解,而且还能提高其口语交际能力。如将《变色龙》一文改成课本剧,让学生分角色扮演,一个人扮演奥楚蔑洛夫,一个人扮演巡警叶尔德林,一个人扮演赫留金,一个人扮演小狗,三个人扮演人群中的人。多次编排演练,交流心得,畅谈感受,不仅丰富了学生的口语交际,同时学生的口语交际能力也在编演课本剧的过程中得到了不同程度的提高。①

3. 创设转述性言语交际语境

转述包含了倾听、应对和表达三个层面的交际要求。"转述"这一交际能力训练过程可分为定向认知、言语实践、动作迁移、熟练掌握四个步骤。教师不仅可以在课堂上教授交际知识,还应该注重学生口语交际实际讲练。言语实践是提升学生口语交际能力的重要环节。②

常见的转述是代人捎话。比如,让学生把校长给班主任说的话捎给家长。因为接受了别人的委托,学生不主动说不行,这就激发了学生说的需要、动机、欲望、积极性和主动性。要说就要说清楚,说清楚的前提是要先听懂并记住别人的话,二是要有条理、清晰、明白地把别人的意思说出来。还有一种语境是向没在场的人转达。比如,在学校给不在场的老师或同学转述比赛通知,在家里给父母转述电话和口信等,这些情境都是转述性言语交际语境。

4. 创设说明性言语交际语境

通过引导学生在不同的情境中运用"说明"的方法向他人清楚地讲述目标内容就是

---

① 黄源镜.语文教学培养学生口语交际能力的途径探究[J].语文建设,2016(29):8.
② 朱水平.适应培养儿童未来全域交际力的需要:统编教材口语交际的编排特点及教学建议[J].语文建设,2022(4):36.

说明性言语交际语境的创设。简单的做法就是教师让学生教别人做事。比如，食堂师傅买了部轧面机，可是看不懂说明书，不会使用，请学生看懂说明书之后教教他；或某人家里买了新款电器，不会安装，让学生看懂说明书之后转告使用者，去指导他安装；或教师找一种药，让学生阅读说明书之后，告诉"病人"这种药的作用、用法、用量、副作用、注意事项以及保存方法等。这些就是在创设说明性言语交际语境。

5. 创设议论性言语交际语境

创设议论性言语交际语境强调要将学生放置于需要他们主动"议论"的言语情境中。在现实生活中，议论是常有的事，无论是对人、对事，还是对物，学生都有许多看法、观点、意见和建议需要发表。口语交际训练的议论性语境，就要求教师利用好生活中的这种议论，根据学生的实际生活来创设。例如，六年级的口语交际内容是"意见不同怎么办"，教师可以在课堂上启发学生就某一问题展开讨论，自由表达自己的想法，发展学生的审辨思维，指导学生学会"以情动人，以理服人"的沟通方式，由此也给学生创设了议论性的口语交际语境。

（二）中学口语交际课堂教学活动的展开与收束

学生口语交际的能力，主要是在"模仿—练习—运用""对比—反思—纠正""任务驱动—目标达成"等活动的展开过程中形成的。

知识点4：中学口语交际教学的展开路径

1. 模仿—练习—运用

语言表达都有一定的结构形式、用法习惯、约定俗成的规则，要促使学生习得这些规则，就需要一定的范例。因此，教师给学生讲明白如何进行口语交际后，应该进行示范，让他们学习交际技巧，激发模仿兴趣。模仿是孩子的天性，成人的口语交际行为对孩子具有强烈的示范作用，成人说话的特点和习惯会对孩子产生潜移默化的影响。学生注意听他人的语言，读他人的文章，特地留意他人如何用词、如何表达意思，等等，就能不断汲取他人长处，并使自己迅速成长起来。学生通过模仿，学会了表达，日后不断在不同的交际情境中练习，最终就能在真实的情境中灵活地运用。

2. 对比—反思—纠正

教师口语交际教学的一个任务，是纠正学生日常口语交际中"习惯性"的"小毛病"。纠正的前提之一是反思，促进反思的方法之一是对比，也就是说，通过对比可以发现口语交际中学生存在的"小毛病"，促进学生的反思，最终使"小毛病"得以纠正。

3. 任务驱动—目标达成

所谓任务驱动，就是教师围绕既定目标，通过完成具体任务来驱动口语交际教学过程的展开。一般是在上课之初，教师先提出一个具体而明确的总任务，然后将总任务分解为若干有先后次序的小任务，学生依次完成这些小任务后就也完成了总任务，达到了既定的目标。例如，统编本高中语文必修上册第六单元"学习之道"单元提示中提道："要准确把握作者的观点和态度，关注作者思考问题的角度，学习他们有针对性地表达观点的方法；学会发现问题，从合适的角度以恰当的方式阐述自己的看法。"因此，在《劝学》的教学中，可以通过"字词疏通""文意梳理""问题探究"等任务环节解决篇目的基本认知问题，最后设置"学习今说"栏目，引导学生进行观点阐发，自主表达，从而更好地理解荀子为何如此强调后天学习的重要性,探寻学习的当代价值。

口语交际教学以创设语境为起点,在实战模拟训练中展开,以达到实际运用目的为收束。

> **练习题**

1. (多项选择题)中学口语交际教学的语境创设常见方法有( )。
   A. 创设不吐不快的语境　　　　B. 创设表演语境
   C. 创设转述性言语交际语境　　D. 创设说明性言语交际语境
   E. 创设议论性言语交际语境
2. (简答题)达成中学口语交际教学目标有哪些途径?
3. (简答题)简述中学口语交际教学日常生活中的"听-说"结合的主要途径和方式。
4. (列举题)请列举出中学口语交际教学达成课程目标常见的三种展开路径。

第三节　中学口语交际能力的构成要素与评价

一、中学口语交际能力的构成要素

知识点1:中学口语交际能力的构成要素

从中学语文的课程标准培养目标中我们可以了解到,中学口语交际能力不是分离地指学生的"听话能力"和"说话能力",而是指学生在特定的口语交际情境与丰富的语言实践中进行人际沟通与交流的能力。因此,结合课程标准中的教学建议,我们可以把中学生的口语交际能力构成要素分为:倾听能力、表达能力、交流与应对能力和非语言因素应用能力。

(一)倾听能力

在口语交际的语言实践中,"倾听"是基本的能力要素,可以体现为"听到""听清""听懂"三个层面:第一,中学生要先具备正常的听觉,能够无障碍地听到交流对象所说的话;第二,中学生要能听清对方说话的具体内涵,这需要具备一定的对输入的听觉信息进行逻辑分析和理解的能力;第三,最高层次的"听懂"要求中学生要能够对听到、听清的话语进行科学客观且较为准确的辨析判断,并根据自己的理解及时地作出应对并合理地表达。

在日常的语文教学中,教师要有意识地穿插倾听能力的训练,改善课堂倾听氛围,以达到最佳教学效果。例如,听记结合训练,主要方式有听记课堂笔记,听记课文、录音、广播,听记竞赛,训练学生倾听的注意力、记忆力;听问结合训练,主要方式有教师口问、学生口答或笔答,教师讲述材料、学生听后提问;听述结合训练,主要方式有听后详述、概述、综述，训练学生倾听的理解力、筛选力。①

（二）表达能力

在此处，"表达能力"特指口头表达能力。健康的个体都具备说话的能力，但是具备说话的能力并不代表善于表达，即我们常说的一个人"能说话"不等于他就"会说话"。那么，口头表达能力由哪些要素组成呢？结合课程标准的要求，我们认为表达能力可以分为以下几个层面：第一，能够逐步顺利地使用普通话与他人进行交谈，并养成说普通话的习惯；第二，能够在习惯使用普通话的基础上，较为自信、自由、顺畅地向他人表达自己的想法、观点、意见，并且语言表述规范得体；第三，在不同场合，面对不同观点、意见时，能够在自我理解的基础上作出相对的回应，敢于参与讨论；第四，善于利用语音、语调、语速、语气等有声语言因素来调整自己的表达方式，掌握运用一定的语言表达技巧的能力。

真实的语文课堂教学多重"文"，少有"语"。教师在教学中应加大学生表达能力的培养力度。课堂中将表达能力训练与课文学习结合起来，如复述课文内容，谈论自己对文章的看法，谈谈自己对课文独到的见解，表达自己的读后感等，鼓励学生踊跃发言，说出自己独特的、真实的情绪感受，这样不仅能帮助学生提高口语表达水平，也能帮助他们加深对课堂内容的理解，起到巩固作用。②

（三）交流与应对能力

信息的交流互通和参与到一定的语言实践中进行交际沟通才是口语交际的最终目的。因此，交流与应对能力在学生口语交际中十分重要。具体来说，口语交际能力可以理解为一种"结合了视、听、说的综合思维能力"③，即要进行信息、情感的交流互通，需要融汇学生话语主客体之间的视、听、说等各方面能力。而交流与应对能力则是指学生在口语交际中，能够针对语境场景的特点、谈话的内容及随之产生的变化而综合运用口语，并及时地给出反映和作出恰如其分的应答的交际水平与能力。交流是一个过程，学生在口语交际中，面对不断变化的交流内容，如果没有较为完整的逻辑思路和流畅的语言表达，交流的效果就不太理想；而变化的场景和交谈内容，甚至是一些突发的、意外的事情，十分考验学生自身的应对能力，这要求学生能够在短时间内作出较快的回应。因此，在日常的语文教学中，教师要重视对学生的随机应对能力的培养和锻炼。如可以在课堂中设计问题互动、进行口头作文训练、锻炼学生即席讲话能力、举办班级辩论赛等。只有在特定的语言场景中，这些能力才能得到更直接的体现和提升。

（四）非语言因素应用能力

我们要重视对学生非语言因素（或称无声语言）应用能力的培养。非语言因素一般包括体态语言（如人的眼神、表情、手势）、服饰语言（如衣着、饰品）、距离语言（如双方的远近距离与关系亲疏反映）等。这些看上去在口语交际中很琐碎、不显眼的要素，往往却是非常重要的、会决定成败的细节。中学语文教师也应尽可能引导学生注重自

---

① 曹立新.浅谈初中语文教学中学生倾听能力的培养[J].新课程学习（中学）,2009(2):107.
② 罗雅文.中学语文教育中口语教学的现状与建议[J].教学与管理（理论版）,2015(24):85.
③ 赵琪凤.我国中小学语文口语交际能力测评初探[J].考试研究,2018(5):35.

己的一些非语言因素的应用习惯,如倾听他人表达时专注的神情与有意识前倾的姿态,进行即席演讲时和观众的眼神接触以及正式的着装,让自己在口语交际中表现得更加得体、文明、大方。

二、中学口语交际能力的评价

知识点 2:中学口语交际能力的评价

教学评价能够促进教师针对教学成效进行科学的诊断、调节,对学生学习也有一定的激励作用,因此,我们应重视口语交际教学的评价反馈,运用客观、科学、有效的评价机制与方式,促进语文口语交际教学的开展与改进。

(一)评价内容与目标

教学评价内容与目标要结合课程标准的具体要求,注重形成性评价。

1. 围绕课程标准和能力培养的要求,分层次地进行评价反馈

课程标准针对学生的口语交际水平作出了递进式、分层次的教学目标与要求,因此,教师在开展教学评价时可以重点围绕课程标准的要求来操作;与此同时,教师也要有针对性地考虑学生口语交际能力不同要素之间的发展水平,因此可以考虑将两者结合起来开展评价,及时反馈。初中语文口语交际能力的评价指标可参考表 8-1。

表 8-1 初中语文口语交际能力的评价指标

评价要素					优秀	良好	合格	不合格
核心素养	能力构成要素							
	倾听能力	表达能力	交流与应对能力	非语言因素应用能力				
文化自信			在与人交流中能够自觉认同中华文化,树立文化自信					
语言运用		① 讲述见闻,内容具体、语言生动。复述转述,完整准确、突出要点。 ② 能就适当的话题作即席讲话和有准备的主题演讲,有自己的观点,有一定说服力	① 自信、负责地表达自己的观点,做到清楚、连贯、不偏离话题。 ② 注意对象和场合,学习文明得体地交流。 ③ 能够注意表情和语气,根据需要调整自己的表达内容和方式,不断提高应对能力,增强语言感染力和说服力。 ④ 能把握讨论的焦点,并能有针对性地发表意见					

续表

评价要素					优秀	良好	合格	不合格
核心素养	能力构成要素							
	倾听能力	表达能力	交流与应对能力	非语言因素应用能力				
思维能力	① 具备一定的对输入的听觉信息的逻辑分析和理解能力。② 能够对听到、听清的话语进行科学客观、较为准确的辨析判断	面对不同场合、观点、意见时,能够在自我理解的基础上作出文明得体的回应,语言有条理、有逻辑	① 能根据对方的话语,理解对方的观点和意图。② 讨论问题,能积极发表自己的看法,有中心,有根据,有条理	能根据对方的表情、手势等,理解对方的观点和意图				
审美创造	学会耐心专注地倾听	语言表达具有艺术性						

2. 应当在语言实践活动中进行考查,注重过程性评价

口语交际能力是一种在特定语言情境与语言实践中的能力体现,并且《义务教育语文课程标准》(2022年版)的评价建议中也指出:"评价要真实、完整地记录学生参与语文实践活动的整体表现,关注学生在活动中表现出来的沟通、合作和创新能力。"

因此,中学语文教师针对学生的口语交际能力考查应当设定在特定的语言实践活动中,如果条件允许,更应当是结合生活化的语言交际情境来进行考查,而不是机械地进行"听""说"的测试;同时,口语交际能力也是一种语言艺术运用能力,有较强的灵活性和丰富性,中学语文教师应当更注重对学生的过程性评价,关注学生在语言活动中的点滴成长,而非简单地进行试题测验。

(二)评价主体多维化

课程标准一直都倡导要注重自评与他评相结合的教学评价方式,即评价主体需要多维化。一般而言,可以从教师评价、学生自评、学生互评、家长评价、专家指点等方式入手来综合开展评价。由于口语交际教学多是来源于生活语言实践场景,因此,中学语文教师可以多设计一些结合学生实际生活的任务、家庭作业、小组活动来进行考查与评价。同时,评价要把定性评价和定量评价科学地结合起来,切忌只有一个生硬且公式化的"优良中差"的等级评价;评语表达中也要充分利用多维评价给予学生综合、具体、准确的评价;评价应以积极鼓励为主,对存在的问题应巧妙地予以表达,以免影响学生的积极性。

中学语文教师可以根据自己组织开展的口语交际活动制定符合教学实际需要的评价机制和表格,也可以参考如表8-2所示的口语交际活动多维评价表。

表 8-2　口语交际活动多维评价表

评价指标		评价主体	评价等级				自我评价与学习反思
			优	良	合格	待合格	
倾听能力	① 听到； ② 听清； ③ 听懂	本人					
		小组互评					
		家长					
表达能力	① 普通话使用能力； ② 能否较为自信、自由、顺畅地向他人表达自己的想法与观点； ③ 面对不同的观点时，是否能够理解并积极参与讨论； ④ 是否掌握一定的语言表达技巧，及时调整自己的表达内容(语音、语调、语气等)	本人					
		小组互评					
		家长					
交流与应对能力	① 是否能大方、得体、自如地进行交流互动； ② 对突发情况的处理态度是否淡定、冷静、灵活等	本人					
		小组互评					
		家长					
非语言因素应用能力	① 对体态语言(如人的眼神、表情、手势)的理解与应用； ② 服饰语言(如衣着、饰品)是否符合交际场合； ③ 距离语言是否恰当，与交谈者是否保持恰当的交际距离	本人					
		小组互评					
		家长					
评语	同学评语						
	家长寄语						
	教师评价及评语						

练习题

1. (单项选择题)下列哪些属于口语交际能力中的表达能力要素？(　　　　)

　　A. 能够逐步顺利地使用普通话与他人进行交谈，并养成说普通话的习惯。

　　B. 注重交际场合的服饰穿着，与交谈者保持礼貌距离。

　　C. 能听清对方说话的具体内涵，正确理解他人说话的具体意思。

　　D. 语言交际中面对突发情况，能保持冷静，及时作出应对。

2. (简答题)简述中学语文口语交际应培养学生哪些能力。

3. (论述题)结合教学实例和生活实际，谈谈如何更有效地培养和提高中学生的口语交际水平。

4. (论述题)请以高中语文学习任务群的其中一个专题为例，谈谈如何开展口语交际教学评价。

☞ 本章小结

口语交际能力是中学生语文素养中的综合能力的重要表现,本书围绕中学口语交际教学的意义与目标、中学口语交际教学的途径和方式,以及口语交际能力的构成要素与评价三个方面进行了介绍。教师在中学语文教学中,要关注"听说教学"与"口语交际教学"的异同点,要更关注中学生运用口头语言在实际语言实践语境中的交际运用,这充分体现出中学口语交际教学需要注重情境性、交互性、随机性、综合性的特点;同时教师要关注开展中学口语交际教学的有效途径和方式、创设语境的方法,还要关注当前中学课程标准中对学生"口语交际教学"的教学标准、口语交际能力的四个构成要素和科学有效的评价方式。

☞ 本章知识结构

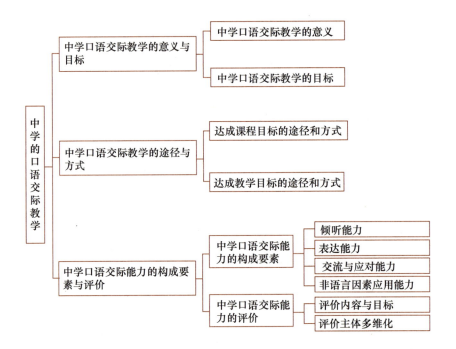

☞ 本章参考文献

[1] 曹立新.浅谈初中语文教学中学生倾听能力的培养[J].新课程学习(中学),2009(2):107-108.
[2] 陈建伟.中学语文课程与教学论[M].2版.广州:暨南大学出版社,2008.
[3] 黄淑琴,桑志军.语文课程与教学论[M].广州:广东高等教育出版社,2013.
[4] 黄源镜.语文教学培养学生口语交际能力的途径探究[J].语文建设,2016(29):7-8.
[5] 李丽.口语交际学习论[M].北京:语文出版社,2013.
[6] 刘永康.语文课程与教学新论[M].北京:高等教育出版社,2011.

[7] 罗雅文.中学语文教育中口语教学的现状与建议[J].教学与管理,2015(24):83-85.
[8] 王荣生.语文综合性学习教什么[M].上海:华东师范大学出版社,2014.
[9] 王志凯,王荣生.口语交际教例剖析与教案研制[M].南宁:广西教育出版社,2004.
[10] 吴敬.怎样让口语交际作业有趣有效[J].中国教育学刊,2022(3):103.
[11] 杨祥明.基于思维训练的作文教学策略[J].中学语文教学,2013(8):30-33.
[12] 于永正.于永正课堂教学实录Ⅱ(口语交际与习作教学卷)[M].北京:教育科学出版社,2014.
[13] 赵年秀.全视角深度学习视域下小学口语交际课的教学策略[J].语文建设,2020(22):15-18.
[14] 赵琪凤.我国中小学语文口语交际能力测评初探[J].考试研究,2018(5):34-41.
[15] 赵雪梅.初中语文口语交际教学评价现状及策略分析[D].重庆:重庆师范大学,2017.
[16] 中华人民共和国教育部.普通高中语文课程标准(2017年版2020年修订)[S].北京:人民教育出版社,2020.
[17] 中华人民共和国教育部.义务教育语文课程标准(2022年版)[S].北京:北京师范大学出版社,2022.
[18] 朱绍禹,傅永安,刘淼.语文课程与教学论[M].北京:中国社会科学出版社,2007.
[19] 朱水平.适应培养儿童未来全域交际力的需要:统编教材口语交际的编排特点及教学建议[J].语文建设,2022(4):32-36.

第九章

中学语文综合性学习

☞ **学习目标**

识记：语文综合性学习的目标，语文综合性学习的特点，中学语文综合性学习活动评价方法。

理解：中学语文综合性学习的概念和内涵，语文综合性学习活动与语文的关系，中学语文综合性学习实施与评价的建议。

运用：在开展语文综合性学习的过程中能正确把握活动与语文，与其他学科的关系，能够落实学生语文能力的提高，语文素养的提升。

☞ **学习重点**

◎ 把握语文综合性学习目标、实施流程和评价方法。
◎ 理解中学语文综合性学习的概念和目标边界，并学会将之落实到实际教学中。
◎ 理解语文综合性学习的核心素养目标和活动设计原则、评价原则。

☞ **学习导引**

中学语文综合性实践活动是课程标准提出的一个特殊的语文学习领域，它的综合性使它在实际操作过程中变得很复杂。学生应在熟练、准确地掌握、记忆这些知识点的同时，正确理解语文综合性学习与语文学科及其他学科的关系，理解开展的活动与语文之间的关系，并运用相关知识去解决实际语文教学活动中存在的问题。

【引子】

语文"综合性学习"因其综合性而变成了语文课程中一个很特殊的学习领域，如果把握不好、实施不当，很容易在实施过程中"出轨"：上音乐主题的语文综合性学习活动，结果学生只学到了音乐知识；上月球探险主题的综合性实践活动，结果学生只学到了自然科学知识；上民俗民风主题的综合性实践活动，结果学生学到的是历史和地理知识。语文综合性学习的核心素养目标是什么？它的目标指向和边界在哪里？在学习完本章内容后，你将对这个问题有明确的认识。

第一节　中学语文综合性学习的目标与内容

中学语文综合性学习是语文教学的内容之一。识字与写字、阅读、写作、口语交际是分项的学习和训练，是根据言语行为方式来划分的，是显性的语文学科形态；而语文综合性学习则是综合的、隐性的，是从语文的学习方式入手的语文教学形态，它的特殊性在于综合性。学习了本章，我们会发现语文综合性学习是语文学科的主轴，与听说读写的关系是融合的关系，而非并列或对立的关系。

一、语文综合性学习的概念梳理

知识点1：语文综合性学习的概念梳理

2001年教育部颁布的《全日制义务教育语文课程标准（实验稿）》首次把"综合性学习"纳入语文课程结构体系之中，并同"识字与写字""阅读""写作""口语交际"相并列，从此，"综合性学习"构成语文课程内容的有机组成部分。《义务教育语文课程标准》（2022年版）在课程理念的第三点中明确指出，语文课程要"注重课程内容与生活、与其他学科的联系，注重听说读写的整合，促进知识与能力、过程与方法、情感态度与价值观的整体发展"。这从根本上阐明了语文课程"综合性学习"的教学主张。

语文综合性学习是伴随着语文课程改革出现的新事物，在实际操作过程中，由于课程标准本身对综合性学习的语言表述不够明确，故而在语文教育界产生了许多不同的理解和阐释。

《语文课程与教学论》一书中将综合性学习定义为："语文综合性学习是学生语文学习的活动方式，主要体现为语文知识的综合运用、听说读写能力的整体发展、语文课程与其他课程的沟通、书本知识学习与实践活动的紧密结合。语文综合性学习的显著特征是语文课程内容的综合、语文课堂内外的综合、校内与校外的综合。"①

《后现代文化视界的语文课程与教学论》一书中进一步认为："综合性学习作为独立的课程形态，是教师为了学生的发展，开发和利用周边各种课程资源，释放自身的能力个性与人格魅力，充分展示学校的文化特色，重组或新建的一种实践性课程。"②

《当代语文教育学》一书中这样表述："语文综合性学习是以语文学科为依托，以语文学科与其他学科，学生生活与社会生活之间的整体联系为主线，以问题为中心，以活动为主要形式，借助综合性的学习内容和综合性的学习方式培养学生语文综合素养的一种课程组织形态。"③

《义务教育语文课程标准》（2022年版）中把"综合性学习"组织为"学习任务群"，并直接表述为："语文学习任务群由相互关联的系列学习任务组成，共同指向学生的核心素养发展，具有情境性、实践性、综合性。"

北京师范大学教授郑国民给出的定义较为全面，他提出："语文综合性学习是一种立足于语文课程基础之上，通过学生自主地开展语文实践活动以促进其语言素养的整体推进和协调发展的学习方式。"④这个定义告诉我们，语文综合性学习从本质上来说是一种"学习方式"，从目的上来说是为了提升"语文素养"，从手段上来说是借助"实践活动"，从学科归属上来说属于"语文课程"。

二、语文综合性学习的目标

知识点2：语文综合性学习的目标

《义务教育语文课程标准》（2022年版）对七至九年级综合性学习提出的目标有四项：

---

① 薛晓嫘.语文课程与教学论[M].重庆：重庆大学出版社,2011：249.
② 靳健.后现代文化视界的语文课程与教学论[M].兰州：甘肃教育出版社,2006：232.
③ 刘淼.当代语文教育学[M].北京：高等教育出版社,2005：236.
④ 张洪玲,陈晓波.新版课程标准解析与教学指导.小学语文[M].北京：北京师范大学出版社,2012：119.

一是按照一定的标准分类整理学过的字词句篇等语言材料,梳理、反思自己语文学习的经验,努力提高语言文字运用能力,增强表达效果。

二是学习跨媒介阅读与运用,体会不同媒介的表达特点,根据需要选用合适的媒介呈现探究结果。

三是自主组织文学活动,在办刊、演出、讨论等活动过程中体验合作与成功的喜悦。关心学校、本地区和国内外大事,就共同关注的热点问题搜集资料,调查访问,相互讨论,能用文字、图表、图画、照片等展示学习成果。

四是能提出学习和生活中感兴趣的问题,共同讨论,选出研究主题,制订简单的研究计划。能从书刊或其他媒体中获取有关资料,讨论分析问题,独立或合作写出简单的研究报告。掌握查找资料、引用资料的基本方法,分清原始资料与间接资料,学会注明所援引资料的出处。

《普通高中语文课程标准》(2017年版 2020年修订)在基本理念中指出:"坚持加强语文课程内容与学生成长的联系,引导学生积极参与实践活动,学习认识自然、认识社会、认识自我、规划人生,在促进学生全面而有个性的发展方面发挥应有的功能。""要进一步改革语文课程的目标和内容,既要关注知识技能的外显功能,更要重视课程的隐性价值,还要关注语文课程在社会信息化过程中新的内涵变化;通过改革,让学生多经历、体验各类启示性、陶冶性的语文学习活动,逐渐实现多方面要素的综合与内化,养成现代社会所需要的思想品质、精神面貌和行为方式。"

《普通高中语文课程标准》(2017年版 2020年修订)在课程结构中指出:"学习任务群以自主、合作、探究性学习为主要学习方式,凸显学生学习语文的根本途径。这些学习任务群追求语言、知识、技能和思想情感、文化修养等多方面、多层次目标发展的综合效应,而不是学科知识逐'点'解析、学科技能逐项训练的简单线性排列和连接。学习任务群的设计,旨在引领高中语文教学的改革,力求改变教师大量讲解分析的教学模式。"这一版的课程标准没有直接提出综合性学习的目标和任务,但处处都体现了语文课程的实践性、综合性和隐性价值,从这个意义上来讲,普通高中对综合性学习的终极目标是全面提升学生的语文学科核心素养。

语文综合性学习的目标,具体可从以下四个方面来看:

1. 语言建构与运用目标

在综合性学习中,学生能掌握查找资料、引用资料的基本方法,分清原始资料和间接资料的主要区别,学会注明所援引资料的出处;能用文字、图表、图画、照片等展示学习成果;能综合运用语文学科的知识能力,将语文学科知识与其他学科融会贯通,具有跨学科学习的能力。

2. 思维发展与提升目标

学生能围绕感兴趣、共同关注的热点问题讨论、选出研究主题,制订简单的研究计划;能做调查访问;自主组织文学活动,具有策划、组织、协调和实施的能力;能主动发现问题和探索问题;初步具备搜集和处理信息的能力;从书刊或其他媒体中获取有关资料,讨论分析问题,独立或合作完成简单的研究报告;运用多种方法,从不同角度进行多样化的探究,在实践中学习、运用语文;在跨文化、跨媒介的语文实践中开阔视野,在更宽广的选择空间中发展各自的语文特长和个性;能运用自主、合作、探究性学习为主要学习方式来学习;具有自我评价和相互评价的能力。

3. 审美鉴赏与创造目标

在办刊、演出、讨论等活动过程中,体验合作与成功的喜悦;具有合作精神;具有学习的自主性和积极性,以及主动积极的参与精神;关心学校、本地区和国内外大事;培养爱国主义感情、社会主义道德品质,逐步形成正确的价值观。通过审美体验、评价等活动形成正确的审美意识。

4. 文化传承与理解目标

提高文化品位和审美情趣;关心当代文化生活,尊重多样文化,吸收人类优秀文化的营养;逐步养成实事求是、崇尚真知的科学态度,初步掌握科学的思想方法;培植热爱祖国语言文字的情感,养成语文学习的自信心和良好习惯;在各种交际活动中学会倾听、表达与交流,初步学会文明地进行人际沟通和社会交往,发展合作精神。

三、语文综合性学习的特点

知识点 3：语文综合性学习的特点

语文课程标准对综合性学习的目标定位是十分明确、具体的,主要体现了如下特点：

（1）综合性。综合性包括识字与写字、阅读、写作和口语交际这四个方面的结合,同时也包括跨学科领域内容的综合、生活的综合、学习方式的综合等。

（2）多样性。综合性学习在活动形式上呈现出多样性的特点,如课程标准提到的办刊、朗诵会、故事会、戏剧节等文学活动。在实际操作中,活动形式更为丰富,如课本剧、调查访问、公益活动、座谈会、讲座等。语文综合性学习与实际生活密切联系,活动形式越来越多样化。

（3）自主性。综合性学习特别注重探索和研究的过程,突出主体的自主性,主要由学生自主设计和组织活动：自主确定活动形式,自主分成小组,自主决定展现方式,自主进行活动的评价总结。

（4）开放性。开放性表现在时间、空间和资源方面：时间上不拘泥于课堂上;空间上不拘泥教室;资源上范围更大,书本、社会、网络等都将给综合性活动带来广阔的资源,让学生在实践中获取语文知识,培养语文能力。同时,开放性将给语文教师在课程组织形式上留下很多的创新空间。

（5）探究性。综合性学习是培养学生主动探究、团结合作、勇于创新的精神的主要途径,教师应特别注重让学生在探索和研究的过程中,能运用多种方法、从多种角度进行多样化的探究,在实践中学习语文知识,培养语文能力。

（6）时代性。《普通高中语文课程标准》(2017 年版 2020 年修订)在课程基本理念中提出："注重时代性,构建开放、多样、有序的语文课程。"在综合性学习过程中,无论是活动主题还是活动形式、活动内容、活动展示、活动评价等各方面都应该与时俱进,体现社会主义核心价值观,在时代前进的步伐中培养学生的综合能力,逐步发展学生的语文学科核心素养。

四、语文综合性学习活动与语文的关系

知识点4：语文综合性学习活动与语文的关系

上海市特级教师李海林认为,归根到底,语文综合性学习是语文的一种学习方式,是综合地学习语文,而不是学习其他学科,其目标和边界都应该是语文。既然综合性学习的目标和边界都指向语文,那么教师在做综合性实践活动教学时就应该明确活动与语文之间的关系。李海林把活动与语文的关系概括为以下三种：

1. 活动本身就是语文学习的内容

语文的任务就是既要培养学生听说读写的语文能力,又要传授给学生一定的语文知识。因此,教师在设计综合性学习活动时,就可以从语文学习内容入手。如开展"爱我家乡"的综合性学习活动,班级要出一期以"家乡之美"为主题的板报,这就很明确地指向语文学习中的阅读与写作。学生在办板报的过程中,需要搜集作品、挑选作品,这是阅读的过程;学生还需要撰写稿件,便是在进行写作体验。这种综合性实践活动本身就是语文学习的内容。

2. 活动不是语文方面的知识,但蕴涵了语文方面的内容

这类综合性实践活动不是直接体现为学习语文知识,但是在这个活动过程中,涵盖了语文的各种知识。如"手绘民间艺人地图"的活动,一定会有关于阅读、写作和口语交际的内容,做完这个活动后,学生学到了关于语文方面的知识,因为所有的民间艺人的信息都是以文字的形式存在的。

3. 活动是为语文学习搭台阶的

这类活动在设计时,教师要考虑开展后能够让学生在语文领域得到什么,活动是为语文学习搭台阶的,活动做完后留给学生的应该是阅读经验、写作经验和口语交际经验。例如,在"亲近家乡的民俗"综合实践活动中：① 选择你最喜欢的民间工艺,对其进行描述,让同学来猜测是什么工艺；② 选择你最喜欢的民间艺术,写一篇800字左右的文章；③ 开展民俗交流会,分小组通过上网查询、实地考察、采访等方式搜集资料、图片,然后进行筛选和整理,通过PPT展示给大家。在这个活动中,原本很难的语文知识,通过活动搭设台阶之后变得容易了。①

练习题

1. (多项选择题)语文综合性学习的特点包括(　　　　)。
   A. 多样性　　B. 探究性　　C. 综合性　　D. 开放性
   E. 自主性　　F. 时代性
2. (简答题)如何理解语文综合性学习活动与语文的关系？
3. (论述题)下面是两个版本的课程标准对综合性学习概念的表述,请从比较的角度,谈谈你的看法。

---

① 李海林.活动量、活动对象和活动成果的语文性：对一个语文综合性学习的案例分析[J].语文教学通讯·初中,2006(9)：7-9.

(1) 2001年我国教育部颁布的《全日制义务教育语文课程标准(实验稿)》首次把"综合性学习"纳入语文课程结构体系之中,同"识字与写字""阅读""写作""口语交际"相并列,构成语文课程内容的有机组成部分。该课程标准指出:"综合性学习主要体现为语文知识的综合运用、听说读写能力整体的发展、语文课程与其他课程的沟通、书本学习与实践活动的紧密结合。""提倡跨领域学习,与其他课程相配合。"

(2)《普通高中语文课程标准(2017年版2020年修订)》前言部分在课程基本理念"加强实践性,促进学生学习方式的转变"中明确指出:"语文课程作为一门实践性课程,应着力在语文实践中培养学生的语言文字运用能力。学习运用祖国语言文字的资源和实践机会无处不在,应增强学生学语文、用语文的自觉意识,积极利用信息技术以及身边的各种资源和机会,通过阅读与鉴赏、表达与交流、梳理与探究等语文实践,积累言语经验,把握语文运用的规律,学会语文运用的方法,有效地提高语文能力,并在学习语言文字运用的过程中促进方法、习惯及情感、态度与价值观的综合发展。"

4.(论述题)结合具体教学案例,谈谈在语文教学中如何实现综合性学习的情感、态度与价值观这个目标。

第二节 中学语文综合性学习的实施与评价

语文综合性学习注重活动实施过程,在活动中实现语文知识和能力的实际运用,促进学生语文核心素养的全面发展,培养学生创新精神和实践能力。要达到这个目标,教师就要提高综合性活动的有效性,在组织活动和指导过程中下功夫,同时必须构建符合综合性学习教学理念和原则的评价机制,使之真正做到真实、合理、公平、有效。

一、中学语文综合性学习的实施建议

(一)语文综合性学习的教学建议

知识点1:语文综合性学习的教学建议

综合性学习主要体现为语文知识的综合运用、听说读写能力的整体发展、语文课程与其他课程的沟通、书本学习与生活实践的紧密结合。

(1)立足核心素养,把握育人价值。突出文以载道、以文化人。把立德树人作为语文教学的根本任务,清晰、明确地体现教学目标的育人立意。

(2)体现语文学习任务群的特点,综合考虑教材内容和学生情况,设计不同类型的学习任务,依托学习任务整合学习情境、学习内容、学习方法和学习资源,安排连贯的语文实践活动。注重语文与生活的结合,注重听说读写的内在联系,追求语言、知识、技能和思想情感、文化修养等多方面、多层次发展的综合效应。

(3)创设学习情境,凸显实践性。增强学生在各种场合学语文、用语文的意识,建设开放的语文学习空间,激发学生探究问题、解决问题的兴趣和热情,引导学生在多样的日常生活场景和社会实践活动中学习语言文字运用。

（4）能针对学习和生活中的问题，开展跨学科学习，根据需要策划创意活动，从相关学科材料中搜集资料，整合信息，发现解决问题的线索；能通过多种方式获取资料。通过合作，能综合运用绘画、表演、创作等多种活动样式开展校园活动和社会活动。

（5）积极利用网络资源平台拓展学习空间，丰富学习资源，整合多种媒介的学习内容，提供多层面、多角度的阅读、表达和交流的机会，促进师生在语文学习中的多元互动。充分利用网络平台和信息技术工具，支持学生开展自主、合作、探究性学习，为学生的个性化、创造性学习提供条件。

（二）语文综合性学习活动的设计原则

知识点 2：语文综合性学习活动的设计原则

1. 阶梯性原则

所谓阶梯性原则，是指语文综合性学习活动的设计，应该以学生能力发展的序列为依据，体现由易到难、由低到高循序渐进的原则。综合性学习活动是一个以学生为主体，由学生自主组织和活动、交流，教师指导和评价的过程。教师在指导活动时，应以学生能力发展的序列为阶梯，有序地安排阶梯任务，不能随意调整、更换任务内容和任务顺序，使所有任务呈现由易到难、由低到高、由浅入深的阶梯变化。

2. 生动性原则

所谓生动性原则，是指语文综合性学习活动的设计必须重点考虑活动的实施过程与方式，在实施过程中体现灵活多样、生动活泼的原则。综合性实践活动既然具有综合的特点，那么活动在内容、主题、形式等方面有多、广、深的选择领域。教师在指导学习活动的过程中，要考虑学生的年龄特点、兴趣爱好，使活动新鲜、灵活、生动、活泼、有趣，让学生乐于参加、自主实践，在参与中体验到综合性学习的乐趣，在活动中学习语文知识，提高语文能力，提升语文素养。

3. 平衡性原则

所谓平衡性原则，是指教师在设计活动时应把握"唯语文"和"非语文"两者的倾向原则。根据语文综合性学习概念的梳理我们知道，对于综合性学习的定义，争论的焦点是姓"语"还是不姓"语"的问题。综合性学习的综合性体现在语文学科内的综合、语文与其他学科的综合、语文与生活的综合，根据这三个方面的内容来看，活动设计不能只从语文学科出发，也不能完全丢掉语文的知识，语文综合性学习的终极目标还是要为语文知识和语文能力服务。因此，教师在设计综合性学习活动时既要把握好"唯语文"倾向，又要把握好"非语文"倾向，在这二者当中做好平衡。

（三）语文综合性学习活动开展的流程

知识点 3：语文综合性学习活动开展的流程

语文综合性学习的活动流程可以分为四个阶段，分别为确定探究主题、制订探究方案、开展探究活动、交流与分享探究成果。

1. 确定探究主题

《全日制义务教育语文课程标准（实验稿）》于 2001 年首次将语文"综合性学习"纳入

语文课程结构体系之中,同"识字与写字""阅读""写作""口语交际"相并列,构成语文课程内容的有机组成部分。因此,各个版本的教材无一例外都有综合性学习的一席之地。2019年统编本教材全面推行,每个学期有三个综合性学习活动,如果教师在教学时仅仅依托教材里设定的几个实践专题是远远不够的,无法充分实现综合性学习的价值,无法充分发展学生的语文核心素养。这就要求教师要结合文本的阅读为学生开辟综合性学习的领域。然而,综合性学习没有现成的文本、现成的写作题目或范例、现成的口语交际模板等供学生学习或练习,学习资源只能靠师生共同去挖掘,学习主题也只能靠师生共同去寻找。学习主题的确定可以有以下几种方式。

(1) 课文话题式:教师可以以教材中课文的题目作为话题,让学生围绕着此话题开展一系列综合性实践活动。

(2) 单元主题式:现行的教材大多以单元来组织课文,每一个单元的课文要么主题相似,要么体裁一致。教师可以根据学生的学习能力,从一个单元的几篇课文中提炼出综合性学习的主题。

(3) 问题探究式:学生在进行文本学习的过程中会产生许多疑问,其中有些问题站在不同的视角会有不同的理解,呈现出多元化的特点。教师可以利用这些具有多元化特点的问题进行综合性学习。

(4) 生活提取式:生活有多广,语文就有多广。日常生活、学习生活和社会生活就是一本本取之不尽、用之不竭的"活"教材。教师可以让学生把视线投向广阔的生活中,利用现实生活中的语文资源,扩大学习的空间,引导学生观察和思考生活中各种各样的现象,从中发掘综合性学习的主题。

2. 制订探究方案

确定好综合性学习的主题之后,教师应组织学生制订活动探究方案。方案内容一般包括活动目标、时间安排、活动流程、活动形式、活动交流、活动反思与评价。教师也可以根据不同的活动灵活制订方案的相关内容。

(1) 活动目标:活动目标包括了解活动中蕴含的语文知识,需要提高的听说读写方面的能力。

(2) 时间安排:活动分为哪几个阶段进行,每个阶段需要的时长和具体时间分布。

(3) 活动流程:活动流程包括每个阶段需要完成的任务,具体操作方式,小组具体的分工。

(4) 活动形式:活动形式多种多样,如调查访问、讲座、参观、比赛等,可以分布在活动流程的每个阶段当中。

(5) 活动交流:在活动完成后,教师可以组织学生进行成果展示,可以采用成果汇报、小组交流等方式展示各个小组的探究成果,成员之间交流活动的感受。

(6) 活动反思与评价:活动反思与评价包括学生的反思和教师的反思,评价包括学生自评与互评,以及教师的评价。

3. 开展探究活动

语文综合性学习的重点是活动实施过程和方式,教师要注重学生在这个过程中的探究方式和精神,注重学生在这个过程中的知识的掌握、能力的发展。一般来说,综合性学习活动过程的时间跨度比较长,学生的参与热情与关注度往往会随着时间的推移、难度的增加或问题没有得到及时解决而消退，最后往往导致学习效果不尽如人意，甚至有可能中途夭折。这就要求教师在活动的各个阶段、各个方面有针对性地介入和指导。教师可以从以下几个方面进行干预和指导：

（1）指引方向。在活动伊始，教师可以帮助学生明确活动主题，创设真实的任务情境，降低活动的难度。让学生对自己在活动中对于"我能做什么，我该做什么"有明确的认识。

（2）保驾护航。在制订活动方案时，教师必须帮助学生把各个学生的责任与任务以计划方案的形式确定下来；帮助小组选举组长，分配任务；督促学生在活动过程中用文字记录，让学生看到自己的努力成果，增加学生的成就感和荣誉感。

（3）排难除困。综合性学习活动是自主性的活动，学生要自主地去调查、研究。在这个过程中，教师要不时地回归课堂，利用课堂这种传统教学环境来解决带有共性的语文问题，在问题的解决过程中为活动排难除困，扫出一条光明之路，以保证活动顺利开展，从而达到使学生积累语文知识、提高语文素养的目的。

4. 交流与分享探究成果

在探究活动结束后，教师应组织学生进行成果的交流与分享。这不仅是对探究活动的总结，也是学生展示自我、提升表达能力的平台。学生可以将自己在活动中的所见所闻、所思所感以报告、演讲、展览等多种形式展现出来。同时，教师应鼓励学生之间进行互评，通过相互学习和借鉴，提升各自的探究能力。在交流与分享的过程中，教师还可以引导学生深入思考，将探究成果与现实生活相联系，从而增强学生的实际应用能力。通过这样的活动，学生能够更好地理解综合性学习的意义，同时也被激发出进一步探究的兴趣和热情。

二、中学语文综合性学习的评价建议

（一）课程标准对语文综合性学习的评价建议

知识点 4：课程标准对语文综合性学习的评价建议

《普通高中语文课程标准》（2017年版2020年修订）对综合性学习的教学建议如下：
创设综合性学习情境，开展自主、合作、探究学习。

（1）应关注学生学习方式的转变，做好学生语文学习活动的设计、引导和组织，注重学习的效果。根据学生的发展需求，围绕学习任务群创设能够引导学生广泛、深度参与的学习情境。可通过多样的语文实践活动，融合听说读写，跨越古今中外，打通语文学科和其他学科、语文学习和学生的生活世界，运用优质的素材和范例，激发学生的学习兴趣和动力，提高语言文字运用能力。加强课程实施的整合，通过主题阅读、比较阅读、专题学习、项目学习等方式，实现知识与能力，过程与方法，情感、态度与价值观的整合，整体提升学生的语文素养。

（2）鼓励学生根据个人兴趣、能力和特长，自主选择学习内容和学习方式，学会自我监控和学习管理，探索个性化的学习方法。要坚守语文课程的基本要求，恰当把握教学容量，不任意增加学生的学习负担，同时也要鼓励对语文学习有兴趣而且学有余力的学生追求更高的目标。

（3）要根据学生身心发展和语文学习的特点，保护学生的好奇心、求知欲，鼓励自主阅读、自由表达，激发问题意识，引导他们体验发现问题、解决问题的过程。积极倡导基于学习任务群的专题学习，围绕语言和文化、经典作家作品、科学论著等，组织学生开展合作探究、研讨交流活动，鼓励学生以各种形式相互协作，展示与交流学习成果。合理利用信息技术，优化整合课堂教学，促进知识的迁移与运用。教师要注意引导学生在自主学习的基础上，学会倾听和分享、沟通和协作，掌握探究学习的方法，提高实践和创新能力。

（二）语文综合性学习评价的基本要素

知识点5：语文综合性学习评价的基本要素

语文综合性学习致力于全面提高学生的语文素养，它具有综合性、多样性、自主性、开放性、探究性、时代性等特征，这就决定了语文综合性学习的评价也应该是立体、多维、综合、开放的。基于综合性学习的特点，其评价要素主要有：活动设计、过程方法、情感、态度、综合性与语文性。

1. 活动设计——基础要素

综合性学习中的活动设计主要包含活动选题和活动流程设计两方面。综合性学习本质上是一种项目化、活动式的教学形态。科学合理的选题和流程是项目顺利实施、活动有效开展的基础。因此，对活动设计的评价是综合性学习评价的基础要素。具体而言，活动主题的选取必须科学可行，要符合学生实际，贴近学生生活和学生兴趣。比如，统编本语文七年级下册第六单元综合性学习内容是：我的语文生活。学段不同、时间不同、基础不同、地域不同的学生，教师在开展综合性学习时选择的主题也应该是不尽相同的。如果某城市正在举行中国海洋经济博览会，该城市中心城区的学校选取"为中国海洋经济博览会参展企业写广告词"作为活动主题，在主题选取上是恰当的。然而，如果在该市的偏远农村中学开展同样主题的活动，则不如选取"为家乡的土特产写广告词"作为活动主题好。此外，活动流程是综合性学习活动开展的行动图谱，是综合性学习活动过程的预设。活动流程的设计也是活动设计的重要组成部分，它不仅体现了学生在综合性学习活动中的组织能力、协调能力和团队意识，还体现了学生在解决问题的过程中所采用的思路和方法，是学生思维能力的反映。

2. 过程方法——核心要素

综合性学习重视过程的评价是由其独特的课程形态所决定的。综合性学习的实践性很强，从课程形态上看更倾向于活动课，而活动的过程是评价的重点，即综合性学习的评价大部分都是关注学生在具体活动中的各项表现与能力的培养、提高，以及语文素养的全面发展、精神品质的有效生成。综合性学习应该更多地关注学生通过怎样的方式方法和途径实现预期目标。在综合性学习活动中，围绕同一个活动主题，由于视角、基础、能力等因素的不同，不同学生形成的活动路径是不尽相同的，而活动路径又是体现学生知识水平、思维能力和创新意识的重要载体，也是培养、提高语文素养的重要载体。因此，在综合性学习活动评价要素中，过程方法是核心要素。

3. 情感、态度——隐性要素

在综合性学习活动中，教师要注重对学生非智力因素的考量，关注学生在综合性学习活动中的情感和态度方面的表现，这与综合性学习强调过程性是息息相关的。语文综合性学习是以强调学生自身的体验为特色的教学形态。综合性学习的评价应揭示学生是如何解决问题的，以及在学习过程中的综合性表现，其中非智力因素的表现尤其不可忽视。综合性学习的评价应着重考查学生的探究精神与创新意识，关注学生参与程度，考查学生在认知、思维、情感、态度、方法等方面的体验和表现。因此，学生在综合性学习活动过程中所表现出的情感、态度，也是重要的综合性学习评价要素。

4. 综合性与语文性——本质要素

综合性学习虽然强调学科间的综合，但是语文性才是其本质属性。因此，在综合性学习评价中，必须强调综合性学习活动中综合性与语文性的统一。语文教学与其他的学科有着自然密切的联系，但这个关系的基础是以语文学科为基础和中心的。对于"身边的文化遗产"这类非语文的综合性学习主题，教师在实施教学的时候一定要把握好中心，不能脱离教学目标轨道，否则虽然主题活动吸引了学生，但是却无法达到预定的教学目标。在综合性学习评价中，教师应关注综合性学习活动设计和操作是否具有鲜明的语文性，将听说读写等多种能力的培养融合；是否有鲜明的综合性，将其他学科的内容和方法与语文学科融合，将理论学习与实践应用融合。

（三）中学语文综合性学习的评价原则

知识点6：中学语文综合性学习的评价原则

1. 主体发展性原则

语文综合性学习是面向全体学生的语文教育活动，它重在促进每一个学生语文素养的发展。在综合性学习中，学生是活动的主体，是实践活动的参加者、设计者和创造者，是综合性学习的服务对象。学生主体的发展是语文综合性学习一切教育活动的出发点和归宿，学生的发展是评价课程质量的主要标准。

2. 表现过程性原则

与语文学科知识点的考试不同，在语文综合性学习当中，学生的发展是通过参与现实的实践活动体现的，活动过程就是学习成果。学生在活动中的表现是评价学生发展状况与水平的客观可见的直接依据，具有十分重要的价值。评价内容主要包括学生参与程度、投入程度和情感、态度，教师应观察、分析学生的表现，重视学生的实践体验，鼓励学生发挥自己的个性特长，勇于实践、勇于创新，促进学生语文素养的全面提高。

3. 多元互动原则

评价多元化是当前评价改革的重要理念和方向。传统的评价主体是单一的，评价模式是由上而下的单向直线式的，学生作为被评价的对象而被排斥在评价主体之外。新的语文课程评价理念主张评价的多元化和互动性。评价多元化，可以是针对的问题多元化，也可以是评价主体多元化，还可以是评价方式多元化。互动评价，可以是学生自评，也可以是学生互评、师生互评等。这样，通过多维度、多侧面的综合性评定，既让学生获得分享成果的喜悦，又让他们找到自己下一步努力的方向，从而能够全面、客观地反映学生语文综合性学习的效果。

4. 合作性原则

合作性原则和综合性学习的活动形式相关。教师一般都采取个人探究和小组合作等方式进行综合性学习活动,目的是培养学生的团队精神和合作能力,活动成果一般也要求集体展示,因此评价也要注重学生与学生、学生与家长、学生与教师,甚至学生与社会成员之间的互动合作。

5. 整体性原则

语文综合性学习评价不仅要看学生的书面表达能力,还要看口头表达能力;不仅要看课内学习情况,还要看学生在课外探究的热情和能力等。教师要从整体入手,全面评价学生,才能更好地促进学生的整体语文素养的全面发展。

6. 实践性原则

语文综合性学习评价要注重学生的亲身参与任务量和参与态度的考核,即学生是否参与了活动的某些环节,参与是否积极主动。重视学生的自我评价、他人评价,这与综合性学习的自主探究、合作交流的要求密切相关。

(四)中学语文综合性学习的评价方法

> 知识点7:中学语文综合性学习的评价方法

1. 表现性评价

美国评价专家理查德·J. 斯蒂金斯(Richard J. Stiggins)认为,表现性评价就是让学生参与一些活动,要求他们实际表现出某种特定的表现性技能,或者创建出符合某种特定标准的成果或作品。[①] 简言之,就是教师在学生执行具体的操作时直接观察和评价他们的表现。《义务教育语文课程标准》(2022年版)中指出语文综合性学习的评价应采用过程性评价,应"重点考察学生在语文学习过程中表现出来的学习态度、参与程度和核心素养的发展水平,应依据各学段的学习内容和学业质量要求,广泛收集课堂关键表现、典型作业和阶段性测试等数据,体现多元主体、多种方式的特点"。申宣成在《表现性评价在语文综合性学习中的运用》一文中认为,综合性学习的表现性评价步骤有:第一步,基于课程标准确定学习目标;第二步,围绕学习目标设计表现任务;第三步,根据目标和任务开发评分规则;第四步,运用评分规则引领教与学。[②]

2. 讨论式评价

讨论式评价是以学生在问题讨论过程中的行为表现作为依据作出的评价。这种评价需要有较为固定的形式,即讨论,在讨论中观察被评价者的行为表现。语文综合性学习采用这种评价方式时,教师观察的重点应放在被评价者的口语交际能力及思维能力上。在讨论过程中,教师应当注意营造和谐、平等、民主的环境氛围,让每个学生都有充分的表达机会,以学生与学生之间的对话为主。

---

① STIGGINS R J.促进学习的学生参与式课堂评价[M].国家基础教育课程改革"促进教师发展与学生成长的评价研究"项目组,译.4版.北京:中国轻工业出版社,2005:155-185.
② 申宣成.表现性评价在语文综合性学习中的应用[D].上海:华东师范大学,2011:58-59.

3. 成长档案评价

成长档案评价是指教师收集学生在完成任务过程中的丰富多样的学习资料和成果，用以评价学生活动效果的评价方式。成长档案评价适用于有一定周期的综合性学习活动。这些资料和成果构成了学生学习的整个过程，同时也是学习的结果。在这个学习过程中，"档案袋"是一个最佳载体，它既能全程展现学习过程，全面容纳学习结果，又能全面评估学生学习状况。

4. 观察评价

观察评价是指教师日常教学时在与学生的接触、互动过程中，以观察（包括直接和间接的观察）和交流为主要方式，不断地了解学生，进而在有意或无意中形成对学生某种看法和判断的一种评价方式。在综合性学习活动中，教师通过观察学生在活动过程中的各种表现，判断他们的言语表达能力、合作探究及创新能力等。

练习题

1. （判断题）教师在指导过程中，考虑学生的年龄特点、兴趣爱好，使活动新鲜、灵活、生动、活泼、有趣，让学生乐于参加，自主实践，在参与中体验到综合性学习的乐趣，在活动中学习语文知识，提高语文能力，提升语文素养。这里讲的是语文综合性学习活动设计的自主性原则。（　　　　）
2. （多项选择题）下列哪些属于语文综合性学习的评价方法？（　　　）
   A. 建立成长档案袋，收集学生活动资料。
   B. 教师在日常教学中观察学生，倾听学生对事物的看法。
   C. 组织学生讨论，在讨论中观察被评价者的表现。
   D. 制订评价方案，让学生参与方案的制订。
3. （简答题）简述语文综合性学习活动实施的流程。
4. （论述题）结合教学实例，谈谈如何在语文综合性学习中培养学生的合作精神。

☞ 本章小结

语文综合性学习是一种立足于语文课程基础之上，通过学生自主地开展语文实践活动，以促进其语言素养的整体推进和协调发展的学习方式。这个定义告诉我们，语文综合性学习从本质上来说是一种"学习方式"，从目的上来说是为了提升"语文素养"，从手段上来说是借助"实践活动"，从学科归属上来说属于"语文课程"。在实施过程中，教师要明确语文综合性学习的目标和边界是"语文"，根据它的特点、设计原则、评价原则来确定活动内容、活动方案、活动方式、评价过程和方法，最终实现课程标准对语文综合性学习提出的核心素养目标和终极目标。

本章知识结构

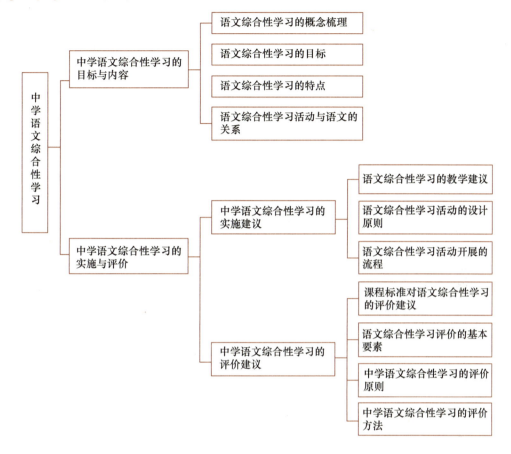

本章参考文献

[1] 陈斐.基于语文课程的综合性学习[M].广州：广东高等教育出版社,2018.
[2] 靳健.后现代文化视界的语文课程与教学论[M].兰州：甘肃教育出版社,2006.
[3] 刘淼.当代语文教育学[M].北京：高等教育出版社,2005.
[4] 刘源.统编版初中语文综合性学习模块编写与实施策略研究[D].沈阳：沈阳师范大学,2019.
[5] 申宣成.表现性评价在语文综合性学习中的应用[D].上海：华东师范大学,2011.
[6] 王荣生.语文综合性学习教什么[M].上海：华东师范大学出版社,2014.
[7] 王文彦,蔡明.语文课程与教学论[M].2版.北京：高等教育出版社,2006.
[8] 徐小婷.基于语文核心素养的初中语文综合性学习教学策略研究[D].扬州：扬州大学.2018.
[9] 郑国民,阎苹,刘永康,等.中学语文教学研究[M].北京：中国广播电视出版社,2006.
[10] 中华人民共和国教育部.普通高中语文课程标准（2017年版2020年修订）[S].北京：人民教育出版社,2020.
[11] 中华人民共和国教育部.义务教育语文课程标准（2022年版）[S].北京：北京师范大学出版社,2022.

第十章

中学语文学习方法指导

👉 学习目标

识记：中学语文学习方法指导的含义。

理解：中学语文学习方法指导的目标与意义；中学语文学习方法指导的内容与方法；中学语文学习方法指导的原则与途径。

运用：在语文教学过程中，教师应对学生的学习方法进行有效指导，使学生真正成为学习的主人。

👉 学习重点

◎ 把握中学语文学习方法指导的目标与意义。

◎ 理解中学语文学习方法指导的内容与方法；理解中学语文学习方法指导的原则与途径。

◎ 在教学中教给学生真正有效的学习方法。

👉 学习导引

"学习方法"的实质在于让学生"学会学习"。《义务教育语文课程标准》（2022年版）明确表示，"课程实施从学生语文生活实际出发，创设丰富多样的学习情境，设计富有挑战性的学习任务，激发学生的好奇心、想象力、求知欲，促进学生自主、合作、探究学习"。

《普通高中语文课程标准》（2017年版2020年修订）在第六部分"实施建议"中也明确要求"教师要注意引导学生在自主学习的基础上"，"掌握探究学习的方法，提高实践和创新能力"。

国家教师资格考试很注重对中学语文学习方法指导原则与途径的考查。考生应在熟练、准确地掌握、记忆相关知识点的同时，深入思考怎样具体运用学习方法指导学生的学习。

【引子】

古人言"工欲善其事，必先利其器"，要想学好各种知识，掌握各种技能，形成良好的学习习惯，必须要有一套行之有效、事半功倍的学习方法。法国科学家笛卡尔（René Descartes）曾给予"方法"非常高的评价，他认为"最有价值的知识是关于方法的知识"。伟大的人本主义心理学家罗杰斯（Carl Ransom Rogers）认为，学习方法是学习活动规律的理论总结。理论来源于实践，并指导实践活动。学习方法指导是培养学生学会学习的重要途径之一，且对学生、教师和社会各方都有重要意义。

传统的语文教育方法只重视教师的教法而忽视指导学生的学法。叶圣陶曾说过"教是为了不教"，这是提醒教育工作者必须教给学生行之有效的学习方法，把"教"建立在"学"的基础之上。因此，语文学习方法指导能为学生全面发展提供支持，为学生终身发展打好基础，为学生主动发展创造条件。

学习方法指导的目标与意义是什么？它的具体内容与方法是什么？在学习完本章内容后，你将对这个问题有明确的认识。

第一节 中学语文学习方法指导的目标与意义

在我们的生活中，时时处处都在讲究方法。法国生理学家克劳德·贝尔纳（Claude Bernard）曾经说过："良好的方法能使我们更好地发挥运用天赋的才能，而拙劣的方法则可能阻碍才能的发挥。"[1]联合国教科文组织国际发展委员会编著的《学会生存——教育世界的今天和明天》一书中指出：未来的文盲，不再是不识字的人，而是不会学习的人。因此，中学语文教师教会学生学习方法十分重要。

学习方法是学习活动规律的理论总结。理论来源于实践，并指导实践活动。要想使学习方法指导取得切实的成效，最有效的莫过于把学习方法指导有机地渗透到课堂教学中去，让课堂不仅是学生获得知识的场所，更是学生学会学习的主阵地。

一、中学语文学习方法指导概述

知识点1：中学语文学习方法指导概述

（一）学习方法的含义

对"学习方法"这一概念的认识，可谓是仁者见仁，智者见智，不同的学者持有不同的看法。在对"学习方法"定义之前，首先理解"学习"的概念可以让我们更好地理解"学习方法"。关于"学习"，我国古代南宋理学家、教育家朱熹在《续近思录》（卷二）中曾认为："未知未能而求知求能之谓学，已知已能而行之不已之谓习。"这个定义简明地揭示了"学习"的本质在于知识与技能的习得与实践，而且还说明了"学习"是一个由未知到已知、未能到已能、认识到实践、知行合一的完整的学习过程。而当代的研究者则对"学习"的概念进行了更深一步的探究。在广义上来说，"学习"包括了从低等动物到人类在后天生活过程中，通过活动、练习，获得行为经验的过程。[2] 从狭义上来说，学习专指学生的学习，即学生在教师指导下，有组织、有计划、有目的、有步骤地进行获得知识技能、培养智力能力，遵循道德规范和养成良好行为习惯的过程。[3]教育心理学研究领域则认为"学习"是指学习者因经验而引起的行为、能力和心理倾向的比较持久的变化。这些变化不是因成熟、疾病或药物引起的，而且也不一定表现出明显的行为特征。[4]而"方法"通常是指关于解决思想、说话、行为活动或生活实际等问题的门路或程序。[5]"方法"一词，在古希腊语中为"道路"之意，而在古汉语中，道路与方法均以"道"字概之。因此，人们通常把方法比作路、桥、工具。古人言"工欲善其事，必先利其器"，要想学好各种知识，掌握各种技能，形

---

[1] 贝弗里奇.科学研究的艺术[M].陈捷,译.北京：科学出版社,1979：3.
[2] 莫雷,张卫.学习心理研究[M].广州：广东人民出版社,2005：1.
[3] 乔炳臣.学习原理与方法[M].哈尔滨：哈尔滨工业大学出版社,2004：73.
[4] 施良方.学习论[M].北京：人民教育出版社,2001：5.
[5] 同[3]：169.

成良好的学习习惯,必须要有一套行之有效、事半功倍的学习方法。因此,这里的"学习方法"是指通过学习过程完成学习任务所采用的策略、途径、手段或方式,最终达到学习预期。[1]

要想顺利完成教学任务,既需要教师教授有方,又需要学生学习得法。教师的教学方法会对学生的学习方法产生影响,而学生的学习方法也会反过来影响教师的教学方法,教法和学法之间是辩证统一的关系。学生是学习的主体,教学的成功与否主要在于学生参与学习认识活动的主动性。在杜威看来,学生如果"不能自己筹划他解决问题的方法,自己寻求出路,他就学不到什么本领"。布鲁姆认为:"教师只有使得学生真正掌握了正确的学习方法,有了自主学习的能力时,才算完成了任务。"桑青松认为,没有任何教学目标比"使学生成为独立的、自主的、高效的学习者"更重要。而教法对学法具有制约和影响作用。教法会促进学生学法的生成,优良的教法会提升学生学法的实用性。教学实践中不乏这样的实例:学生习得的某些学法是通过教师具有示范价值的教法转化而来的。在教学过程中指导学习方法,教学生"学会学习",其目的就是通过特定的教学活动,使学生掌握特定的学法。[2]

(二)中学语文学习方法的含义和特征

由上述分析可知,"学习方法"的实质在于让学生"学会学习"。《普通高中语文课程标准》(2017年版2020年修订)在第六部分"实施建议"中也明确指出"教师要注意引导学生在自主学习的基础上","掌握探究学习的方法,提高实践和创新能力"。语文学习是一项特殊的语言文字的认识、理解活动,其特征为:人以个体读书,在学习过程中,依据语文特点(语言文字表情达意),遵循学习规律(认识、理解语言文字),通过语文知识,用一定途径和方法获取信息,明晓事理。这种途径或方法即完成学习任务过程中所采用的策略、途径、手段或方式,也即"中学语文学习方法"。理想的中学语文教学过程应当是在教师的激励、组织、启发、诱导下,学生主动地获取有关语文的知识,逐步学会学习语文的方法,逐步掌握听说读写的能力,并为进一步发展这种能力直至形成习惯提供基础,最终达成语文学科核心素养。在这一过程中逐步掌握学习语文的方法是重中之重,掌握了语文学习方法,就掌握了打开知识宝库的钥匙,就可以在知识的海洋中自由翱翔。

随着科学技术的迅猛发展,人类社会进入信息化和知识经济时代,信息和知识的更新迭代的速度呈指数式飞涨,"变化"成为这个时代的重要命题。因此,在这样的时代背景下,我们应该进一步明晰中学语文学习方法的重要特征,坚持守正与创新,方能更好地引导学生形成"学会学习"素养。中学语文学习方法的重要特征如下:

第一,继承性特征。语文学习的民族性决定了语文学习方法的继承性。中华民族的发展史,从某种意义上说,也是中华民族的学习史。语文学习是一切文化学习的基础,因而语文学习是中华民族学习史的重要组成部分。中华民族在数千年的语文学习实践中,积累了十分丰富的语文学习方法。凭借这些丰富的语文学习方法,中华民族的传统文化才得以不断向前发展。今天,语文学习的内容虽然有了新的拓展,但语文学习的民族性决定了语文学习方法的继承性。传统的有关识字、写字、口语交际、阅读和写作的语文学

---

[1] 乔炳臣.学习原理与方法[M].哈尔滨:哈尔滨工业大学出版社,2004:169.
[2] 米雪.学法指导对初一学生数学学习成绩影响的研究[D].长春:东北师范大学,2018:2.

习方法在今天仍然没有本质的改变。如传统的记诵积累、熟读精思等阅读学习方法，先放后收、多作多改的写作学习方法今天仍被继承运用。进入网络时代，传统的关于汉语的听说读写的学习方法可能需要进行适当的改革，但不会完全被抛弃。一些似乎是创新的语文学习方法，也是在过去学习方法的基础上的创新。认识到语文学习方法的继承性特征，我们就会一方面充分发扬传统语文学习方法的优点，一方面不断创造出新的语文学习方法。①

第二，发展性特征。语文学习方法是随着时代的发展而发展的。语文学习方法的发展主要是受以下三方面因素的影响：一是新的教育思想和教育理念能够促进语文学习方法的发展。如五四运动以后，国外先进的教育思想传入我国，促使我国的语文学习模式发生了变化，语文学习方法也随之有了新的发展。二是语文学习的目标和内容的改革决定语文学习方法的发展。如五四运动以后，在语文学习目标上要求学习言文一致的普通语言文字，在语文学习内容上反对文言文，提倡白话文，白话文逐步进入语文教材，于是白话文的学习方法便应运而生，并发展成为今天语文学习的主要学习方法。三是现代学习技术手段的应用促使语文学习方法的发展。如光学媒体、声学媒体、声像媒体、电子计算机在语文学习中的普及应用，大大提高了语文学习的效率，使语文学习方法增加了新的手段，从而有了重大的发展。认识到语文学习方法的发展性特征，将使我们在继承传统语文学习方法的基础上，随着时代的发展不断创造出新的语文学习方法来。②

第三，整合性特征。中学语文学习方法是由相互联系、相互作用的各个部分组成的整体系统。首先，这个系统由语文基础知识学习方法、语文基本技能训练方法、课堂环节学习方法、作业过程方法等构成，而在每一部分当中又包含许多个子项目，这些子项目之间相互联系、相互作用。如在语文基础知识学习方法系统中，又包含拼音学习方法、字词学习方法、句段学习方法、篇章学习方法，这些子项目之间环环相扣，形成一个整体结构。其次，在运用学习方法的过程中需要综合运用各种学习策略、途径、手段或方式，它涉及的是一个复杂的整体结构，是认知、情感、元认知的整合，是智力因素和非智力因素（自信心、意志力、自我效能感等）的统一。学习的过程是个体与内外因素互动的过程，学习者的身体、心理、情感、情境等共同参与到学习活动中，并共同作用产生感知，形成理解。③

（三）中学语文学习方法指导的含义

学法指导是"学习方法指导"的简称，分为"学习""方法""指导"三个方面。其中，"学习"主要是指学生的自主学习；"方法"对应于学习过程的各个环节的学习策略；"指导"体现了学生的自主学习过程，经历了由他主到自主的发展过程，体现了教师指导由主导作用向辅助作用的转变趋势。学习方法指导旨在引导学生学会学习，使学生能够灵活地将学习方法运用于学习之中。大多数研究者认为学习策略是可教的，所以学习方法指导也是可行的。

更进一步来说，学习方法指导是在引导学生掌握陈述性与程序性知识的同时，掌握与之对应的策略性知识，并完成策略性知识向能力的转化，以便在自主构建知识体系的

---

① 乔炳臣,潘莉娟.中国古代学习思想史[M].北京：人民教育出版社,1996：4.
② 林明榕.学习学通论[M].北京：学苑出版社,1990：22.
③ 贾绪计,王泉泉,林崇德."学会学习"素养的内涵与评价[J].北京师范大学学报（社会科学版）,2018(1)：36.

同时,个性化地构建起自己的学习策略体系。从教学活动的内容来看,学习方法指导是指教师对学生的学习策略目标的设计、学习策略内容的选择、学习策略的掌握、学习策略过程的元认知监控及管理、学习策略效果自我评估的实施所进行的全局性统筹和规划,以促进学生的有效学习。从教学活动的环节来看,学习方法指导是指教师引导学生依靠自己的努力,发现与生成认知策略,诱发学生产生元认知体验与监控,增强学生对学习策略主体体验,并不断提升这些体验与监控的精确度,使得学生能够在学习过程中,更为敏锐地捕捉到出现的困难、障碍,并更准确地分析、判断出现的原因,适时地进行调整。①

二、中学语文学习方法指导的目标

知识点2：中学语文学习方法指导的目标

叶圣陶曾经指出:"尝谓教师教各种学科,其最终目的在达到不复需教,而学生能自为研索,自求解决。故教师之为教,不在全盘授予,而在相机诱导。必令学生运其才智,勤其练习,领悟之源广开,纯熟之功弥深,乃为善教者也。"②叶圣陶的这一番话,道出了中学语文学习方法指导的终极目标。

（一）学习方法指导保证学习成效最大化

学习方法指导是为了保障学生的学习取得更好的成效。有效的学习方法指导能够充分调动学生的学习积极性,使其找到问题的关键所在,掌握解答问题的要领;有效的学习方法指导是促进学生自主学习能力发展的一条重要途径,使学生的学习效率大大提高,从而获得良好的学习效果。

学习方法指导的目的主要是解决学习者在学习过程中学习能力、学习方法以及学习动力三个方面问题。钟祖荣曾就此提出"能学""会学""愿学"的三维目标。这在一定程度上与学习过程三方面是吻合的。其一,学习能力的开发,包括观察力、记忆力、思维力、注意力等的培养,主要解决的是能不能学的问题;其二,对学习过程中各个环节及其方法的指导,包括预习、上课、作业、复习、总结等方法,主要解决的是会不会学的问题,这方面的内容也是学习方法指导的重点;其三,学习动力的培养,包括对学习需要、动机、兴趣、毅力、情绪等非智力因素的指导,主要解决的是愿不愿学的问题。有效的学习方法指导应满足四个条件：①知道做什么,即获得关于学习方法的陈述性知识;②知道如何去做,即获得关于学习方法的程序性知识;③知道什么时候去做,即获得关于学习方法的条件性知识;④知道努力去做。③

（二）学习方法指导实现学生发展最优化

学习方法指导者通过对学生学习方法的转变,让学生真正地动起来,成为课堂的主角,形成"师生搭台学生唱"的局面。尤其是在"问题生成—问题解决—问题评价—问题拓展"这几个课堂教学主要环节中,学生能主动参与学习活动,自学、互学、会学、乐学的学习习惯逐步形成,其学习能力会得到不同程度地提升。这样的学习过程,思考才是积

---

① 米雪.学法指导对初一学生数学学习成绩影响的研究[D].长春：东北师范大学,2018：7.
② 叶圣陶.叶圣陶语文教育论集[M].北京：教育科学出版社,1980：721.
③ 刘晓明,迟毓凯.学习策略研究与学法指导内容的重构[J].中国教育学刊,1999(1)：49.

极的,行为才是主动的,思维品质才是优化的,教学才能达到最佳效果。因此,学习方法指导能为学生全面发展提供支持,为学生终身发展打好基础,为学生主动发展创造条件。

语文学习亦是如此。《普通高中语文课程标准》(2017年版2020年修订)明确要求学生"有反思和总结自己语文学习经验的意识,关注语文学习方法的学习",并且"鼓励学生根据个人兴趣、能力和特长,自主选择学习内容和学习方式,学会自我监控和学习管理,探索个性化的学习方法"。

(三)学习方法指导促进教师高水平发展

教学包括教师的教和学生的学,是二者的有机结合和辩证统一。加强对学生语文学习方法的指导,促进学生学会学习,不仅是为了实现"教是为了不教"的目的,也是为了促进教师自身的专业发展。

以核心素养为导向的教学,从关注"学科知识"到关注"核心素养",从单一考试到持续性评价,对教师都是巨大的挑战。为了使学生更好地掌握学习方法,教师需要重视对学生发展的适时把握,而学生的适时发展与教师的教学专业发展之间具有内在的关联性。学生在掌握了正确、科学的学习方法之后,其学习效率会得到很大的改善与提高,学生的知识视野和认知水平也会上一个台阶,这就必然要求教师只有更进一步提高自己的专业素质,才能更好地在学生的"最近发展区"开展指导。如此一来,教师应先成为一个优秀的学习者,方能有效地引导学生进入最佳学习状态,这也促进了教师掌握学习方法和提高运用能力水平。[1]

三、中学语文学习方法指导的意义

知识点3:中学语文学习方法指导的意义

伟大的人本主义心理学家罗杰斯认为,教育的目标应该是促进变化和学习,培养能够适应变化和知道如何学习的人。他指出:"现代世界中,变化是唯一可以作为确立教育目标的依据。这种变化取决于过程而不取决于静止的知识。"[2]"中国学生发展核心素养课题组基于一系列的支撑性研究,于2016年9月正式从顶层设计的角度发布中国学生发展核心素养总框架,提出中国学生发展核心素养以'全面发展的人'为核心,综合表现为人文底蕴、科学精神、学会学习、健康生活、责任担当和实践创新六大核心素养。"[3]因此,对于中学语文教学来说,教学生学会学习至关重要,因为一堂课结束的标志,不是学生掌握了"需要知道的东西",更重要的是学会了怎样掌握"需要知道的东西"。

学习方法是学习活动规律的理论总结。理论来源于实践,并指导实践活动。学习方法指导是培养学生学会学习的重要途径之一,对学生、教师和社会各方都有重要意义。

(一)从学生层面上看

1. 学习方法指导是优化学习系统的自组织结构、增强自组织能力的有效措施

学习系统的要素有学习目的、学习内容、学习方法、学习条件等。这些要素之间相互

---

[1] 李如密.学习指导的基本模式及其发展趋势[J].中国教育学刊,2001(3):28-31,53.
[2] 莫雷.教育心理学[M].广州:广东教育出版社,2005:151.
[3] 贾绪计,王泉泉,林崇德."学会学习"素养的内涵与评价[J].北京师范大学学报(社会科学版),2018(1):34.

影响,在系统内部形成一种动力结构,其中某个要素的"涨落",可能大大影响(包括促进和干扰)学习过程,甚至改变整个学习系统的秩序,从而产生不同的结果。对学生进行学习方法指导,教学生学会学习,可以使学习方法这一要素获得积极的"上涨",从而优化学习系统的自组织结构,使学习系统的结构更趋于有序。①

就学生的学习而言,学习系统的自组织结构表现为学习主体的自组织能力,具体有以下六个方面:(1)自我激发。系统依据学习主体的自我需要和外界可能性,实现自组织活动的初始阶段。(2)自我定向。系统依据学习主体的兴趣和社会需要去抉择、调整学习方向和阶段目标的演进过程。自我定向极大地影响了自我适应、调整和规划等过程。(3)自我适应。系统依据学习主体的努力方向和原有的知识基础,重新组织自己的知识结构以顺应社会环境的过程。(4)自我调整。系统依据学习主体的行为和外界反应,改变学习方式方法,以便更有效地调节和监控诸要素关系的过程。(5)自我规划。系统依据学习主体的生理特点和环境条件,有计划地安排学习时间顺序,以求取系统发展序列和时间相统一的过程。(6)自我控制。系统依据学习主体的自我评价和社会规范,克制内心欲望,排除外界干扰,以保持发展和方向相一致的过程。②

教学生"学会学习"可以使自我调整过程更加有效,从而增强主体的自组织能力。因为学生先前获得的学习方法构成此后学习时的心理定势,会影响正在进行的学习活动和实际内容和方向。心理定势可能促进学习效果迁移,也可能使学习主体固执于一定的习惯,而对其他方法视而不见,浪费时间和精力。有关调查表明,小学三四年级的学生已有为学习方法的问题所苦恼的情形了;初中学生则由于课程增加、教师各异而迫切需要这方面的帮助了;高中学生具有两面性:一方面因"习惯成自然"而不甚乐意旁人就此指手画脚,另一方面又常为学习效率低下而郁郁寡欢。因此,教师在教学过程中有系统地对学生进行学习方法指导,教学生"学会学习"是极其必要的。③

2. 学习方法指导是实现学生自身发展的需要

在传统的教育模式中,大部分学生的个性发展未能得到应有的重视。素质教育的理念在于让全体学生在德智体美劳等诸方面主动地得到发展,为学生步入社会打好做人、求知、办事、健体、审美等多方面的基础,最大程度地满足人自身发展的需要。学习方法指导要求教师要最大限度地调动学生学习的积极性和主动性,激活学生的思维,帮助学生掌握学习的方法,为学生发挥自己的聪明才智提供和创造必要的条件,为学生的全面发展提供有力保障。

学习方法指导是发挥学生内因作用的有效措施。对于作为发展主体的学生来说,教育是外因,自觉学习是内因。因此,要搞好素质教育,培养德智体美劳全面发展的社会主义建设者和接班人,教师必须加强对学生的学习方法指导,把学习方法指导与素质教育紧密结合起来,充分发挥内因和外因的协同作用。

3. 学习方法指导是促进学生适应知识经济时代发展的需要

当今,在全球性改革浪潮冲击下,科学技术迅猛发展,知识生产和创新已成为时代的重要主题,同时,终身职业的时代已经结束,经过学校"一次性充电"就能受益终身的时代

---

① 王平.教学生"学会学习"的教学论意义[J].湖州师范学院学报,2002,24(4):78.
② 张铁明.浅谈学习系统的自组织性与学生自组织能力的培养[J].学术研究,1984(5):102.
③ 同①:79.

也已终结,每个人都面临着不确定的劳动力市场,可能需要创新求职和就业。① 为了适应高开放性、变化性和挑战性的时代变革,学会学习被提到了空前的高度,环境不仅要求人们要"学会"知识、"会学"知识,乃至"创造"知识,也要求人们要随时随地、积极主动地学习。② 学会学习的首要任务就是懂得思想方法的重要性,掌握切实可行的学习方法比掌握具体知识更为重要。学习方法的指导可以让学习主体自身得到完善,适应知识经济时代发展的需要。

(二)从教师层面上看

1. 学习方法指导是以学生为主体的教育教学理念的具体体现

以学生为主体的教育教学理念是素质教育的要求。在课堂教学中教师要把着眼点放在学生的主体学习方面,着重考虑学生怎样学,怎样让学生学,怎样让学生乐学,怎样让学生学会、学好,把本应属于学生思维的空间和时间还给学生,真正做到课堂素质化、素质课堂化。要做到这样,学习方法指导十分重要。教师的学习方法指导应尽可能做到及时疏导,适时辅导,巧妙评导。教师要对学生掌握学习方法和学习技巧进行引导,要特别重视并强化指导学生学习、积累思维的方法,如集中思维的抽象与概括、比较与类推、分析与综合等方法,发散思维的想象、联想、直觉的方法。在学习具体的某一内容时,教师要引导学生选择灵活而高效的学习方法,去思考问题和创造性地解决问题,在培养学生有一定的深度和有一定层次的理解、感悟思维等方面进行深入引导。

2. 学习方法指导将教法与学法真正统一起来

美国认知心理学家奥苏伯尔曾精辟地指出,教与学是同一事物的两个方面,两者在逻辑上可以分开研究,但实质上是联系在一起的,教的唯一目的就是要促进学生学。根据系统论的观点,教学过程是一个由教与学双方活动耦合而成的有计划发展的社会系统,教师的教与学生的学是构成教学过程的最基本的条件。教学方法指的是师生双方为完成教学任务所采用的方法和手段,包括教法和学法两个方面,这两个方面是不能互相替代的,教师在教学过程中,既要考虑教法,又要考虑学法,把两者真正统一起来。只有教师教得得法,学生学得正确,才能收到应有的教学效果。

(三)从社会层面上看

1. 学习方法指导是时代发展的需要

21 世纪是知识经济的时代。在这个急剧变化的现代社会中,科技和生产以及人们的生活方式以前所未有的速度迅猛发展,社会对每个人的要求愈来愈高,一个人如果不具备学会学习的能力,将难以适应社会的要求。因为无论何种类型知识的获取、运用和创新,都离不开人的学习。在知识社会里,无论是对于一个人来说,还是对于组织、企业来说,获取和应用知识的能力都是竞争成败的关键。正是这样,可以说,知识经济时代也是学会学习的时代。

人们普遍认为,方法比结果更重要。未来的文盲不是目不识丁的人,而是没有学

---

① 魏爱德,范皑皑.知识经济时代的人力资本政策:教育系统的使命与面临的挑战[J].北京大学教育评论,2011,9(3):57.
② 贾绪计,王泉泉,林崇德."学会学习"素养的内涵与评价[J].北京师范大学学报(社会科学版),2018(1):34.

会怎样学习的人。因此,学习方法指导成为培养新时代创新型人才的必经之路。在这个知识日新月异的时代,人们只有具备获取新知识的自学能力,不断更新自己的知识结构,才能跟上时代的步伐。学习方法指导是教学方法改革的一项重要内容。当前,教学方法改革的一个重要发展趋势就是教法改革与学法改革相结合,将研究学生科学的学习方法作为创建现代教学方法的前提,寓学法于教法之中,使教法学法化,把学法研究的着眼点放在纵向的教法改革与横向的学法改革的交融处,真正体现教与学双边活动的有机统一。

2. 学习方法指导是提升本国教育质量的要求

从国外教育质量提升看,各国纷纷基于本国国情提出自己的核心素养框架,并在此基础上开展基于核心素养的教育教学改革和实践,以全面提升本国的教育质量。有研究者梳理了经合组织、欧盟、美国、日本、俄罗斯等主要国际组织和国家的核心素养框架,结果表明,29个核心素养框架中有17个提及学会学习和终身学习。[1] 学会学习作为中国学生发展的六大核心素养之一,也应该受到持续关注和深入研究。学习方法指导对促进学生核心素养的落实有积极的推动作用,是提升本国教育质量的要求。

3. 学习方法指导可以促进学习型社会的建设

早在20世纪70年代,联合国教科文组织在其发表的著名报告《学会生存——教育世界的今天和明天》中就指出要逐步建立起学习化社会。此后的几十年中,《学会生存——教育世界的今天和明天》中的教育观念对世界很多国家,特别是西方发达国家的教育体制、教育结构、内容和方法产生愈来愈深刻的影响。1996年,国际21世纪教育委员会的报告《教育——财富蕴藏其中》(又译《学习:内在的财富》)指出:"教育的任务是毫无例外地使所有人的创造才能和创造潜力都能结出丰硕的果实,……这一目标比其他所有的目标都重要。"[2]"学校应进一步赋予学生学习的兴趣和乐趣、学会学习的能力以及对知识的好奇心。"[3]报告明确指出,未来的受教育者必须围绕四种基本学习加以安排:一是学会学习,掌握认识世界的手段;二是学会做事,即学会在一定的环境中工作的能力;三是学会共处,即能够与他人一道合作;四是学会生存,即充分地发展自己的人格和自主性。这实际上概括了现代人才所应具备的基本素质要求,也是人类生存、生活、创造所必须具备的基本素质。[4]

> **练习题**

1. (单项选择题)在现代教学理论中,教学方法指的是( )。
   A. 教师为完成教学任务使用的工作方法
   B. 学生为完成学习任务使用的学习方法
   C. 教师教学方式和教学方法的总和

---

[1] 贾绪计,王泉泉,林崇德."学会学习"素养的内涵与评价[J].北京师范大学学报(社会科学版),2018(1):35.
[2] 教育:财富蕴藏其中[M].联合国教科文组织总部中文科,译.北京:教育科学出版社,1996:6.
[3] 同[2]:8.
[4] 韩一敏.试论构建"学会学习"教学模式[J].榆林高等专科学校学报,2002,12(2):67.

D. 教师教的方法和学生学的方法的总和

2. （多项选择题）学习方法指导的目标是（　　　　）。
   A. 保证学习成效最大化
   B. 实现学生发展最优化
   C. 让学生取得更好的成绩
   D. 促进教师高水平发展

3. （单项选择题）课程实施方面的改革，集中体现了新课程对于培养适应时代要求的能力的重视，而这种能力培养实现的关键在于（　　　　）。
   A. 提升教师素质　　　　　　　B. 提高经济水平
   C. 改变学习方法　　　　　　　D. 招收高智商学生

4. （论述题）我国教育界流行"教是为了不教"。谈谈你对这一观点的看法。

5. （论述题）有人说："不仅要注重学生学习，还要注意培养学生的学习头脑。"对此你怎么看？

第二节　中学语文学习方法指导的内容与方法

组织和引导学生开展形式多样的语文学习活动是语文教师每天要面对的核心工作；学生针对教学内容开展有效学习的情况，是衡量学校语文教育工作有效性的基本标准。要想使学生的学习顺利进行，教师的教学引导既要遵循学生身心发展的基本规律，也要遵循语文学习的基本规律。语文课程倡导自主、合作、探究的学习方式，目的在于引导学生掌握语文学习的基本方法，培养基础学力，为终身学习打下坚实的基础。

一、语文自主学习

（一）语文自主学习的基本内涵

知识点1：语文自主学习的基本内涵

自主是相对于被动的他主而言的，顾名思义，是指自己做主、按自己的意志行动。自主是人的本性和需要。作为人独立思维或行动的意愿或能力，自主反映了人在活动中的有序状态。

对于自主学习的基本内涵，以维果茨基为代表的维列鲁学派、以美国心理学家斯金纳（Burrhus Frederic Skinner）为代表的操作主义学派、以美国心理学家班杜拉（Albert Bandura）为代表的社会学习理论以及以费拉维尔为代表的认知建构主义学派等的看法不尽相同。20世纪90年代以后，美国学者齐莫曼（Barry J. Zimmenrman）在综合各学派的代表性观点的基础上提出了最具代表性的观点，他将自主学习定义为"学生以对学习效率和学习技巧的反馈为基础，选择和运用自主学习策略，以获得渴望的学习效果"[①]。"自主学习不是一种心智能力或是学业技巧本身，而是一种将心智能力转变成为学业技

---

① 蒋红斌."双减"背景下学生自主学习的价值、限度及其实现[J].教育学术月刊,2022(4):66-72.

巧而进行的自我管理/指导的过程,在这一过程中,学习被赋予了一种积极主动的概念而不是对教学的被动回应,学习者需要主动地对自身的思想、情感、行为及环境作出适当的调适和整合。"① 在国内,庞维国的观点受到广泛认可,他认为:"学生的自主学习本质上是对学习的各方面或者学习的整个过程主动作出调解和控制。"② "自主学习一般是指个体自觉确定学习目标、制定学习计划、选择学习方法、监控学习过程、评价学习结果的过程或能力。"③ 余文森认为:"自主学习是一种元认知监控的学习。自主学习要求学生对为什么学习、能否学习、学习什么、如何学习等问题有自觉的意识和反应,它突出表现在学生对学习的自我计划、自我调整、自我指导、自我强化上。"④

更进一步来说,我们可以从学习维度和学习过程这两个角度来考查学生的语文自主学习。从学习维度来看,如果学生本人对语文学习的各个方面都能自觉地作出选择和控制,其学习就是自主的。如果学生的语文学习动机是自我驱动的,学习内容是自我选择的,学习策略是自主调节的,学习时间是自我计划和管理的,学生能够主动营造有利于学习的物质和社会性条件,并能够对学习的结果作出自我判断和评价,其学习就是自主的。从学习过程来看,如果学生在开展语文学习之前能够确定学习目标、制订学习计划、做好具体的学习准备,在学习活动中能对学习进展、学习方法作出自我监控、自我反馈和自我调节,在学习活动后能针对学习结果进行自我检查、自我评价、自我总结、自我补救,其学习就是自主的。⑤

自主学习作为一种基本的学习方式,是学生学会学习和提高学习能力的重要途径,是培养学生优良学习习惯和学习品质的重要渠道。自主学习是经合组织和欧盟等核心素养体系的本质与核心。⑥ 目前,在"双减"背景下,学生自主学习的价值更加凸显,是保障"双减"实效的关键内因。

(二)语文自主学习的特征

知识点 2:语文自主学习的特征

1. 能动性

语文自主学习要求学生积极、主动、自觉地从事和管理自己的语文学习活动。当学生对语文学习本身有浓厚的兴趣时,其学习动机来自自我提升的内驱力。当学生能够自定目标、自选内容和学习方式、自我监控学习行为时,其学习的主观能动性就可以得到充分的调动。

2. 独立性

自主学习把学习建立在人的独立性的一面上。自主学习要求学生在学习的各个方面和整个活动中尽可能地摆脱对教师和他人的依赖,由自己作出选择和控制,独立地开展学习。

---

① 李子建,邱德峰.学生自主学习:教学条件与策略[J].全球教育展望,2017,46(1):47-57.
② 庞维国.论学生的自主学习[J].华东师范大学学报(教育科学版),2001,20(2):78.
③ 庞维国.自主学习的测评方法[J].心理科学,2003,26(5):882.
④ 余文森.简论学生学习方式的转变[J].课程·教材·教法,2002(1):26.
⑤ 同②:79.
⑥ 郭文娟,刘洁玲.核心素养框架构建:自主学习能力的视角[J].全球教育展望,2017,46(3):16-28.

3. 有效性

由于自主学习的出发点和目的是尽可能地协调好自己学习系统中的各种因素,使各因素发挥最佳效果,因此自主学习在某种意义上讲就是采取各种调控措施使学习达到最优效果的过程。一般来说,学生的语文自主学习水平越高,学习的过程也就越好,学习效果也就越好。

4. 相对性

从学校环境下的学生语文学习现实情况来看,绝对自主和绝对不自主的学习都很少,学生的学习大多介于二者之间。这是因为,独立性是相对的,自主学习并不排斥学习过程中他人的帮助。在校学生学习的许多方面,如语文学习时间、学习内容等,都不可能完全由学生自己来决定,他们也不可能完全摆脱对教师的依赖。因此,教师不能把学生的学习简单地分成是自主的或是不自主的,而是应该从实际出发,分清其学习在哪些方面是自主的,在哪些方面是不自主的,或者说学习的自主程度有多高。只有做到这一点,才可以针对学生学习的不同方面进行自主性的教育和培养。

(三)语文自主学习教学指导的作用

知识点 3:语文自主学习教学指导的作用

学生是学习的主体,教师是学生学习活动的组织者和引导者。教师在学生自主学习的过程中扮演着重要的角色,是学生自主学习策略中最为常见的资源。教师运用灵活的教学方法和丰富的教学技巧对学生进行情绪上的鼓舞、精神上的激励,为学生指引方向、提供反馈、释疑解惑。语文自主学习教学指导的作用主要有以下两个方面。

1. 指导学生确定语文学习目标

在学习的初始阶段,教师要帮助学生厘清思路、认准方向,提供研究的方法,协助学生制定与其自身发展水平相适宜的发展目标或任务,再由学生自己根据对目标或任务的分析与评估制订有效的实施计划。确定学习目标就是让学生知道自己需要学什么,学习应该达到什么样的标准,以及如何达到这些标准。学校教育情境下的自主学习目标一般是在师生共同的商议中定下来的,除了必须反映课程标准的要求外,还要兼顾学生的学习兴趣和学习带来的效用,尽可能具体、明确,以便于学生对照学习。①

在学习过程中,当发现学生偏离方向、陷入歧途时,教师要及时地予以指引和纠正。为了培养学生的自主学习能力,教师要注意将设置目标的方法教给学生。比如,如何把长远的目标分解成具体的、近期的、可视的目标,如何围绕目标分配学习时间,等等。

2. 指导学生优化语文自主学习的动机

激发学生语文自主学习的动机并不是一个独立的教学环节,应该贯穿于教学过程的始终。在自主学习中,学生主要靠自身的力量和才智去获取知识、探索发现,比起单纯的接受学习,自主学习更具有挑战性。因此,自主学习状态下的学生更需要对学习有高度的责任感、强烈的自信心、浓厚的兴趣、饱满的热情,教师需要运用灵活的教学方法和丰富的教学技巧对学生进行情绪上的鼓舞、精神上的激励,以真诚和热切的期待让学生鼓

---

① 李子建,邱德峰.学生自主学习:教学条件与策略[J].全球教育展望,2017,46(1):47-57.

足勇气、坚定信念,充分发挥自身的潜能去迎接挑战。

(1) 创设问题情境,引起学生的认知矛盾,激发学生的求知欲。教师在教学中提出一些学生用现有的知识或能力难以解决的问题,从而在学习内容和学生的求知心理之间造成一种不协调,引起学生的认知矛盾,把学生引入到与问题有关的情境之中,激发学生展开积极的思考,从新的角度探究解决问题的方法。

以《鸿门宴》课案为例[①],采用翻转课堂的教学模式,可以有效促进学生的自主学习。翻转课堂颠覆了传统课堂"教"与"学"的顺序和时间分配比例,该教学过程一般分为"课前自主学习""课内交流深化"和"课后总结反思"三个环节。在"课前自主学习"环节,教师可以创设不同层次、多种多样的问题供学生自主思考:如找出能反映项羽和刘邦人物性格的词句,并做具体分析;结合课文及背景知识资料,分析项羽最终以悲剧收场的原因;拓展学习相关史实,自主探究"鸿门宴"对于楚汉战争走向的作用和意义。学生在自主学习之后形成自己的答案,为后续课内学习成果交流环节做铺垫。

(2) 利用发现学习,鼓励学生向自己的能力和智慧挑战。发现学习是指教师给学生提供有关的学习材料,让学生通过探索、操作和思考,自行发现知识,理解概念和原理的教学方法。发现学习的首倡者是美国当代认知派心理学家杰罗姆·S. 布鲁纳(Jerome Seymour Bruner),他认为:"学习的最好刺激,乃是对所学材料的兴趣,而不是诸如等级或往后的竞争便利等外来目标。"[②]学生在学习中把"发现知识"作为一种自我奖赏而推动自己的学习行为。

在《鸿门宴》的自主学习阶段,教师可以提供鸿门宴故事的视频资料和相关专家课堂讲座资料作为"支架",为学生提供丰富的自主学习资源。一方面,使学生熟悉故事情节,投入学习任务,尽量完成相关目标;另一方面,为学习任务较困难的学生提供支持,引导学生自主思考。

(3) 利用原有兴趣、动机的迁移,激发学习兴趣。兴趣、动机的迁移是指在学生缺乏学习动力、没有明确的学习目的的情况下,教师把学生从自己喜欢的活动的兴趣和动机转移到学习上来,从而产生对学习的需要。教师平时对班级中不愿意学习的学生应仔细观察,发现他们的兴趣点,然后巧妙地组织有关活动,将社会生活实际与个人兴趣同学习联系起来,把原来与学习无关的动机,转化为学习的内在动机。比如在《鸿门宴》中,教师可以通过课本剧、"新闻发布会"、拟写历史人物的朋友圈等多种形式的教学活动激发学生的学习兴趣。

(4) 指导学生优化动机水平。动机的最佳水平与学习课题的难易程度有关,难度适中的课题,最佳水平为中等强度;比较容易或简单的课题,其最佳水平为较高的动机强度;比较复杂或困难的课题,其最佳水平为较低的动机强度。这是因为,如果课题容易,低强度的动机不能使学习者保持必要的焦虑水平,难以集中注意力专注于学习;如果课题较难,高强度的动机会使学习者的焦虑水平随之增高,过分焦虑,反而会使学习效率降低。

---

① 李伟.翻转课堂模式下语文课堂教学设计与教师角色转变:以《鸿门宴》课案为例[J].中小学教师培训,2016(2):60-64.

② 布鲁纳.教育过程[M].上海师范大学外国教育研究室,译.上海:上海人民出版社,1973:10.

(四)语文自主学习教学指导的具体步骤和要求

知识点 4：语文自主学习教学指导的具体步骤和要求

1. 开始实施自主学习

(1)要保证学生的自主学习时间。教师只有保证学生充分的自主学习时间,学生才能做到记忆得牢固、掌握得准确和理解得透彻。自学不能流于形式,教师万万不可在学生还没有深入领会学习内容的时候就匆忙刹车,草草结束。

(2)在自主学习实施的不同阶段,教学的方式要有所区别。教学一般应遵循教学、导学、自学的顺序。在学生自学的习惯还没有养成之时,教师要带领学生一起学习,教给学生钻研学习材料的方法。当学生具备了一定的自学能力之后,教师就可以指导他们按照自己的学习规划开展自主学习。在自学之前,教师要告诉学生阅读的重点是什么、解决什么问题,可以用符号把重点内容和疑难问题标示出来,以便学生带着问题听教师讲解,也便于将来复习时参考。等学生掌握了一定的自学方法、初步形成自学习惯后,有些内容就可以放手让学生自己解决了。

(3)在学生自主学习的过程中,要给予及时指导。教师要对学生的积极表现给予强化,对消极应付的学生要批评、督促。当学生在学习中遇到障碍时,教师要与学生共同商议,帮助他们解决疑惑,成为学生战胜困难的可信赖的伙伴。

(4)要利用自学辅导提纲来指导学生自学。由于受知识水平和阅读水平的限制,学生有时很难完整地把握学习材料的内容,有些学生甚至不知道如何下手。教师精心设计的自学辅导提纲,既反映了教学目标,又遵循了思维的规律,能够给学生的学习以正确的导向。比如,语文九年级上册第一单元的诗歌学习,教师就可以给学生提供如下的自学辅导提纲：

根据任务导引,自主欣赏本单元的五首诗歌。按要求自主完成活动,并填写活动评价表(表10-1)。

表 10-1 活动评价表

活动名称	自主完成	自主检查	自我评价
一、回顾阅读策略			
二、捕捉初读感受			
三、把握感情基调			
四、分析诗歌意象			
五、关注诗歌形式			
六、自主欣赏			

2. 检查学生自学情况

教师检查自学情况的目的是了解和检验学生通过自学对学习内容掌握的整体情况,为下一步的重点讲解做准备。检查要涉及以下内容：

(1)自学任务的完成情况。

(2)学习目标的达成情况。

（3）没有达到学习目标的原因是什么？

（4）学生还需要教师提供什么样的帮助和指导？

在《鸿门宴》课本剧中分为角色扮演、角色评论和交流点评三个方面。学生们需要在理解、掌握全文知识内容的基础上认真揣摩课文中涉及的多个人物的心理状态，了解他们在当时情境下所做所言的动机和原因，并适时地作出符合人物性格和历史背景的改编。在这一过程中，教师可由此检测学生课前自主学习的效果，把握学生准备工作的缺陷和不足，进行适时的指导和知识补充。

3. 教师进行重点讲解

教师的重点讲解是结合学生自学检查时发现的问题有针对性地进行的，与灌输式教学的讲解有本质的区别。

（1）学生先学，教师后讲。学生经过自学之后，对新知识已经有了初步的了解，讲授就不必面面俱到，只要根据前几步的反馈信息，针对重点和难点讲解就可以了。

比如，在《鸿门宴》课文学习中，可以以新闻发布会的形式对学生在课前自主学习中遇到的问题进行答疑解惑。教师课前征集统计出学生有代表性的问题，每个学生都可能被挑选成为新闻发言人回答大家所提出的问题。能够对问题作出正确解答的新闻发言人将获得课堂评测加分奖励。若被挑选的新闻发言人无法回答问题，剩余学生可自荐回答，若出现无人可解的问题，由教师做深入讲解。

（2）帮助学生理清学习内容的逻辑关系，建立知识结构。学习内容之间有时存在着极为严格的逻辑关系，前面的学习内容是后面学习内容的先决条件，前面如果没有掌握，后继学习就没办法进行，这时候教师的讲解就必须与自学检查相结合交叉进行。在每一项学习内容经过学生的自学之后，如果发现学生没有理解和掌握，教师就需要讲解，为后面的学习扫清障碍，而不能等所有的内容都经自学检查之后再作讲解。

4. 设计练习深入巩固

如果教学目标设置得当，通过学生的自学和老师的讲解，大多数学生可以初步理解和掌握规定的学习内容。但在这个阶段，学生还不可能牢固掌握和熟练运用所学的知识技能，知识结构还没有完全建立起来，还需要通过系统联系来巩固所学知识。在这一过程中，教师要注意设计好练习，引导学生学会概括和迁移。必要的时候还可以设计一些难度较大的题目，使学生的学习更加深入。在练习过程中，教师还要视情况给学生以个别指导，尤其是给那些有困难的学生以重点的指导。

5. 自我评价及学习小结

小结的目的是对当前所学的内容进行概括、归纳，使之条理化、系统化，作为一个有机的知识体系纳入学生的认知结构中。学习结束时，教师要通过审查给学生提供反馈，使学生获得反馈意见，反思自己的学习过程及方法，以便向更高的层次迈进。为了发展学生的自主学习能力，培养其独立总结、评价的意识和习惯，教师应引导学生在知识学习、学习策略和方式、学习能力、学习过程等方面进行自我评价总结，并适当补充。但是在自主学习教学的初期，由于学生还没有掌握自我评价及学习小结的方法，没有形成自我总结的习惯，此时教师的示范、演示是完全必要的。随着教学的不断深入和学生的自我总结能力的不断增长，教师的提示、干预就可以渐行退出。比如，对诗歌的阅读鉴赏，可提供如下小结（如表10-2所示）。

表 10-2　诗歌阅读鉴赏小结

学过的策略		诗歌	可运用策略
A. 把握情感基调	B. 读出节奏、韵律	天上的街市	
C. 揣摩语言	D. 分析意象	黄河颂	
E. 关注修辞	F. 想象画面	假如生活欺骗了你	
G. 发现形式里的意味		未选择的路	
H. 练习创作背景		乡愁	
I. 提炼关键词			

二、语文合作学习

(一) 合作学习的含义

知识点 5：合作学习的含义

合作是指互相配合做某事或共同完成某项任务。合作学习在 20 世纪 70 年代初兴起于美国，20 世纪 90 年代以来，我国对合作学习进行了研究和实践。[①]合作学习是指以合作方式进行的学习，是相对于个人的独立学习而言的，强调学习中的社会性和合作性，以建构主义学习观、社会互赖理论和认知最近发展区等为理论依据。合作学习的方法有很多，这类方法的突出特点是：主张改变传统教学强调学生个体学习和相互竞争的学习文化和氛围，强调学生之间互教互学，通过合作促进学习。[②]

《礼记·学记》中"独学而无友，则孤陋而寡闻""相观而善之谓摩"体现了合作学习的重要性。合作学习改善了课堂中单向的师生交流情况，鼓励学生为了集体的利益和个人的利益而一起工作，在完成共同任务的过程中实现自己的理想，激发学习主动性。对于学生高阶思维的培养有着独特的组织形式优势，可以为学生今后进入职场和融入社会做好准备。[③]

(二) 合作学习的特征

知识点 6：合作学习的特征

1. 异质分组

合作学习需要划分小组，如何分组是一个关键问题。分组不成功，学习效果就会大打折扣。在合作学习中，异质小组更有利于学生的共同发展，促进学习困难者取得更好的发展效果。异质小组表现为小组成员在性别、学习能力、步调和其他品质上保持差异性，这有利于小组间成员相互学习，取长补短。

2. 积极互助

小组成员必须人人参与，积极地相互支持、配合，特别是要有面对面的、促进性的互动。当学生被合作任务所吸引，既有挑战任务的激情又缺少独立完成任务的条件时，他

[①] 王鑫，白树勤. 从理念到实践："合作学习能力培养模式"的构建[J]. 中国高教研究，2014(6)：102.
[②] 高筱卉，赵炬明. 合作学习法的概念、原理、方法与建议[J]. 中国大学教学，2022(5)：87.
[③] 蔡歆，祁红. 高阶思维培养：小组合作学习的升级之路[J]. 中小学管理，2019(9)：55.

才能主动产生积极互助的意识和行为。这需要教师通过有趣且复杂的人物设计,让学生感受到个人力量的局限,进而促进小组成员间的协作。①

3. 个体责任

虽然是合作学习,但是每个人都要自觉承担起作为组员的工作。教师应促进小组内部成员间的行为规则的建立,强调个人责任感,明确各自的任务和角色,只有明确个体责任才能真正推动合作学习的深化。

4. 资源共享

小组成员之间应互相帮助和交流。每一个小组成员都要为完成小组整体任务贡献资源和信息,只有把每个成员所拥有的资源都集合在一起时,小组的整体目标才能更好地实现,这就需要小组成员之间共享资源。

5. 社交技能

合作学习将个人之间的竞争转化为小组内的合作和小组之间的竞争,这有助于同时培养学生的合作精神和竞争意识,使学生体会到相互间的关心和帮助。每个人的所作所为都与团队的利益密切相关,集体的荣誉就是个人的荣誉。教师要促进小组内形成鼓励、支持与信任的气氛,教会学生"促进式互动",以促进小组工作发展和小组成员间彼此互动,并教会学生有利于小组合作的社交沟通技巧,提高集体决策能力,有效地化解团体内部的矛盾与冲突。

(三)合作学习教学指导的一般步骤

知识点7:合作学习教学指导的一般步骤

合作学习教学指导的一般步骤如下:

1. 选定学习的内容或任务,确定合作学习的主题

方法为问题服务,学习方法要为具体的学习任务和内容服务。合作学习必须要有明确的学习任务,并且这一任务适合集思广益,在合作的环境中完成。合作学习是学生之间的互动、师生之间的互动,教师作为这种互动的组织者和引导者,应根据教学中的问题选用不同的合作学习方法。

教师需要引导学生选择合适的主题,重点在于阐明学习任务的实际效用及要求。比如统编本高中语文教材必修上册第四单元《家乡文化生活》的教学设计中,三项学习活动都要求选择活动课题(即主题),如"先要了解采写的对象,确定访谈的主题(如家乡名称的来历与演变、家乡的历史传说等)""开展家乡的文化生活调查可以选择不同的主题,如人际关系、道德风尚、文物古迹的保护、文化生活的方式等""可以考察家乡的风俗习惯、邻里关系、生活方式、文化环境等,选择其中的一项"。在此基础上,选用恰当的合作学习方法。该单元就适合以项目式学习方法来展开学习。②

2. 小组设计,确定学习小组的规模,划分学习小组

在合作学习中如何分组是一个关键问题。分组应以教师为主,一般不采取学生自主分组的方法。分组的基本原则是保障公平、互补,能激发学生的学习积极性。

---

① 蔡歆,祁红.高阶思维培养:小组合作学习的升级之路[J].中小学管理,2019(9):55-56.
② 朱再枝,何章宝.基于项目式学习的"当代文化参与"实践探究:以高中语文统编教材必修上册《家乡文化生活》为例[J].基础教育课程,2019(24):20-25.

教师组建合作学习小组应尽量保证一个小组内学生各具特色,能够相互取长补短,突出小组成员异质、互补的特点。相关文献表明,性别、性格和成绩是分组时要特别考虑的三个要素。教师要充分考虑学生的异质情况,科学分组,将男女生、学习较好和学习有困难的、性格内向和外向的互相搭配,避免小组不能很好地合作、只有少数人发表意见或因为各组学生差异较大而讨论进度相差甚远的现象发生。

小组成员数也是需要衡量的重要因素,人数不同会引起不同的合作问题。在课堂讨论中,两人组是最简单的合作学习。三人以上的小组,会在对话中产生旁观者或评判者,改变合作的气氛。当小组中出现过多人加入时,可能形成多中心的状态,降低合作效率。

3. 统筹安排学习环境

教师应安排好学习环境,使小组成员能方便地聚集在一起,参阅学习材料,展开讨论和交流。教师应强调学习环境的布置和安排,如桌椅的摆放、噪音的控制、设备的利用等,尽可能地为合作学习的顺利进行创造适宜的氛围,提供便利的条件。

4. 呈现学习材料

教师应把学习材料分割开来,使小组的每位成员都有自己的学习内容,并承担相关的学习责任。教师要强调围绕有价值的问题展开讨论、互动和合作。合作学习要实实在在,不能流于形式。合作学习的前提是"合作",而不是"围坐"。教师必须充分考虑面对的问题是否有必要、是否适宜通过合作学习来解决。问题有价值,合作才有价值,才能使学生在学习中求得发展,实现所追求的目标。

比如在"家乡文化生活现状调查"活动中,教师需要引导学生在小组内筛选、整合学习资源,提炼出与活动主题相关联的学习资料供小组交流分享。如可以通过以下的学习资料进行合作学习:

(1) 文化理论书籍。如阅读《中国民俗文化》《乡土中国》《文化哲学十五讲》的部分内容,了解文化的构成、特点,认识"乡土中国"的文化生活方式、理想信念、价值观等。

(2) 调研方法的相关资料。如阅读毛泽东的《调查的技术》、王思斌的《访谈法》、钟敬文的《节日与文化》等,为合作学习提供技术指导。

(3) 家乡文化生活资料。利用互联网、报纸、书籍等查阅家乡文化生活的种类、涉及范畴,了解家乡文化生活的方式及特点。

5. 开展学习活动

在合作学习活动的过程中,小组成员应根据分工首先完成自己的学习任务,然后与其他成员交流各自的学习结果,最后把各自的学习结果整合在一起。

教师在这一过程中应给予学生监督和指导,掌握每组的学习情况。教师要在各小组之间来回巡视,及时了解合作情况,发现学生不能认真参与交流、做与合作学习无关的事情时,要及时地加以引导,提出明确要求,确保合作学习的顺利进行。教师要不断监控小组活动,做观察记录,及时对小组活动进行反馈,在学生争执不下或思维受阻不能深入时,教师适时介入、及时点拨,排除学生的思维障碍。在小组活动中,教师要告诉学生注意倾听他人的发言,有礼貌地阐述自己的观点,既要敢于坚持自己的主张,又要善于接纳别人的意见。

6. 提交小组的学习结果,合理评价与总结

小组成员把本组的学习、研讨结果呈现给全班同学,教师引导全班同学进行评价总

结,保障小组之间和小组内部的公平,必要时对学习内容进行补充讲解。在评价环节,对学习结果的反馈和过程性评价同样重要,要注重对学生合作方式、参与程度、思维成长等方面进行评价,为下次合作学习做准备。评价可包括组间评价、组内评价以及教师评价。

三、语文探究性学习

(一)探究性学习的含义

知识点8:探究性学习的含义

探究性学习是指学生在课程领域内或现实生活情境中选取某个问题作为突破点,通过质疑、发现问题、调查研究、分析研讨、表达与交流等探究活动,获得知识、掌握解决问题的程序与方法的学习方式。语文探究性学习强调以学生的自主性、探究性活动为基础,使学生亲自参与和体验研究探索的过程,培养探究意识和创新精神。

(二)探究性学习的特征

知识点9:探究性学习的特征

1. 问题性

探究性学习特别强调问题在学生学习活动中的重要性。一方面,生活或语文课程中的问题是学习的起点;另一方面,学生要获得的知识是通过学习生成问题,围绕问题来组织的,学习过程可看成是发现问题、提出问题、分析问题和解决问题的过程。在这个问题解决活动中,新、旧知识经验之间的相互作用更充分,这使得学习活动真正地与学生的经验世界联系起来,使学生自主地获得对问题意义的理解,而不是按照教师预先设计好的框架和思路来生成联系,因此,这种以学生自主地进行问题解决活动为主要形式的建构过程正是探究性学习的本质所在。①

2. 过程性

从学习论来讲,所谓学习的结论,即学习所要达到的目的或所需获得的结果;所谓学习的过程,即达到学习目的或获得所需结果而必须经历的活动程序。毋庸置疑,学习的重要目的之一就是理解和掌握正确的结论,所以必须重结论。但是,如果学生不经过自己一系列的质疑、判断、比较、选择以及相应的分析、综合、概括等认识活动,即如果没有多样化的思维过程和认知方式,没有多种观点的碰撞、争论和比较,结论就难以获得,也难以真正理解和巩固。更重要的是,没有以多样性、丰富性为前提的学习过程,学生的创新精神和创新思维就不可能培养起来。② 所以,教学活动的开展应重视学生学习的过程,这是探究性学习的应有之义。

3. 开放性

探究性学习强调开放性,给学生创造一个宽松、和谐、民主的学习氛围,给学生一种心理安全感,而心理安全、心理自由正是学生主动、生动发展的摇篮。③ 探究教学的倡导

---

① 何强生. 语文探究性学习研究[D]. 上海: 华东师范大学,2008:54.
② 余文森. 论自主、合作、探究学习[J]. 教育研究,2004(11):29.
③ 同②。

者和实验者——美国教学法专家萨其曼(Richard Suchman)指出,课堂上学生感到自由和小压力是开展探究教学的两个重要条件。他认为教师必须认识到并非所有学生的知识基础都相同,都能以相同的速度学习,因而教师要允许和鼓励学生大胆提出和验证自己的想法,用自己的方式解决问题,得出观察结果,这才能使学生真正开展探究性学习。①

(三) 语文探究性学习教学指导的步骤和方法

知识点 10: 语文探究性学习教学指导的步骤和方法

1. 选择课题

在语文学科领域或现实生活中选择一个能激起学生探究兴趣的让学生有一定困惑的问题,鼓励和引导学生去探寻答案。在学生刚刚接触探究性学习的时候,学生自主发现和提出问题的意识和能力还不够,教师的引导性问题显得尤为重要。问题既可以由教师给出,也可以由学生自己挑选。比如,为了让学生学习鲁迅的《呐喊》《彷徨》创作的历史背景,广东省深圳市新安中学吴泓老师会和学生商量,能否先读蒋廷黻先生的《中国近代史》,这样能更好地走进鲁迅世界。读完鲁迅的《呐喊》《彷徨》后,吴泓又进一步引导学生:批判精神固然可贵,但"忧患""失意"却与生俱来,是否读读"一蓑烟雨任平生"的苏东坡?当学生沉浸于伍尔芙《到灯塔去》的世界里不能自拔时,吴泓再和学生商量,能不能把外国小说先放一放,回到唐诗宋词的怀抱,浇一浇胸中块垒,舒一口长气呢?②值得注意的是,教师给出的问题只起抛砖引玉的作用,并不要求学生以此作为研究的课题。

2. 解释探究的规则和程序

在确定一个探究的课题之后,教师应当向学生说明开展探究过程应遵循的规则和程序,并呈现出清晰的问题情境,使学生明确如何去寻找可能的答案。③

如吴泓老师教学"走进鲁迅的小说世界"专题时,他将《狂人日记》《药》《阿Q正传》《祝福》《在酒楼上》《伤逝》《示众》7篇小说作为主要精读篇目,将《孔乙己》《故乡》《肥皂》《孤独者》《高老夫子》《离婚》6篇小说作为次要精读篇目,按照"了解小说形式发展的类型—小说阅读的不同方法—鲁迅小说的形式特点"的顺序进行专题学习。④ 具体学习活动如下:重点精读7篇小说,做好读书笔记。主要记录阅读时的感受、思索、质疑、判断及发现等。请针对其中一篇小说,写一篇800字左右的读书笔记。要求:(1)网上查询读书笔记写作的一般格式;(2)摘录你感受最深的文段;(3)对摘录的文段进行点评。

探究性学习的此步骤侧重"过程与方法",学生在教师提供的规则和程序的帮助下,依托合理的学习过程达成学习要求,学生的获得感更强,更容易形成完整清晰的思维过程。

3. 搜集有关资料

学生根据问题搜集资料。在搜集资料的过程中,学生可以提出自己感到疑惑的问

---

① 徐学福.科学探究与探究教学[J].课程·教材·教法,2002(12):22.
② 张秋玲.把语文教学引回自己的家园:走进吴泓"语文研究性学习常态化"实验的逻辑思考[J].人民教育,2010(22):34.
③ 程红兵.语文研究性学习概论[J].中学语文教学参考,2001(4):3-6.
④ 吴泓.走进鲁迅的小说世界:从教材鲁迅作品中延伸出的专题学习[J].教育研究与评论(中学教育教学),2021(1):40-41.

题,但是教师只帮助学生理解问题,并不给出直接的答案。教师要鼓励学生通过阅读、思考和与同学间的讨论尝试自己解决问题。

4. 分析探究过程

教师指导学生回顾和反思所经历的探究过程,思考如何形成理论来解释问题,并讨论如何改进这一过程,从而提高学生探究的技能。

5. 交流研究成果,评价研究所得

教师引导学生对研究成果进行交流,并对研究所得出的结论进行评价。语文探究性学习的着眼点是激活学生的"知识储存",激发学生关注社会的意识,培养学生发现问题、解决问题的思维能力和实践能力,而不是严格意义上对研究成果的科学价值、社会价值、实用价值或经济价值的关注。因此评价大多不是常模参照,而是目标参照,简明、直观、具有诊断性。小论文、设计方案、演讲、口头答辩是评价的基本形式。[①]

在专题学习"走进鲁迅的小说世界"[②]中,论文写作的重要程度绝不亚于之前长时间的阅读和思考。学习活动如下:请选择一篇或几篇鲁迅小说,或者与鲁迅及鲁迅小说相关的问题、话题等,写一篇评论文章。不少于4000字,题目自拟。要求:(1)尽可能做到有条理、有层次地分析"事实"(材料),形成或者证明自己的观点;(2)在论证过程中,能够对专家、学者的评论、解读性文章里的观点或材料,提出假设或作出批判性的评价。

总而言之,探究性学习并不是一种统一格式的教学模式,而是一种开放的教育思想,主张在科学教育中提供一种让学习者能够充分认识科学的本质,摆脱束缚、解放思想、敢于质疑、勇于创新的学习环境,从而使学生的批判性思维力、逻辑思维力以及创造性地解决问题的能力得到充分的发展。[③]

练习题

1. (填空题)学生是语文学习的(　　　),教师是学习活动的(　　　)和引导者。语文教学应在师生(　　　)的过程中进行。

2. (单项选择题)下面关于语文学习的表述,不正确的一项是(　　　)。

   A. 从学校环境下的学生语文学习现实情况来看,绝对自主和绝对不自主的学习都很少,学生的语文学习大多介于两者之间

   B. 在语文探究学习中,知识是学习者在问题情境中主动建构的,而不是靠聆听教师的讲解得来的

   C. 在语文合作学习中,学习小组的组建应充分考虑学生之间的一致性,以便于合作学习的顺利进行

   D. 在合作学习中,教师必须充分考虑面对的问题是否有必要、是否适宜通过合作学习来解决,问题有价值,合作才有价值,才能使学生在学习中求得发展,实现

---

① 程红兵.语文研究性学习概论[J].中学语文教学参考,2001(4):6.
② 吴泓.走进鲁迅的小说世界:从教材鲁迅作品中延伸出的专题学习[J].教育研究与评论(中学教育教学),2021(1):43.
③ 李华.探究式科学教学的本质特征及问题探讨[J].课程·教材·教法,2003(4):59.

追求的目标

3. (单项选择题)某教导主任指责带毕业班的张老师:"别的学校满堂灌都嫌时间不够,你却还在让学生小组讨论,你真的是在耽误时间。"按照新课改的理念,教导主任没有意识到( )的重要性。

  A. 自主学习   B. 合作学习   C. 探究学习   D. 接受学习

4. (单项选择题)薛老师作为"过来人"深知应试教育对学生的不良影响。在上课过程中,薛老师尽可能做到把课堂交给学生,让学生自觉主动地学习,让学生在合作探究中掌握知识。这体现了新课程改革中的( )。

  A. 体现课程结构的均衡性、综合性和选择性

  B. 实现课程功能的转变

  C. 密切课程内容与生活和时代的联系

  D. 改善学生的学习方式

5. (论述题)王老师执教《故乡》一课,让学生针对少年闰土的形象分组讨论。在学生讨论过程中,王老师发现有一组学生针对课文中的"我们沙地里,潮汛要来的时候,就有许多跳鱼儿只是跳,都有青蛙似的两只脚……"一句,在"跳鱼儿到底有几只脚"这个问题上展开了激烈的争论。王老师转到他们身边时,这个组的学生还把问题抛给了王老师。王老师没见过跳鱼儿,也无法回答。他稍作沉思后,先是表扬了这个组的同学能够从课文中发现疑点,具有探究精神,然后转过来问全班同学:"你们谁见过跳鱼儿,谁知道跳鱼儿有几只脚?"大家都说不知道。王老师接着说:"跳鱼儿到底有几只脚呢? 这个问题不光你们不知道,其实连老师也不知道。不过大家想过没有,课文里的谁肯定知道?"学生们异口同声地回答:"少年闰土!"王老师接着追问:"那你们觉得少年闰土是个怎样的人呢?"学生们经过再次的思考和讨论,明白了少年闰土不仅是个勇敢的、充满活力的小英雄,而且心里有无穷无尽的稀奇的事,还是个见多识广的聪明少年。

请结合案例中老师的教学行为和方法进行分析。

第三节 中学语文学习方法指导的原则与途径

  通过教学,教师不仅要让学生掌握一门学科的基本原理,更重要的是让学生掌握学习的基本方法。学生如果掌握了学习方法,便会受用终身。在语文教学中,教师对学生进行学习方法指导的内容是多种多样的,但终极目的都是通过对学习语文的方法进行指导,使学生更好地掌握学习规律,并在此基础上增长自身的学习能力。

一、中学语文学习方法指导的原则

知识点1:学习方法指导的原则

  以中学语文课程标准为指导,以语文学科本身的特点和中学生学习语文的特点为依据,语文学习方法指导应遵循原则如下。

(一)教法与学法有机结合、同步发展的原则

  就教学过程而言,教与学是同一事物的两个方面。我国古代教育名篇《学记》中就有

"教学半"的说法。吕叔湘也言简意赅地说:教学,就是"教"学生"学"①。奥苏伯尔指出:教与学是一回事的两个方面,两者在逻辑上是可以分开来研究的,但实质上是联系在一起的。一般而言,好的学法是以好的教法为前提而获得的,好的教法又是为保证好的学法的运用而选定的,教法与学法必须协调同步。而语文学习方法指导则是探索语文教法与学法融合规律,解决语文教法与学法怎样组合、渗透更科学的问题,它的基本思路就是:实现语文教法与学法在教学过程中的最佳结合。教师指导学生学习语文好比指导学生去掰一个壳子,既要讲清掰开壳子的目的、知识、方法,又要重视学生在得到知识与方法后更想掰开壳子摸到核心的心理,从而使教法与学法得到有机组合。

(二)在掌握知识过程中发展智力的原则

学生的智力,既是教学培养的目标之一,也是影响教学效果的一个很重要的因素。按照学习方法指导的理论,传授知识本身是为了让学生在掌握一定知识的基础上,具备分析问题、解决问题的能力,这就是思维力,而思维力是智力因素中的核心。由此看来,向学生传授知识的目的中一个极其重要的方面就是发展学生的智力,而不是单纯的积累知识。

智力是不能传授的,然而传授知识与发展智力又是互相联系的。诸葛亮《诫子书》中言:"夫学须静也,才须学也,非学无以广才,非志无以成学。"②一方面,学生学习知识不仅必须以一定的智力发展水平为前提,而且必须通过紧张的智力活动才能完成。在教学过程中,若学生一点脑子不动,不进行一点智力活动,教学活动将无法进行。另一方面,学生智力的发展也不是凭空的,是在学习知识的过程中逐步发展的,离开了知识的学习与传授,发展智力就犹如空中楼阁,无所依托。反过来,智力的发展又促进了知识的掌握,所以,教学的全部努力即是让学生在掌握知识的过程中发展智力。

庄子《逍遥游》中说:"且夫水之积也不厚,则其负大舟也无力。"离开了知识就谈不上学习,离开了智力就谈不上会学,离开了方法就谈不上善学。知识积累越丰富,就越有利于智力发展,学习方法的掌握也就越容易。因此,学习方法指导要求教师必须把知识的习得、智力的开发与学法的掌握有机结合起来。

(三)在发展智力因素过程中开发利用非智力因素的原则

语文教学目标的完成固然与学生的智力因素(如注意力、观察力、记忆力、想象力、思维力等)有直接的联系,以前传统的课堂教学也着重这些能力的培养,但与学生的非智力因素(如学习兴趣、学习动机、学习情绪、学习意志等)也不无关系,有时甚至有很重要的关系。根据学生感知教材的心理分析,学生掌握知识、形成技能,是通过对教材的感知、理解、巩固、应用四个基本环节来实现的,在这些环节中学生的学习兴趣、学习动机、学习情绪、学习意志都起着十分重要的作用。苏联教育学家巴班斯基(Babanski)说:"如果学生养成积极的学习态度,如果他们有认识兴趣,有获得知识、技能和技巧的需要,如果他们形成了义务感、责任心以及其他的学习动机,那么,他们的学习活动就一定会更有

---

① 楼沪光,孙琇.中国序跋鉴赏辞典[M].石家庄:河北教育出版社,2003:1286.
② 张连科,管淑珍.诸葛亮集校注[M].天津:天津古籍出版社,2008:109.

成效。"①学习方法指导的实践证明,不解决学生"愿学""乐学"的问题,也就谈不上"会学""善学"的问题。学习方法的掌握和学习能力的发展作为一个动态过程,"愿学"和"乐学"是推动其发展的前提和动力。

(四)从学习方法理论指导操作训练中体验学习方法的原则

教师对学生实施学习方法指导,必须让学生了解一些有关学习的理论知识。例如,指导学生掌握记忆的方法,就应当先让学生知道什么是记忆和记忆的心理过程,如何提高记忆水平等有关知识。又如,智力水平问题对学生而言是一个极其敏感的问题,教师有必要就智力的内涵,各要素的核心及其相互间的关系,发展开发智力的途径等知识作精要讲解,使学生明确学习的关键是什么。学习方法指导绝不可停留在对方法知识的介绍上,而应当通过实际的操作训练,让学生体验到学习方法是否有效可行,进而转化为技能,养成习惯。这里的"训练"不等于一般的"练习","练习"往往在新课结束之后,常常仅限于书面作业,教师的"主导"作用并不明显;而"训练"则突出了教师的"主导"作用,贯穿于整个教学活动之中,使学生在有计划、有指导的训练中获得知识,形成能力,发展智力。理想的中学语文教学过程应当是在教师的激励、组织、启发、诱导下,学生主动地获取有关语文的知识,逐步学会语文的方法,初步地掌握听说读写的能力,并为进一步发展这种能力直至形成习惯提供基础。这样一种有教师指导的学习思考、研究和练习的过程,让学生在这一过程中能自始至终多方面受到严格、认真的语文训练,以提高教师教学的有效性。这是一种以提高训练效率为中心而组织教学过程的思想。在具体的教学中,教师应力求每节课的教学过程都由若干互相联结渗透的有关听说读写的练习群组成,尽量压缩非训练性因素,突出训练性因素,或变非训练性因素为训练性因素。

(五)坚持统一指导与个别指导相结合的原则

统一指导是学习方法指导的重要形式,它可以面向全体学生,使学生掌握学习方法的一般知识。但每个学生都有各自的性格特点、学习基础和学习习惯,只有当学习方法指导和学生各自的特点、各自的知识与经验水平相结合时,才更有针对性,才能发挥方法的功效。因此,教师在重视统一指导的同时,要针对学生的实际情况进行个别指导,指导学生选择适合自己个性特点的行之有效的科学学习方法,使统一指导与个别指导相辅相成、相得益彰。

二、中学语文学习方法指导的途径

知识点2:学习方法指导的途径

现代教育观认为,教育不仅要让学生学到科学文化知识,更重要的是要让学生掌握学习科学文化知识的方法和途径。这是达到"教是为了不教"之目的的根本出路。在语文教学实践中,学习方法指导有以下的具体途径。

---

① 巴班斯基. 最优化教学理论与教育论著选读:上[M]. 北京师联教育科学研究所,编译. 北京:中国环境科学出版社,2006:133.

（一）专题课程指导

学习方法指导专题课程，即在基础型课程实施过程中，在拓展型课程、探究型课程开设过程中，开设专门的学习方法指导专题课程供学生学习。① 学习方法指导专题课程可以向学生系统地传授基本的学习规律和科学的学习方法，能够大面积、大幅度地提高学生的学习能力。这是目前国内外最广泛实施的学习方法指导途径。

我国有一些中小学单独开设了学习方法指导课程，而且列为教学计划的正式课程。教师可以在每学期开始时，拿出专门课时对学生进行学习方法的系统讲解和指导，归纳出若干条学习习惯，每项定为 10 分，要求学生自己先对照检查、对号打分，然后再要求他们在学习过程中时时对照。不良习惯的改变、良好习惯的形成不是一朝一夕之功，因此，在教学过程中教师要坚持不懈地反复强化，对达不到要求中硬指标的学生，坚决指导其改正并达成目标。

例如，静安区教育学院附属学校的 TRIP 课程是一门以转变教学方式为标志的课程，主要采取主题式学习、探究式学习、跨学科学习和实践性学习四种学习方式，课程覆盖六至八年级。在六年级课程启动时，学校通过 3 课时的绪论课和 15 课时的"生活中的手机"公共主题学习，向学生介绍课程的学习理念和学习方式，让每个学生体验这种课程的学习方式与以往的不同，掌握相关策略和方法，然后学生根据自己的兴趣进入不同主题、不同领域的学习。②

方法与习惯相辅相成，对学生进行学习方法指导既要与培养良好习惯密切配合，还要做一些学习方法指导的专题讲座。教师可以就某个学习方法问题对学生进行专题讲授，也可以邀请一些有经验的专家学者为学生举办学习方法指导的专题讲座。这种方式可以根据学生学习的实际情况和需要进行，比较符合学生实际，针对性较强，是对系统传授学习方法容易缺乏实效性和实用性的很好补充。③ 因此，专题课程指导方式能够对学生进行集中的方法指导和策略讲解，兼顾系统性和针对性，有利于学生建立学习方法的整体认识，提升应用意识。

（二）学科渗透指导

学科渗透是指教师在教学过程中，根据学科教学的目标、性质与内容，将学习方法指导渗透于学科教学的各个环节和不同内容之中，其最大的优势体现为学习方法指导的实践性与有效性，最大的局限性体现为学习方法指导的分散性和局部性。④

课堂是教学的主阵地，教师课堂的教学方法也影响着学生的学习方法。如果教师采用的是注入式、满堂灌、照本宣科的教法，那么就会使学生养成不动脑筋、死记硬背、生搬硬套的不良习惯；如果教师采用的是富有启发性、深入浅出的方法，那么学生的学习也会变得更有创造性。因此，在课堂教学中，教师要改进传统教法，坚决摒弃语文课程教学中"教师滔滔讲说，学生默默聆受"的陋习，而应按照语文学习内容和学生实际情况，指导他

---

① 张玉华.指向素养的学法指导：模式、途径和策略[J].现代教学，2019(1)：16.
② 同①.
③ 李如密.学习指导的基本模式及其发展趋势[J].中国教育学刊，2001(3)：29.
④ 张相学.学法渗透课：亟待关注的教学研究领域[J].教育理论与实践，2012，32（34）：56.

们走进教材,真正做到学习的主人,主动获取知识。

在教学方法上,教师可以采取"问题引路"的启发式教学,指导学生于无疑处生疑。例如,在《变色龙》教学中,为了深入理解奥楚蔑洛夫这一人物形象特点及塑造这一形象的意义,教师设计了这样一组问题:① 奥楚蔑洛夫的基本性格可以用哪几个词语来概括? ② 奥楚蔑洛夫的"善变"是如何表现出来的? ③ 他虽然"善变",但哪一点又始终未变? ④ 是什么原因使这位警官既不变又善变呢? ⑤ 作者为什么要塑造这个人物?这组问题紧扣教学目标,围绕教学重点,层层剖析,步步深入,能引导学生比较透彻地理解和掌握小说的深刻内涵。① 矛盾能引发学生的探究欲望,在课堂教学中教师可以通过设置一些矛盾使学生形成一种思维的旋涡,然后再让他们自己从旋涡中走出来,这样可以使学生学会辩证思考问题和分析问题的方法。教师可以指导学生在课文的某些语言处深思隐含信息,课文里有些语句内涵丰富,语意隐晦,对此,教师应注意指导学生深思其含义和作用。此外,教师在必要时也可有意识地对一些自己的学习方法进行介绍,如寻找小说的叙述线索有哪几种方法,自己分析这篇小说的叙述线索时用了哪种方法,等等。长此以往,学生也会积累起多种具体的学习方法,从量变到质变,学习能力也会大大提高。

学科渗透开展学习方法指导的优势是可以以具体学科知识为载体,使学习方法指导言之有物,有利于策略性知识的生成,也有利于完成知识向能力的转化。②

(三) 学生反思指导

在学习活动的终结阶段,进行反思是十分重要的。具体地说,反思可以让学习者感受到众多余韵,其中一种便是充实感。学生是改进学习方法的主体,教师要引导学生总结自己学习的经验教训,甄别什么样的学习方法适合自己的学习。由于每个人的先天素质、学习基础、生活环境等方面的条件不同,对甲同学适用的学习方法对乙同学就不一定适用。到底哪些方法最适合自己,需要在学习实践中加以总结。特别应该指出的是,要教育学生,在学习失败时不能只是懊丧或埋怨,要冷静思考,找出失败的原因,采取相应的对策。学生学会自我评价,并能根据学习成败的反馈信息来调节自己的学习行为,就是学生开始学会学习的一个重要标志,也表明其主体地位的意识增强。③

另外,核心素养导向的中学语文教学强调深度学习,而深度学习强调在现实世界中创造和运用,这个运用的过程就是学习迁移的过程。迁移能力是指把在一个情境中学到的东西迁移到新情境的能力。④ 个人的知识和方法只有能够迁移,才是有用的知识和方法,而教师启发学生将课堂所学的学习知识和方法向课外迁移则是培养学生迁移能力的重要途径。教师可以从以下几个方面引导学生由课内向课外迁移:①向生活的各种空间迁移学习,坚持写生活札记;②向报刊的"专栏文章"迁移学习,坚持写摘要或提要;③向其他学科迁移学习,坚持写分析性短论;④向影视作品迁移学习,坚持写观后感。这种迁

---

① 金军华.课堂提问要把握"六度"[J].语文建设,2013(9):36.
② 张玉华.指向素养的学法指导:模式、途径和策略[J].现代教学,2019(1):16.
③ 李如密.学习指导的基本模式及其发展趋势[J].中国教育学刊,2001(3):30.
④ 布兰斯福特,布朗,科金.人是如何学习的:大脑、心理、经验及学校(扩展版)[M].程可拉,孙亚玲,王旭卿,译.上海:华东师范大学出版社,2013:56.

移学习法,使语文学习的触角扩展到了几乎所有知识和生活的领域,这正体现了语文对各种事物的载体作用。只有这样,语文学习的知识和方法才会成为活的知识和方法,才会成为有用的知识和方法。引导学生认识自己的学习过程,可以调动学生学习的主动性和积极性,发展思维力,巩固和加深理解知识,并有助于提供改进教法的反馈信息。[①]

(四) 学生交流指导

学生交流指导是指教师组织学生在同学之间就学习经验、学习方法进行介绍、交流和讨论,从而学会学习。其常用的形式有学习方法报告会、学习方法经验交流会、学习方法座谈讨论会、学习常规答辩、学习方法主题班会、学习方法表扬奖励会、作品展览会、优秀学习方法专刊或专辑等。通过这些形式,建立学生间学习信息的联系渠道,引导学生总结自己的学习方法。

一般来说,通过召开学习方法报告会、学习方法经验交流会的形式进行学习方法指导的做法比较常见。一是可定期组织全校性的学习方法报告会,让学习优秀的学生介绍自己的学习经验;二是以班级为单位,定期召开学习方法经验交流会,促使每个学生对自己的学习方法进行比较系统的总结。同一班级的学生学习条件大致相同,学习方法的经验交流具有亲切、可信、易学的特点。教师要组织好总结工作,使一些好的学习方法及时得到推广,促进学生相互学习、相互启发和借鉴。这种模式作为学习方法指导的一种辅助模式,比较符合学生实际,容易得到学生的认同,有利于学生从同学的现身说法中获取符合自己实际的经验,因而具有鲜明的个性特征和可接受性。组织学生总结自己学习上的成功经验,有利于学生之间的互相交流,取长补短;组织学生定期总结和交流通过学习实践活动悟出的学习方法,可以使个别学生的学习方法变为全体学生的共同学习方法,也可以总结出具有个性特征的学习方法,使学习方法异彩纷呈且具有层次性。学习经验交流可以在教师的指导下进行,也可以由学生自己组织进行,不受时空限制。不足的是,由于学生认识水平的限制,有时很难从科学的高度概括自己的经验。[②]

国内外的教育都十分重视学生的学习方法。布鲁纳积极提倡"发现法",主张学生要用自己的头脑去发现知识。苏联教育家赞可夫把"使学生理解学习过程"作为一个原则提出来,强调教师应该教会学生学习。国内许多优秀教师也很注意学习方法指导,有的开设学习方法指导讲座,有的采用"读读,议议,讲讲,练练"的方法培养学生的能力,有的用画知识树的方法让学生查缺补漏。他们千方百计地启发学生积极思考、主动学习,既教结论又教方法,既教给知识又培养能力。实践证明,在语文教学中,教师以教会学生学习为突破口,教给学生学习各类文章的主要方法,并通过各种途径训练学生良好的学习习惯,使学生的自学能力、知识迁移能力、思维能力都得到提高,这是减轻学生学习负担、切实提高教学效果的根本途径。也只有这样,才能培养出智力发达,能高效率地独立学习并具有较高分析问题、解决问题能力的学生,从而适应 21 世纪对人才的需求。当然,对于学习指导活动来说,不存在一种普遍有效的对一切教育对象都适用的万能方式。但是,不同的学习指导途径可以相互补充、相得益彰,构成一个整体,综合地发挥出学习方法指导的最佳效能。

[①] 李如密.学习指导的基本模式及其发展趋势[J].中国教育学刊,2001(3):30.
[②] 同①。

练习题

1. （多项选择题）非智力因素包括(　　　　)。
   A. 学习兴趣　　B. 学习动机　　C. 学习情绪　　D. 学习意志　　E. 思维力
2. （单项选择题）郑老师在做导言课时明确告诉学生："任何知识都不是简单的背诵，不要指望考前让老师划重点，你们要把老师传授的方法学会，从而将知识内化。"下列哪一项是对郑老师教学理念的最佳表述？(　　　　)
   A. 教学要"以学习者为中心"
   B. 教学要"教会学生学习"
   C. 教学要"重结论的同时更重过程"
   D. 教学要"关注人"
3. （简答题）如何理解掌握知识过程中发展智力的原则？
4. （论述题）结合自己的学习经验归纳出至少10条学习习惯，并简要阐释其合理性。
5. （论述题）结合具体教学案例，谈谈在阅读教学中的学习方法。

本章小结

在语文学习过程中，完成语文学习任务过程中所采用的策略、途径、手段或方式，就是中学语文学习方法。学习方法指导旨在引导学生学会学习，使学生能够灵活地将学习方法运用于学习之中。

中学语文学习方法指导的目标在于保证学生学习成效最大化，实现学生发展最优化，促进教师高水平发展。对于学生而言，它是优化学习系统的自组织结构，增强自组织能力的有效措施，是实现学生自身发展的需要，是促进学生适应知识经济时代发展的需要。对于教师而言，它是以学生为主体的教育教学理念的具体体现，将教法与学法真正统一起来。对于社会而言，它是时代发展的需要，是提升本国教育质量的要求，可以促进学习型社会的建设。

要想使学生的学习顺利进行，教师的教学引导既要遵循学生身心发展的基本规律，也要遵循语文学习的基本规律。自主、合作、探究的学习方式，是引导学生掌握语文学习的基本方法。在语文学习方法指导的过程中，教师要遵循教法与学法有机结合、同步发展的原则，在掌握知识过程中发展智力的原则，在发展智力因素过程中开发利用非智力因素的原则，从学习方法理论指导操作训练中体验学习方法的原则，以及坚持统一指导与个别指导相结合的原则。

在语文教学实践中，学习方法指导的具体途径有专题课程指导、学科渗透指导、学生反思指导、学生交流指导等。

☞ 本章知识结构

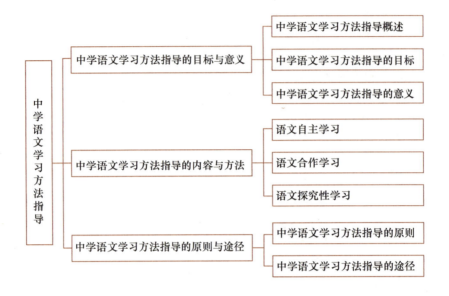

☞ 本章参考文献

[1] 陈琦,张建伟.建构主义学习观要义评析[J].华东师范大学学报(教育科学版),1998(1):61-68.

[2] 陈玉秋.语文课程与教学论[M].桂林:广西师范大学出版社,2004.

[3] 冯克诚.中学语文课堂教学方法实用全书[M].呼和浩特:内蒙古大学出版社,1999.

[4] 联合国教科文组织国际教育发展委员会.学会生存:教育世界的今天和明天[M].华东师范大学比较教育研究所,译.北京:教育科学出版社,1996.

[5] 刘永康.语文课程与教学新论[M].北京:高等教育出版社,2011.

[6] 路海东.学校教育心理学[M].长春:东北师范大学出版社,2000.

[7] 庞维国.自主学习:学与教的原理和策略[M].上海:华东师范大学出版社,2003.

[8] 钱加清.语文课程与教学论[M].济南:山东人民出版社,2008.

[9] 邵瑞珍.教育心理学(修订本)[M].上海:上海教育出版社,1997.

[10] 宋祥.中学语文课程与教学论[M].长春:东北师范大学出版社,2014.

[11] 王玉辉,王雅萍.语文课程与教学论[M].北京:北京师范大学出版社,2012.

[12] 中华人民共和国教育部.普通高中语文课程标准(2017年版2020年修订)[S].北京:人民教育出版社,2020.

[13] 中华人民共和国教育部.义务教育语文课程标准(2022年版)[S].北京:北京师范大学出版社,2022.

[14] 朱绍禹.语文课程与教学论[M].长春:东北师范大学出版社,2005.

第十一章

中学语文现代教学媒体的运用

☞ **学习目标**

识记：媒体及教学媒体的概念，教学媒体的分类。

理解：现代教学媒体的特征，中学语文现代教学媒体的功能及选用，语文多媒体教学课件制作的理论基础。

运用：语文多媒体教学课件制作的策略。

☞ **学习重点**

◎ 把握现代教学媒体的特点。
◎ 理解中学语文现代教学媒体的作用及选用原则，并学会将之落实到实际教学中。
◎ 学会制作语文多媒体教学课件。

☞ **学习导引**

随着现代科学技术的发展，以多媒体技术和网络技术为核心的现代教育技术在语文教学中广泛运用，拓展了语文教学资源，丰富了语文教学手段和方法，并引发和促进了语文学习方式、教学方式乃至师生角色等一系列变化，给语文教学注入了生机与活力，展示了现代教育技术手段的巨大魅力。这种技术手段服务于教育教学，使我国的教育教学质量日益提高，为我国各行各业培养了许许多多能适应社会发展和参与国际竞争的创新型的人才。传统中学语文教学强调学生是学习的主体，教师起主导作用；在多媒体教学中，教师起主导作用，学生依然是学习的主体，教师只是借助"多媒体"这一技术手段改变了传统的教学方式，但就教学任务与教学内容来说，并未从根本上改变。

【引子】

语文教学的手段随着科技的发展进步不断革新，现代教学媒体为当前语文教学注入了新的活力。例如，语文教师教《济南的冬天》这篇课文时，非济南本地的同学在理解济南冬天的特点时，可能会有一定的困难，教师在教学时如能运用多媒体技术，如视频、音乐、配乐朗读等，就可以多感官地调动学生参与学习活动，促进学生理解课文。那么如何利用现代教学媒体辅助语文教学呢？本章内容将会给予你一定的启示。

第一节 现代教学媒体概述

随着信息技术的飞速发展，现代教育技术正在推动着教育理念、教学环境、教与学方式的深刻变革与创新，掌握现代教育技术已经成为教师的必备专业素质。本节我们需要了解媒体、多媒体以及教学媒体的含义，掌握教学媒体的分类及现代教学媒体的特征。

从不同角度看，教学媒体有不同的分类，分类的目的是让教师更好地认识媒体的特征与功能。但是，分类很难做到十分准确和完全合理，因为教学媒体一般都具有综合性、丰富性、兼容性等特征，无论从哪个角度分类都可能难以避免教学媒体类别的交叉兼容，难以清晰界定。教学媒体有媒体的共性也有独特的个性，要结合实际选择性使用以求达到教学效果的"最优化"。根据当前教学使用情况，教师应了解几种常见的现代教学媒体，如教育电视系统、计算机媒体、多媒体教学一体机；此外，还要理解并掌握现代教学媒体的特性，以便更高效地使用教学媒体辅助教学。

总而言之，教师需要适应信息时代的要求，了解并会根据教学需要合理选择、灵活运用各种信息化的教学媒体，开发符合教学内容的课内外学习资源，利用多媒体等信息化教学媒体开展教学，不断进行信息技术理论的学习更新，扩大知识面，满足现代教育发展及学生需要。

一、媒体、多媒体及教学媒体的含义

知识点1：媒体的含义

媒体包括人与人之间进行信息交流的电视、广播、报纸等媒介。人们借助这些媒介所提供的广阔平台，突破了信息交流的时空限制，实现了更大范围内的信息交流。作为传递信息的中介，媒体有两种含义：一种是指承载信息的载体，如符号、文字、语言、声音、图片等；另一种是指存储和传递信息的实体，如图书、报刊，以及幻灯片、投影片、录音带、电影片、光盘、磁盘及其播放设备等。

知识点2：多媒体的含义

多媒体译自英语 multimedia 一词，是指在计算机上综合运用文字、图片、声音、动画、影像等多种媒体进行信息表现和信息传递的载体。多媒体技术不是各种媒体的简单相加，而是运用特定技术把文字、图形图像、声音动画、视频影像等信息结合在一起，并通过计算机的综合处理与控制，从而实现一系列交互操作的信息技术。正是方兴未艾的多媒体技术与网络技术的交互，才使得计算机的作用扩展到诸如教育科研、工业生产、航空航天、文化娱乐、大众传媒、商业广告等社会生活的方方面面。

知识点3：教学媒体的含义

顾名思义，教学媒体就是用以承载和传递教育教学信息的媒体，包括教育教学情景中所使用的承载和传递教学信息的一切工具、中介。从本质上讲，教与学的过程是一种获取、加工、处理和利用事物信息的过程，因此存储和传递信息的任何媒体都能充当教学媒体。[1]教学媒体包括书本形态的各种教育教学材料，如纸质教科书、教学辅导书、印刷试卷、实验实习指南等；非书本形态的教育教学材料，如教学幻灯片、投影仪、收音机、计算机课件等。

二、教学媒体的分类

知识点4：教学媒体的分类

随着科技的进步，教学媒体的种类越来越丰富。分类的着眼点不同，教学媒体的类型也有不同。了解教学媒体的分类有助于更好地在教学中进行选择与运用，根据不同的

---

[1] 徐福荫,李运林,胡小勇.教学媒体的理论与实践[M].2版.北京：北京师范大学出版社,2012：13.

分类方法可以作以下几种分类。

(一) 按照媒体的历史发展分类

1. 传统教学媒体

传统教学媒体是指在传统教学中,教师常常使用的教科书、黑板、粉笔、挂图、标本、模型、实物演示等。传统教学媒体又可分为印刷媒体和非印刷媒体:印刷媒体包括图书资料、图表、挂图等,非印刷媒体包括实物、标本、模型、板画等。传统教学媒体制作简单,使用方便,历史悠久,是传递教学信息的重要媒介,即使在未来教育教学中,传统教学媒体也是不可或缺的重要教学媒体。

2. 现代教学媒体

现代教学媒体是相对于传统教学媒体而言的,是指近现代以来随着科学技术成果引入教育教学领域出现的电子媒体,俗称"电化教育媒体",主要包括幻灯、投影、录音、录像、广播、电视、电影、计算机、VR 和 AR 虚拟技术、智能机器人等,以及由此形成的多功能教学媒体系统,如语言实验室、视听阅览室、微格教学训练系统、闭路电视系统、多媒体综合教室、智能校园、智能教室、计算机网络系统、移动智能终端等。

(二) 按照作用于人的感官分类

1. 视觉媒体

视觉媒体是指发出的信息主要作用于人的视觉器官的媒体,如印刷品、图片、黑板、教科书、挂图、标本、幻灯、投影、无声电影、展示台等设备。

2. 听觉媒体

听觉媒体是指发出的信息主要作用于人的听觉器官的媒体,如口头语言、广播、录音机、收音机、扩音机、随身听、激光唱片等设备。

3. 视听觉媒体

视听觉媒体是指发出的信息同时作用于人的视觉器官和听觉器官的媒体,如电影、电视、计算机、录像机、教育电视系统等设备。

4. 交互多媒体

交互多媒体是指使用多种感官且具有人机交互作用的媒体,主要有计算机媒体、多媒体教学一体机、交互式电子白板等设备以及相应的教学软件。

(三) 按照媒体的物理性能分类

1. 光学媒体

光学媒体是指通过光学原理将影像、图片、文字、标本、实物等信息载体投射到屏幕上,以呈现和传递信息的媒体。光学媒体主要包括幻灯、投影、电影、VR 和 AR 虚拟技术及相应的教育软件等。

2. 电声媒体

电声媒体是指以电声技术和设备为硬件,以录音教材为软件将教学信息以声音的形式进行加工、储存、传递和播放的媒体,主要包括广播、录音、语言实验室等方面的媒体。广播包括有线广播和无线广播,录音媒体包括录音机、电唱机、收音机、MP3、录音笔、唱片等。

3. 电视教学媒体

电视教学媒体是指通过声音、图像的有效配合传送人物、事件、事物发展演变过程的媒体，主要包括电视机、放映机、影碟机、录像机、闭路电视系统、微格教学训练系统等。

4. 计算机教学媒体

计算机教学媒体是指以计算机为核心的在教学活动中进行图文、声像、活动等综合储存、加工、传递、感知信息的媒体，包括学习机、计算机及相应的教学软件等，以及语言实验室、微格教学训练系统等综合系统。

此外，根据教学组织形式的需要分类，教学媒体还可分为课堂展示媒体、个别化学习媒体、小组教学媒体和远程教育媒体等；按信息传播的方向进行分类，教学媒体又可分为单向传播媒体、双向传播媒体。

总而言之，在具体的教学中，教师需要根据教学媒体的特点和功能综合考虑多方面因素来选用适合的教学媒体。

三、几种常用的现代教学媒体

知识点 5：几种常用的现代教学媒体

目前常用的现代教学媒体主要集中在视听觉交互式教学媒体，其功能强大，覆盖面较广，可以满足时代发展的教育需求。这里主要介绍教育电视系统、计算机媒体、多媒体教学一体机三种教学媒体的特点及功能。

（一）教育电视系统

20 世纪 20 年代，电视机出现，其被认为是 20 世纪最伟大的发明之一。其最初的目的并不是服务于教育领域，但很快就有教育工作者意识到了电视媒体所可以挖掘的强大教育功能，并在它刚刚诞生不久就将其运用于教育教学中。美国的"视听教育"是现代教育技术的起源，在后来经历的"视听传播"阶段，电视是极其重要的媒体。虽然电视如今正逐渐被计算机取代，但它仍是当前教育中非常重要的教学媒体之一。它是一种大众性传播媒体，能有效扩大教育的规模，利于继续教育、远程教育、终身教育的开展。教育电视系统作为一个系统，包括教育电视节目的制作系统和传播系统两部分。按照信号传输方式，教育电视系统可分为开路教育电视系统和闭路教育电视系统，也可称为无线传输系统和有线传输系统。

（二）计算机媒体

计算机是 20 世纪最重要的科技发明，自诞生以来，计算机技术发展极其迅速，机器体积越来越小，运算速度越来越快，功能也越来越强大，应用领域不断扩大，其智能化和自动化特性让它成为重要的信息化教学媒体。

个人计算机在教育领域，特别是在学校多媒体课件开发中使用最多，具有价格经济、性能可靠、支持的软件多、操作便捷等优点，因而备受欢迎。计算机支持的教学活动丰富多样，包含练习、导学、模拟、教学游戏、帮助问题解决、统整学习管理系统等。以模拟为例，计算机模拟教学主要是采用计算机技术为学生创造出一个拟真的环境，让学生如同身临其境去感受所模拟的内容，并深入体会自己的操作给模拟对象及其环境带来的变化。此操作便于学生理解较为深奥的知识，同时还能替代一些难以甚至无法实现的实验。当代计算机技术的日渐成熟,计算机教学媒体软件系统的易用性也日渐提高,师生如何在教学中利用计算机进行高效和拓展学习已成为运用计算机教学媒体的真正目的。

(三) 多媒体教学一体机

多媒体教学一体机是一种新型的多媒体互动终端。它以高清液晶屏为显示和操作平台,具备书写、批注、绘画、同步交互、多媒体娱乐、网络会议整合等功能,融合高清显示、人机交互、多媒体信息处理和网络传输等多项技术,涵盖了投影仪、电子白板、电脑、电视、音响等的功能。教师和学生可以用手指、教鞭、书写笔等任意不透明的物体进行书写和触摸操作,直接开展人机交互;同时,它还配有放大镜、聚光灯、幕布、关闭屏幕、局部快照、录制、摄像头捕捉等多种教学工具,整体的亮度、对比度和图像的清晰度高,显示效果好,不伤眼睛,各个位置的学生均能看清,可以满足各种环境要求,具有很强的环境适应能力。① 因此,它也成为学校教育常见的现代教学媒体之一。此外,多媒体教学一体机的安装也极为便捷,通常有以下三种方式:第一种为壁挂式,即直接将设备安装在黑板的中间或两边位置,使用时需教师拖拉。第二种为内嵌推拉式,即将黑板分为三大块,中间一块黑板为拖拉式,多媒体教学一体机装在其后。使用时,将中间黑板拉到任意一边;不使用时,则将其挪回原位,保护屏幕。第三种为直立式,即将多媒体教学一体机安装在可移动落地支架上,使用时可随意调整多媒体教学一体机的位置。

四、现代教学媒体的特征

知识点 6:现代教学媒体的特征

教师要想更高效地使用现代教学媒体辅助教学,应了解现代教学媒体的特征。现代教学媒体具有以下六个特征。

(一) 虚拟性

虚拟性是网络学习环境的一大特征,也是现代教学媒体的特征。互联网技术的发展,信息传输速度的提高,缩短了物理距离与时空距离。虚拟现实技术支持动态的交互环境,这使得虚拟课堂得以出现。

(二) 感官性

现代教学媒体作用于人体的感官,将声音、图片、文字、动画、视频、音乐等有机结合起来。教师在教学中运用现代教学媒体,可以充分调动学生的视听觉、触觉等多感官参与,使纯语言文字的描述化作可观可感的画面图像及影音声像,生动形象。如教学《蝉》这篇说明文时,并不是所有的学生都看过蝉、听过蝉声,而绝大部分学生更是没有机会观察蝉从幼虫出穴、蜕皮到成为成虫这样一个生长过程。因此,教师在教学时可以根据需要播放关于蝉的生长过程和习性的科学短片,这样既弥补了学生生活经验的空缺,又激发了学生的学习兴趣,提高了教学效率。

---

① 陈斌.现代教育技术[M].北京:北京师范大学出版社,2017:72.

（三）共享性

现代教学媒体在教学中的应用，在很大程度上实现了教育信息的共享。优质的多媒体教学课件可以在教师间互相交流、共同使用。而校园网和互联网的开通，使各种课件及教育信息汇集在网上，教师和学生可以随时上网浏览、学习和下载。

（四）交互性

交互性是指教学者和教学媒体、学习者之间，学习者与教学者、教学媒体之间进行的多种实时交流互动，这种交流包括学习上的交流和情感上的交流。如交互式电子白板能够实现人机与人际多重交互，而多媒体计算机的交互性最强，学习者能够通过操作多媒体计算机控制自己的学习进程；多媒体计算机也能对学习者的特定行为作出反应。电影、电视、广播等虽然不能随意控制，但其表现力与感染力，容易引起学生情感上的反应，激发学生情感上的共鸣。

（五）再现性

现代教学媒体冲破了传统教学媒体受宏观、微观、时间、空间的限制，不但能记录和传输各种教育信息，还能将其储存和复制，并反复使用。现代教学媒体能将教学所需展示的宏观、微观事物与过程再现于课堂，使学生能亲眼看见、亲身感受。如教师教学《安塞腰鼓》时可以适时播放气势磅礴、粗犷豪放、极具黄土高原气息的民间舞蹈视频，再现文字所述场面。

（六）集成性

这种集成性一方面是指现代教学媒体信息功能的集成性，能够将图、文、声等教学材料融合在一起，集成融汇各种教学信息，组合多种媒体的功能特性，形成一个完整的多媒体信息系统，如交互式电子白板、触控一体机等；另一方面是指多媒体设备组合使用的集成性，将各类媒体设备集中在一起，形成多媒体设备系统，其中一种媒体包含的信息还可以借助另一种媒体传递出来，如图片、音频可以通过幻灯片、电子白板等呈现，一改传统教学手段的单一性、零散性。

> **练习题**

1．（判断题）口头语言是教学媒体。（　　　　）

2．（论述题）请举例谈谈在语文教学过程中会使用到哪些教学媒体，体现了教学媒体怎样的功能特性。

3．（设计题）当前来说，不是每所学校都有条件为每间教室配备完整的多媒体系统，用你个人可以利用的新媒体设备（如录音机、手机、平板电脑、个人笔记本电脑），设计一个多媒体网络环境下的语文教案来教学《故都的秋》。

第二节 中学语文现代教学媒体的功能与选用

《义务教育语文课程标准》(2022年版)明确提出:"教师要关注互联网时代日常生活中语言文字运用的新现象和新特点,认识信息技术对学生阅读和表达交流等带来的深刻影响,把握信息技术与语文教学深度融合的趋势,充分发挥信息技术在语文教学变革中的价值和功能。"现代教学媒体因其形式新颖、功能强大等特点,在构建开放、充满活力的语文课程中发挥着重要作用。本节主要介绍中学语文现代教学媒体的功能、选择及使用。

一、中学语文现代教学媒体的功能

知识点1:中学语文现代教学媒体的功能

语文学科不同于其他学科,它是一门非常基础的学科,它重在培养学生听说读写能力,尤其是读、写能力。将现代教学媒体运用于语文教学中,能形象生动地展现教学内容中涉及的事物、场景和过程,将书面语言转化成生动的画面、逼真的声音;通过视、听等多种感官刺激学生的大脑,发展学生的思维力、联想力和想象力,调动学生学习语文的积极性。多媒体技术一进入语文课堂,就展示了现代教学媒体的强大功能。中学语文现代教学媒体的功能具体表现在如下几个方面。

(一)激发学生学习兴趣

布鲁姆说过:"学习的最大动力,是对学习材料的兴趣。"在语文教学中,教师们积累了许多行之有效的教学经验,有了这些丰富的经验,再恰当地运用多媒体技术教学手段,更有利于激发学生的学习兴趣,提高教学效率。因为幻灯、投影、电视、电影等具有形象性、感染性、再现性的特点,它们能通过声、形、色等多样的表现形式为学生创造愉快、和谐的学习气氛,吸引学生的注意力,唤起学生极大的学习热情,同时呈现丰富的教学资源,激发学生强烈的求知欲望。

(二)开发学生智力

语文教学采用现代教学媒体,可以使学生运用视觉、听觉及其他感官来感知丰富的表象,同时非常容易将教学环境中的声、色、形等浸染着情感的表象与相应的词语、文本沟通,加深对教学内容的理解,促进学生记忆、思维、联想、想象等能力的发展,进而开发学生的智力。同时,这些声形兼备的表象,可以突破时空的局限,可以不受微观和宏观的束缚,能直接提供让学生感知的对象,进而逐步扩大学生直接经验的范围,为感性经验向理性经验的飞跃奠定基础。当学生具备了一定的理性思维力时,教师就可以进一步利用现代教学媒体为学生提供练习的机会,使学生的感性经验在实践中得到运用。

(三)拓展语文学习空间

现代信息技术为语文教学构建了一个多媒体、网络和智能有机结合的个别化、交互式、开放性的动态教学环境。现代教学媒体的应用,能够突破时间、空间的限制,把丰富多彩的教学信息带入课堂,使学生在得到大量信息的同时也能受到美的熏陶。比如,学习《壶口瀑布》时,教师不仅可以让学生通过文字去感受壶口瀑布在不同时节的特点,去体会作者遣词造句的妙处,还可以用录像带、幻灯片等展示壶口瀑布汹涌奔腾的胜景,让学生感受壶口瀑布的磅礴气势。

现代教学媒体在将大量信息带入课堂的同时,又能把学习和练习带出课堂,扩大学生学习语文的空间。比如,传统的课堂教学很难使访问、报道、采访等实践性课程取得理想效果,而现代教学媒体可以让学生在模拟环境下练习运用访问、报道、采访等各种技能,充分发挥现代教学媒体的支持作用,提高学生的语文学习能力。

(四)改进教师教学方法

现代教学媒体打破了传统教学媒体的局限性,实现了文字、音频、视频等载体的融合,增强了课堂的生动性和趣味性,改进了教师的教学方法。现代教学媒体由于具有交互性和共享性的特点,以"学"为中心的交互式教学得到进一步发展。单一的班级授课制转变为个别化教学、小组教学、合作学习、班级授课等多种教学组织形式。教学方法由原来单纯的教师讲解转变为基于"情境创设""协作学习""主动探究"等多种新型教学方法的综合运用。如教师可以鼓励学生将学习成果转化为多媒体形式,以小组或个人为单位进行成果展示和汇报,在促进课程学习内容信息化的同时实现学生学习成果的共享。

二、中学语文现代教学媒体的选择

知识点 2:中学语文现代教学媒体的选择与使用

《普通高中语文课程标准》(2017 年版 2020 年修订)中提出:"要改变因循守旧的语文教学习惯,也要打破唯技术至上的观念,把握好技术与语文的关系,合理利用信息技术。"随着现代教育技术的不断发展,在教学实践中教师更加重视用各种媒体进行教学。因此,在现代教学中,能否科学地选择并正确地使用现代教学媒体对教学的开展与推进起到了越来越重要的作用。

(一)中学语文现代教学媒体的选择原则

1. 目标控制原则

没有一种媒体能对所有学习目标和所有学习者都产生最佳的相互作用。但是对某些具体的教学目标来说,还是存在着某种媒体,使其教学效果明显优于其他媒体,所以,这就有了媒体选择的必要性和意义。教学目标是贯穿教学活动全过程的指导思想,它不仅规定教师进行教学活动的内容和方式,指导学生对知识内容的选择与吸收,而且还控制媒体类型和媒体内容的选择。因此,教学目标是现代教学媒体选用的主要依据。在语文教学中,教师是否使用现代教学媒体,使用何种现代教学媒体,都要根据教学目标的需要来决定,切忌盲目选择现代教学媒体。

比如,统编本高中语文教材必修下册第二单元为戏剧单元,其中两个教学目标设计为"理解作品中蕴含的对社会现实的认识和对人生的深切关怀,把握作品的悲剧意蕴""通过阅读鉴赏、编排演出等活动深入了解戏剧作品,欣赏戏剧设计冲突、构思情节、塑造人物的艺术手法,体会戏剧语言的动作性和个性化,深化对戏剧体裁的认识"。前者往往通过文本讲解帮助学生更好地理解作品的悲剧意蕴,后者则需要借助视频、音频等多种媒介让学生直观地感受戏剧的特点和效果。不同的教学目标决定不同的媒体类型和媒体内容的选择,若不遵循这一原则,效果将会适得其反。

2. 内容符合原则

教学内容是教学目标实现的凭借,同一教学目标会由不同的教学内容实现。因此,学习内容也是选择教学媒体的一个重要原则,不同的教学内容选用的现代教学媒体也不尽相同。比如,诗歌和散文体裁的文章最好通过影像媒体来辅助讲解,使学生能够身临其境,感受作者的情感。而对于制作网页、设计海报等综合性学习内容,则往往需要通过计算机、网络媒体辅助教学,帮助学生完成学习任务。为突出教学效果,选用现代教学媒体时还要注意直观与抽象配合、具体与概括配合、动态与静态配合、声色与视听配合等。

3. 对象适应原则

不同年龄阶段学生的认知结构有很大差别,教学媒体的选择必须与教学对象的年龄特征相适应。小学阶段语文教学媒体的选择重点应放在如何进行形象化教学上,教师应常常使用直观功能强的现代教学媒体,增强学生的直观体验,引发学生的学习兴趣,提高学习效果;中学阶段的学生年龄增大,逐渐走向成熟,具备一定的抽象逻辑思维能力,教师教学往往选用单功能媒体,或侧重使用多媒体某一功能,大量呈现抽象的、逻辑的内容,引发学生思维深度发展,而形象化教学只能作为教学的辅助手段。

另外,生长在不同地区、不同环境下的学生有着不同的生活和教育经历。因此,教师要结合不同学生的已有认知经验合理选择教学媒体。比如,在学习统编本高中语文必修上册第二单元"劳动"主题单元时,相较于农村学生,城市学生的农业劳作经历较为缺乏,教师可适当选择不同的媒体形式多方面呈现内容,尽可能填补学生的相关经验。

4. 多重刺激原则

教师应采用不同的媒体表现形式去表现同一学习内容,从不同角度去呈现学习内容,而不是机械、无效重复,否则会带来事倍功半的效果。根据学习心理理论研究,同样的学习材料,单用听觉学习3小时后,能保持所学知识的60%,3天后则下降为15%;单用视觉学习3小时后,能保持所学知识的70%,3天后则下降为40%;而视觉、听觉并用学习3小时后,能保持所学知识的90%,3天后能保持75%。因此,无论是针对小学生、初中生,还是高中生,教师在使用教学媒体时,都要注意媒体多种功能的配合使用,共同作用于学习者的感官刺激,提高其学习效率。教师在使用现代教学媒体时,同时兼用传统教学媒体,如教材、板书、挂图、模型、卡片等传统媒体的配合使用,讲解与视听媒体的配合使用,使之共同服务于语文教学目标。在使用媒体的某一功能时,注意与其他功能或其他媒体的配合使用,使教学媒体最大限度地辅助教和学。

(二) 中学语文现代教学媒体的使用

1. 把握教学媒体特点,发挥现代教学媒体使用的最大效益

现代教学媒体是科学技术发展的产物,应用于语文教学的目的是解决传统教学媒体不能解决的教学问题,以提高教学效率,促进教育教学现代化。现代教学媒体与传统教学媒体一样都是服务于教学的一种手段,在教学中教师既不能无视现代教学媒体对语文教学的积极促进作用,固守传统教学媒体,降低教学效果,也不能过度使用现代教学媒体

而忽视语文教学目的,混淆教学手段与目的的关系。语文教师只有充分地把握教学媒体的功能特点,才能发挥教学媒体的最大教学辅助功能。

传统教学媒体主要有板书、挂图、模型、实物教具等。板书使用简便、灵活,具有直观性、综合性、条理性、艺术性等特点,具有突出教学重难点,呈现知识结构、教学程序、书写示范以及加深理解等作用。挂图、模型、实物教具等直观性强,现实感充分,便于观察学习,提高感性认识,引发学生兴趣。但是,与现代教学媒体相比,传统教学媒体功能单一、形式陈旧、不便于存储、动感不足。现代教学媒体尽管分类不同,但其功能特征是相同的。它能通过媒体功能的组合实现图、文、声、色、像等动态因素的融合展现,共同作用于人的多种感官,增强刺激效果,提高学习效率。因此,教师在使用现代教学媒体的过程中,应该以教学目的的实现为标准处理好传统教学媒体与现代教学媒体的关系,发挥教学媒体的最大效益。

2. 遵循教学规律,正确处理媒体使用与教学的关系

教学规律是指在教学过程中形成的不以人的意志为转移的本质联系。教学规律包括教学的规律和具体教学过程的规律。教学的规律包括简约性、育人性、发展性、教师和学生主体性等。教学过程的规律主要包括间接经验与直接经验相结合、教师主导与学生主体相统一、掌握知识与发展智力相统一、传授知识与思想教育相统一等。教学的目的是促进学生的发展,教师使用教学媒体要处理好以下关系。

(1) 现代教学媒体使用与学生发展的关系。

现代教学媒体提高了知识呈现的效果,拓展了知识学习的资源,但是,知识和知识学习资源的呈现并不等于良好的学习效果。因此,教师要考虑现代教学媒体的使用是否能有效促进学生的发展,只有在最大可能提高教学效果的前提下,才能选用现代教学媒体。一方面,教学设计与实施要清除现代教学媒体在语文知识和语文学习资源呈现过程中干扰学生注意、观察、思维、视听觉学习的声、色、背景、噪声等内容与形式方面的不良因素;另一方面,在教师教学中还要恰当地安排现代教学媒体使用的时间、地点、对象、环节等,注意启发学生观察、思考、记忆、练习、体验等活动,引导学生储备知识、增强能力,培养学生的情感、态度与价值观,提高学习效果。

(2) 现代教学媒体使用与教师教学的关系。

教学媒体是教师教学的一种辅助手段,教学媒体的使用并没有改变教学中教师的主导地位。因此,教师既可以选用现代教学媒体也可以不选用现代教学媒体,可以决定选用哪种现代教学媒体,也可以决定使用现代教学媒体的哪种功能,切忌以现代教学媒体展示替代教师口头语言讲解分析,替代教师启发指导,替代教师教学板书,替代教材文本阅读、卡片使用、模型演示等传统教学媒体的使用。因此,教师在教学过程中要处理好现代教学媒体使用和教师教学的关系,明确教师始终是教学过程的实施者,是引导学生进行知识学习、意义建构的主导者。

(3) 现代教学媒体使用与"人—人"对话关系处理。

随着信息科技的迅猛发展,现代教学媒体日益向人工智能、移动学习智能终端发展,"人—机"学习成为重要的教学媒体。这既方便了教师教学,又给信息时代的个性化学习创造了条件。但是,"人—机"对话过分强化了学习的技术本质,忽视了人的本质。人的本质是社会关系的产物,只有在社会关系中人的本质才能得到合理发展。因此,教师在教学中使用现代教学媒体进行"人—机"对话教学的同时,还要注重强调"人—人"对话,强调师生对话、生生对话、自我对话,以及综合实践活动,促进学生的人际关系、德性品质良好发展,关注人的社会关系本质。

3. 培养媒介素养,促进学生自主学习能力的形成

现代教学媒体不仅是教师教学的手段,而且是学生学习的手段。在21世纪,信息技术迅猛发展,现代教学媒体也日新月异,出现了VR和AR虚拟技术、智能机器人、移动学习智能终端等超越传统课堂学习的新媒体。它们不仅可以在学校使用,而且也可以在家庭,乃至存在活动的任何角落使用,现代科技多媒体技术与人的存在和发展形影相随。但是,媒介使用者的媒介素养已经成为制约媒介使用的关键,媒介使用者若不了解媒介的使用价值、使用技巧,以及媒介诱惑、道德伦理等,媒介使用则会摧毁新生一代。因此,教师在选用现代教学媒体服务于教学的同时,要适当培养学生的媒介素养,提升学生的媒介使用能力、道德伦理水平、自主学习能力。

媒介素养是指个体认知、评判、运用媒体的态度与能力。态度包括情感、伦理和价值判断;能力包括选择能力、理解能力、质疑能力、评估能力、创造能力、制造能力、思辨性反应能力等,是公民媒介教育的必备素养。信息经济时代学会学习是每个学习者的必备技能,但掌握先进的媒介知识,培养媒介素养也是语文教育的必备目标内容。为此,教师在教学中要有意识地进行学生媒介素养的传承与培养。第一,让学生对教师使用的教学媒体提供信息反馈,提高教师的媒体使用技能,培养学生的多媒体认知意识。第二,借助学习任务,让学生以个体或小组形式使用多媒体,加强学生对教学媒体的认知、了解和运用,提高学生的多媒体使用技能和道德伦理水平。第三,鼓励学生借助学校、家庭和本人现有的多媒体进行自主学习,提高媒体的使用频率,增强个体自主学习能力。

练习题

1. (单项选择题)学习《雷雨》一课时,教师打算放映话剧《雷雨》的相关资料。在使用时,教师的做法正确的是(　　　　)。

    A. 自习课播放整部电影,无关者可以离开教室,或者是自行自习
    B. 课上播放整部电影,边播放,教师边讲解
    C. 课前根据课文内容,精心剪辑,课上根据教学内容有选择地播放、讲解
    D. 教师作为设备操作者、监督员,课上播放电影,把课堂真正完全交给学生

2. (简答题)请结合教学实例,简要阐述语文教学过程中选择现代教学媒体的基本原则。

3. (论述题)阅读两位教师的教学实录(节选),完成问题。

教师 A:《林黛玉进贾府》教学实录(节选)
(教师在导入环节运用多媒体展示与《红楼梦》相关的图片,让学生对文章有初步的了解)
师:请大家听课文的朗读音频。
(播放朗读音频,学生认真倾听)
师:请同学们思考屏幕上的问题。
(用幻灯片呈现8个问题,学生按照顺序依次思考、回答,教师再用幻灯片依次呈现答案)
师:看来大家已经有了一些个人见解,我们再来具体品味一些美句。
(用幻灯片呈现课文中的9个语句。学生思考、品味后,教师再用幻灯片逐句呈现赏

析结论)

教师B:《祝福》教学实录(节选)

师:鲁迅的《祝福》是一篇发人深省的散文。它写出了中国的广大人民,尤其是农民,日益贫困化,过着饥寒交迫的生活,宗法观念、封建礼教仍然是戴在人民身上的精神枷锁的社会现实。昨天我们已经了解了文章的大意,下面我们来看一段电影,深入走进鲁迅的《祝福》。

(播放电影《祝福》,大约15分钟)

师:好,看完了。大家来说说你对祥林嫂这一人物的感受是什么。

生1:可怜。

生2:可悲。

生3:被压迫。

……

师:嗯,还有5分钟就下课了。这节课我们围绕电影《祝福》讨论得很热烈。大家说得也很好。你们再想想,我们是否还读到过相同内容的作品呢?请大家在《祝福》的背景音乐下回想一下,一会儿来交流。

师:好,快下课了,我们来总结一下。这个单元我们学了《林黛玉进贾府》《祝福》和《老人与海》三篇小说,大家对中外小说有了哪些认知?

(学生回答,教师用幻灯片展示自己对中外小说的见解)

师:好,今天我们的学习就到这里。今天的作业就是精选一篇自己喜欢的小说,给其中的某个人物写一封信。

问题:请指出两位教师使用现代教学媒体方面各自存在的问题,并简要解析。

第三节 语文多媒体教学课件制作的理论基础与策略

语文多媒体教学有效拓展了语文学科教育的视野。它能够为教师提供更多的教学资源,提高教学效率,丰富教学方法和方式,更好地实现以"学习者"为中心的学习理念。语文多媒体教学的方法和方式,立足于当今世界课程信息化的浪潮,遵循以人为本的理念,着眼于人的全面发展和健康发展,旨在为每一位学生的未来发展产生积极的作用和影响。

《普通高中语文课程标准》(2017年版2020年修订)明确提出:"应增强学生学语文、用语文的自觉意识,积极利用信息技术以及身边的各种资源和机会,通过阅读与鉴赏、表达与交流、梳理与探究等语文实践,积累言语经验,把握语文运用的规律,学会语文运用的方法,有效地提高语文能力,并在学习语言文字运用的过程中促进方法、习惯及情感、态度与价值观的综合发展。"语文多媒体教学课件的制作基于现代学习理论,将语文教学课堂由以教师知识传授为中心向以学生学习主体为中心转变,提高课堂信息容量,激发学生的学习兴趣,增强课堂思维密度,激发学生主动学习的积极性。本节旨在介绍语文多媒体教学课件制作的理论基础以及主要策略。

一、语文多媒体教学课件制作的理论基础

知识点1:语文多媒体教学课件制作的理论基础

随着现代信息技术的日益普及和发展,以"学"为中心的学习理论逐渐发展起来,而

多媒体教学可以帮助教师更好地实现由知识的传授者与灌输者转变为学生主动建构的帮助者与促进者。其课件制作的理论基础对于提升教学效果、个性化学习支持、增强互动参与以及适应教育变革具有重要的意义和价值。它们提供了指导和支持，使教师能够设计和制作更具效果和质量的教学课件。具体理论如下。

（一）人本主义学习理论

20世纪60年代以来，人本主义学习理论开始强调人的尊严和价值，强调学习必须是尊重学生，尊重他们的意愿、情感和观念，并认为学习就是个人潜能的充分发展。人本主义学习理论的特点有：一是自主性，即学习是个人主动发起的，学生内在的思维和情感活动极为重要；二是全面性，即个人对学习的整体投入不仅涉及认知方面，还涉及情感、行为和个性等方面；三是渗透性，即学习不单是对个人的认知领域产生影响，而且对行为、态度和情感等多方面发生作用。

人本主义学习理论主张教师在教学过程中要把学习的主动权还给学生，让学生成为学习的主人；在教学原则方面，人本主义学习理论主张教师要以真诚的态度坦诚对待学生，尊重和理解学生的内心世界，给学生以充分的信任，相信他们完全能够充分发展自己的潜能，充分地实现自我；在教师与学生之间的关系上，人本主义学习理论主张师生双方参与、双向沟通和平等互助的关系；在教学方法方面，人本主义学习理论主张教师要以学生为中心，教师的全部责任就是帮助学生理解经常变化着的环境和自己，最大限度地发掘学生的潜能。

根据人本主义学习理论，在语文多媒体教学课件的具体制作中，要注重学生的参与和自主性，设计互动环节，鼓励学生进行思考和讨论，提供探索和表达的机会。通过课件的交互设计，学生能够根据个人兴趣和学习需求自主选择学习内容和学习路径。

（二）认知主义学习理论

20世纪六七十年代，行为主义学习理论把环境看作是刺激，把伴随而来的有机体的行为看作是反应，因而该理论关注的是环境在个体学习中的重要性。行为主义学习理论认为学习者学到什么是受环境控制的，而不是由个体决定的，因此学习是指"刺激—反应"之间的加强，对于学习者奖惩的强化被大多数行为主义者信奉。20世纪七八十年代，认知心理学已经开始在心理学领域占据统治地位，人们开始注意学习者的内部心理过程，开始研究并强调学习者的心理特征与认知规律，不再把学习看作是学习者对外部刺激被动地作出的适应性反应，而是把学习看作是学习者根据自己的态度、需要、兴趣、爱好，利用自己的原有认知结构，对当前外部刺激所提供的信息主动作出的、有选择的信息加工过程。

根据认知主义学习理论，在制作语文多媒体教学课件时，教师可以提供清晰、逻辑性强的知识结构和概念讲解，帮助学生建立起对语文知识的理解和认知框架。通过多媒体的方式展示文本内容、例句、句法规则等，让学生能够更加直观地理解和掌握语文知识。

（三）情境学习理论

情境学习理论于20世纪八九十年代兴起，该理论涉及三个核心方面：知识观、学习观和教学观。美国教育心理学家安·布朗（Ann Brown）等人认为，知识产生于特定的情境中,知识的意义价值更重要的是其工具性,即学习不仅在于知识本身,更在于如何运用知识;在学习观上强调学习的情境性和社会性以及学习者的主动性和参与性,学习者需要置身于真实的情境中,通过社会互动、合作和参与来构建知识和理解;在教学观上提出教育者应该组织学生之间的合作和互动,鼓励他们分享思想、解决问题和共享知识。此外,教育者还应充当学习的导师角色,提供适当的引导和支持,帮助学生理解和解决问题。这些观点对于教育实践和学习理论的发展具有重要意义,强调了学习的情境性和社会性,以及教育者在学习过程中的角色。

根据情境学习理论,在制作语文多媒体教学课件时,可以通过多媒体元素的运用,创造真实的语境和情境,使学生能够在虚拟的环境中体验和应用语文知识。比如,通过音频、视频等方式展示真实生活中的语言使用场景,让学生感受语言在实际情境中的应用。

(四)建构主义学习理论

20世纪90年代,建构主义学习理论开始研究学习者在一定的情境即社会文化背景下,借助其他人的帮助,通过建构意义而获得知识的过程。建构主义学习理论认为,"情境""协作""对话"和"意义建构"是学习环境中的四大要素。在学习过程中,教师是意义建构的帮助者、促进者,而不是知识的传授者与灌输者。教师帮助学生建构意义就是要帮助学生对当前学习内容所反映的事物的性质、规律以及该事物与其他事物之间的内在联系达到较深刻的理解。学生是信息加工的主体,是意义的主动建构者,而不是外部刺激的被动接受者和被灌输的对象。在学习活动发生后,学生通过与其他学生或教师的不断交流和沟通,在自己原有知识的基础上完成对新知识的意义建构。这种学习理论强调以"学"为中心,而不是以"教"为中心,学生在学习过程中发挥主体作用。

根据建构主义学习理论,教师可以将演示型课件与网上教学平台相结合,充分利用超链接等技术手段,以实现更灵活的教学方式。这样的设计使得学生可以根据自己的需要随时获取所需的教学信息,并根据自己的学习进度和兴趣重新组合教学内容。同时,演示型课件和网上教学平台相互补充,使得教学过程更加完整和多样化。

二、语文多媒体教学课件制作的策略

知识点2:语文多媒体教学课件制作的策略

制作语文多媒体教学课件需要综合考虑教学目标、学生需求和适用的多媒体元素,根据不同的情境灵活运用,才可以制作出具有吸引力、有效传递信息和促进学生学习的多媒体教学课件。其制作的主要策略具体如下。

(一)制作声像,创设情境,领略感知文字之美

语文教学的根本目的是培养学生理解和运用祖国语言文字的能力。教师应利用多媒体的优势,制作语文多媒体教学课件,把课文中抽象的文字变成具体可感的审美形象,用立体式的信息刺激学生的多种感官。让语言文字变得声、像、图、文并茂,让静态的审美对象活跃起来成为动态,是创设丰富多彩的教学情境,激发学生领略感知文字之美的有效手段。特别是处理好轻重、缓急、停顿等技巧的配音,能使具有视觉特征的文字立体化,变得生动鲜活起来,达到以声传情、声情并茂、韵味无穷的艺术效果。

例如,在《关雎》一课教学中,首先,教师可以通过多媒体展示角色形象、头像或演员扮相等,让学生对《关雎》中的主要角色有初步了解。可以为每个角色设计一个简短的介绍,包括他们的身份、性格特点和人物背景,以便学生更好地理解他们的行为和决策。其次,将文本内容与图像、音频和视频相结合,以动画或幻灯片形式呈现《关雎》中的关键情节。可以使用配乐、声音效果和动态图像来增强情节的戏剧性和张力,让学生更加沉浸在故事中。最后,使用配乐、声音效果和动态图像等多媒体元素,创造出与《关雎》情感相匹配的氛围。如在关键情节中使用悲伤的音乐和表情来表达角色的内心挣扎和离别之情,让学生能够更直观地感受故事中的情感冲突和情感变化,从而使学生感受到文字的魅力,寥寥数语,便勾勒出一个如此美丽动人的故事。

(二) 比较梳理,直击重点,解读探究文章之美

对教学内容的解读是语文多媒体课件制作的前提。语文多媒体教学课件必须要围绕教学内容展开,突破教学重点,教师通过课件把一些比较抽象的、难以理解的问题变得直观和容易解决。比较、梳理的内容非常广泛,从文章的标题、内容、结构、情节、人物到记叙的线索、说明的顺序、抒情的色彩乃至词语运用、修辞、风格等都可以进行。教师在教学中要善于运用多媒体课件和语言进行设疑、导思,要善于启发学生通过比较、梳理拓展思路,交流探究,在具体的语言实践中讨论、质疑,训练学生思维品质的深刻性、敏捷性、灵活性、批判性和独创性等。

例如,在《背影》一课教学中,教师可以引导学生选取《背影》中的关键词或句子,通过多媒体的方式进行解读和分析。可以使用图表或思维导图来展示关键词或主题,并结合作者的写作技巧和修辞手法进行解读,使学生深入思考文本中蕴含的意义和美感。如引导学生对表示时间的词语梳理——"那年""那时""近几年来""最近两年""此处",突破回忆性散文中"过去"与"现在"两种视角交互使用的教学难点;还可以用图片的形式展示父亲的"黑布小帽""黑布大马褂""深青布棉袍","我"的"紫毛大衣""朱红的橘子",并进行比较,引导学生体会父亲对自己的简朴与随意,对儿子的挚爱与关心,进而体会到文字中透露出来的两种冷暖色调的对比,以及作者质朴自然的文风。

(三) 拓展整合,运用迁移,评价鉴赏文学之美

语文多媒体教学课件能够激发学生的学习兴趣,并能很好地解决教学重点和难点,但教师在学生达到兴趣感知层与深度解读层后,还可以进行拓展整合,让学生运用迁移,学以致用。这就对教师的知识和能力提出了更高的要求,需要教师兼顾课内与课外、知识与能力、情感态度与价值观等各种因素,需要教师有较高的理论水平和知识素养。教师制作多媒体教学课件时应充分考虑到学生的心理状况,考虑到学生的理解和接受能力,并考虑到这些素材能不能被学生理解和接受。必要时教师应征求学生的意见,这样才能突出多媒体教学课件制作以学生为中心、为学生服务的主导思想。不过,并非所有的语文多媒体教学课件都要有拓展整合这一层次,要根据不同的文本体式具体对待。

例如,在《我爱这土地》课件制作中,教师可以引导学生从文本中提取主题,并将其与其他相关的文学作品或现实生活中的情境进行比较和迁移。通过多媒体展示不同的文本和图片,引导学生思考土地的意义、人与土地的关系以及对土地的情感表达等主题。

如展示《大堰河——我的保姆》《向太阳》《北方》,要求学生进行主题整合,引导学生理解艾青的诗歌多写民族的悲哀、人民的苦难,以及苦难中顽强挣扎、坚韧奋斗的民族精神,表达诗人对祖国、对人民深沉的爱,以及对光明、理想、美好生活的不息追求。

练习题

1.(单项选择题)学习《蒹葭》一课时,教师打算在多媒体课件中播放改编自《蒹葭》的歌曲《在水一方》。在使用时,教师的做法正确的是(　　　　)。

  A. 课上讲解约10分钟后,播放歌曲,让学生学唱

  B. 根据诗歌内容,讲一段诗歌,播放一段歌曲,理解古诗的内涵,体会现代人的解读

  C. 课前播放歌曲,激发学生的兴趣。课中播放歌曲,借今人理解对古诗的内涵加以阐释,最后再次播放歌曲,加深印象

  D. 课堂上教师带领学生充分朗读、品味,最后3分钟播放歌曲,理解经典在当今时代的意义

2.(简答题)请设计一个适用于高中语文课堂的多媒体教学课件,包括教学目标、教学内容、多媒体资源的应用以及教学方法和评估方式。

3.(论述题)阅读两位教师的教学实录(节选),完成问题。

教师A:《智取生辰纲》教学实录(节选)

(教师在讲解《智取生辰纲》的相关背景资料后,让学生对这部分内容在《水浒传》中的叙述有了初步的了解)

师:请大家观看电视,仔细观察,思考杨志押送的生辰纲被劫究竟是什么原因?

(播放电视剧《水浒传》中有关《智取生辰纲》内容约25分钟,学生观看)

师:请同学们思考,杨志押送的生辰纲被劫,究竟有哪几个方面的原因?

(用幻灯片呈现问题,学生依次思考、回答,教师再用幻灯片依次呈现答案)

师:看来大家的思考都很深入,我们再来思考一下吴用一方为什么会取得胜利?

(用幻灯片呈现问题,学生依次思考、回答,教师再用幻灯片依次呈现答案)

师:现在我们来进行课文小结——杨志不"智",吴用有"用"。

(教师用幻灯片呈现"杨志不'智',吴用有'用'"的全文总结,学生做笔记,这节课结束)

教师B:《智取生辰纲》教学实录(节选)

师:本文选自我国古典名著《水浒传》第十六回"杨志押送金银担 吴用智取生辰纲",相关的情节还有第十二、十三、十五、十七回。"三代将门之后"杨志"指望一身本事,边庭上一刀一枪,博个封妻荫子,也与祖宗争口气",不想命运多舛,先是失陷了"花石纲",又在盛气之下杀了泼皮牛二,吃了官司,被发配充军。后得梁中书抬举,收在门下,并把押送生辰纲的任务交给他。课文所选的这一部分就是从杨志上路开始写起的,这也是整个故事的高潮部分。

师:请同学们按"人物+事件"的格式,为相应的情节拟一个小标题。

学生小组讨论后分享。
……
师：杨志有没有"智"？请大家观看电视剧片段（约3分钟），再对照课文分析。
（学生回答，教师用幻灯片展示杨志有"智"）
师：吴用等人有没有失算的地方？大家从课文中找出细节分析。
（学生回答，教师用幻灯片展示吴用之"失算"）
师：请观看电视剧（约3分钟），看看编剧是怎样改编的，并说说你的看法。
……
问题：
请指出两位教师使用语文多媒体课件方面的异同，并简要解析。

☞ 本章小结

21世纪是科技快速发展的时代，随着时代的发展，信息化教学技术影响和改变着人类的教育方式，语文教学也改变了单一的书本文字型教材形式，多媒体技术成为促进语文教学发展的主要手段。它满足了知识更新加快、知识传播便捷的要求，使教学内容更全面、更直观、更具体、更生动，同时使教师操作方便，学生便于接受。本章主要讲述了媒体、多媒体及教学媒体的概念，教学媒体的分类，现代教学媒体的特征，中学语文现代教学媒体的功能，中学语文现代教学媒体的选用，语文多媒体教学课件制作的理论基础，语文多媒体教学课件制作的策略。

☞ 本章知识结构

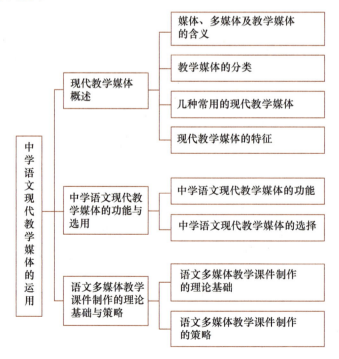

☞ 本章参考文献

[1] 陈斌.现代教育技术[M].北京:北京师范大学出版社,2017.

[2] 陈玉秋.语文课程与教学论[M].桂林:广西师范大学出版社,2004.

[3] 冯克诚.中学语文课堂教学方法实用全书[M].呼和浩特:内蒙古大学出版社,1999.

[4] 刘永康.语文课程与教学新论[M].北京:高等教育出版社,2011.

[5] 倪文锦.初中语文新课程教学法[M].北京:高等教育出版社,2003.

[6] 钱加清.语文课程与教学论[M].济南:山东人民出版社,2008.

[7] 宋祥.中学语文课程与教学论[M].长春:东北师范大学出版社,2014.

[8] 王玉辉,王雅萍.语文课程与教学论[M].北京:北京师范大学出版社,2012.

[9] 徐福荫,李运林,胡小勇.教学媒体的理论与实践[M].2版.北京:北京师范大学出版社,2012.

[10] 阎立钦.语文教育学引论[M].北京:高等教育出版社,1996.

[11] 杨欢耸.现代教育技术概论[M].杭州:浙江大学出版社,2003.

[12] 章伟民,曹揆申.教育技术学[M].北京:人民教育出版社,2000.

[13] 中华人民共和国教育部.普通高中语文课程标准(2017年版2020年修订)[S].北京:人民教育出版社,2020.

[14] 中华人民共和国教育部.义务教育语文课程标准(2022年版)[S].北京:北京师范大学出版社,2022.

[15] 朱绍禹.语文课程与教学论[M].长春:东北师范大学出版社,2005.

[16] 朱绍禹.中学语文课程与教学论[M].北京:高等教育出版社,2005.

第十二章

中学语文说课与评课

👉 学习目标

识记：中学语文说课的含义和类型；中学语文说课的内容和价值。
理解：中学语文评课的依据和内容；中学语文评课的原则和类型。
运用：在掌握中学语文说课相关知识的基础上，提高中学语文说课与评课的水平。

👉 学习重点

◎ 了解中学语文说课的内涵，明确中学语文说课的类型和内容。
◎ 理解并初步掌握中学语文评课的依据和内容。
◎ 明确中学语文评课的原则，并将其运用于教学实践中。

👉 学习导引

说课与评课是进行教学反思、提高教学水平的重要途径，也是国家教师资格考试的重要内容，考生应在熟练掌握、选择性记忆本章知识点的基础上，理解说课与评课对于语文教学工作的重要意义，学会分析、评价自己的教学，针对教学中存在的问题提出改进的思路。

【引子】

中学语文教师开展教研活动的方式很多，学校或年级的教研活动经常采用的方式主要有专题研讨、经验交流、说课、听课、评课等。中学语文说课和评课包括哪些内容？中学语文评课的凭借和依据有哪些？语文教师如何通过评课反思自身教学？……本章将会对这些问题进行阐述。

第一节 中学语文说课的含义与类型

语文课程标准强调在语文课堂中充分发挥学生的主体作用，凸显学生的主动性、独特性、体验性。因此，语文教师面临着新的挑战——语文教师需要利用新的教育理念，提高教学水平，提高课堂效率，真正落实学生在语文课堂中的主体地位。中学语文说课活动是将中学语文教师的教育理论和教育实践高效结合的教育教研活动，因此，中学语文教师开展说课活动有着极大的必要性。

一、说课的含义

知识点1：说课的含义

说课是提高教师教学能力的一种途径，是教师运用口头语言把自己的教学设计和教学过程向听课的同行、专家或领导等进行分析和说明的教学行为。说课的内容有教学理念、教学内容、教学方式、教学策略,以及怎样在教学过程中体现教学风格、教学智慧和教学技能等。说课涉及的元素不仅包括说课稿、教案、说课 PPT,还包括听者的评价和建议等,在某些时候,说课甚至还包括课后的教学反思。

说课作为教师职业活动中的基本构成,是课堂教学行为的延伸和扩展,是教师总结经验、发现教学问题、提升教学智慧的重要手段和桥梁。① 准确把握说课的内涵,需要弄清说课和备课、说课和上课之间的区别和联系。

(一)说课和备课

说课和备课都需要针对同一教学课题进行教学设计,这个过程都涉及研究课程标准、了解教学对象、选择教学方法等。但在备课过程中,教师一般独立进行教学设计,而说课是教师集体共同开展的教学活动,需要直接面对教师同行或专家;备课是教师为了充分把握教学内容、有效开展教学活动所做的准备,说课更主要是为了帮助教师深入研究教学设计的意图,从而进一步优化备课。因此,备课一般只需要弄清教什么、如何教,但说课在弄清教什么、如何教之外,还应从理论角度阐明为什么要这样教。

(二)说课和上课

说课中所阐述的教学理论、教学内容、教学方式、教学策略等在上课时都会得到充分的体现。但上课面对的对象是学生,说课面对的是同行、专家或领导;上课是将教学理念具体呈现的过程,而说课不仅要精要地说出教学内容,而且要从理论与实践结合的角度说明教学设计的意图。

综上,说课是介于备课和上课之间的一种集体教学研究活动。对于备课而言,说课是一种教学改进和优化活动;对于上课而言,说课是一种更为周密的科学准备过程。因此,从某种意义上来说,说课也是对整个教学活动和教学研究过程的折射。②

二、中学语文说课的类型

知识点 2:中学语文说课的类型

中学语文说课的类型有很多,根据不同的标准有不同的划分方法。

(一)按照目的分类

1. 示范说课

示范说课是指起示范、指导作用,供别人学习的说课,目的是推广说课经验,给听课的教师或其他听课者提供学习、借鉴的范例,使他们能学到较为规范的说课方法,从而提高说课水平。做好该类说课活动的关键在于:一是说课本身必须是规范的或较为规范的;二是总结要抓住本质和规律性的东西,画龙点睛,提纲挈领,能切实地给人以启发和思考。

2. 教研说课

教研说课是指对说课内容进行探索性研讨的说课。这种说课的主要目的是改进教

---

① 郑金洲.说课的变革[M].北京:教育科学出版社,2007:4.
② 周勇,赵宪宇.新课程说课、听课与评课[M].北京:教育科学出版社,2004:21-23.

学中存在的问题,帮助教师进一步认识和掌握上课的规律及方法,以期不断提高教师上课的水平和质量。教研说课要注意的是:研讨的目的必须明确,讨论的组织必须严密,并保证有充足的时间;讨论要围绕研讨的中心议题来展开,分清主次,不要贪大、求全、求多;要调动全员参与,让大家畅所欲言,各抒己见。

3. 评比说课

评比说课也叫评价性说课、竞赛性说课,是指以评价教师说课的水平、比较说课优劣为主要目的的说课。开展此类说课,能有效地促进教师钻研教材,学习教学理论,精益求精地掌握说课的方法,调动教师说课的积极性,不断提高教师说课的水平。

4. 考核说课

考核说课也叫检查性说课,是指为了解、检查说课者说课水平和教学能力等业务素质而安排的说课。听课者一般是教育行政领导、教育科研人员和专家学者等。

(二)按照时间分类

1. 课前说课

课前说课是指在上课之前教师将自己的上课构想按照一定的程序说出来,让听课者了解自己的教学设计、教学理念以及教学内容。

2. 课后说课

课后说课是指上完课后说课时,教师除了要讲到课前说课的所有内容,还要加上课后的反思,在表述上也跟课前说课不一样。

(三)按照课的类型分类

1. 新授课说课

新授课就是讲授新内容、新知识的课,是基本课型之一。在正常的教学进度中,新授课占课时总数的70%以上。学生学习新知识,主要是通过新授课。新授课的质量从根本上决定着学生学习的质量。教师在进行新授课说课时,要注意新内容与旧知识的衔接,还要体现"新"——新方法、新体会、新收获。

2. 复习课说课

复习课是指教师帮助学生对学过的知识进行复习、巩固、总结、挖掘、提升的课。复习课虽然在总课时中占比不大,但其作用很大,直接影响学生的知识习得。复习课说课侧重于说清楚知识的系统性、针对性、重点与难点以及对应的复习方法。

3. 练习课说课

练习课在中学语文教学中很少出现。练习课以练习为主,以讲授为辅,有的练习课全都是学生在做练习。教师在进行练习课说课时,应主要关注练习的目的、练习题的设计依据、题型特点等。

4. 讲评课说课

讲评课是指以讲评学生作业、练习、试卷为主要目的的课。典型的讲评课有讲评阶段考试试卷的讲评课。讲评课的作用丝毫不亚于复习课。教师在进行讲评课说课时,既要注意"讲""评"的主体,也要注意"讲""评"的关系。

（四）按照说课规模分类

1. 个别说课

个别说课中说课的主体是一个人，整个说课过程由一个人单独完成。

2. 小组说课

小组说课是指说课主体是一个小组的成员，每人承担说课内容的一部分，分段展示一个完整的内容。

> **练习题**

1. （单项选择题）下列哪一项说法正确？（　　　　）
   A. 说课就是讲课　　　　　B. 说课就是备课
   C. 说课就是反思　　　　　D. 说课是说自己会怎样上课等
2. （简答题）请简述说课、备课、上课的关系。

第二节　中学语文说课的内容与价值

说课并非简单的展示活动，它需要教师对拟授课程进行全局思考，使教学活动能够建立在更具前瞻性的基础上。教师要想自己有更好的教学功底、教学艺术和教学风采，就需要对说课内容进行全面、精细的打磨。

一、中学语文说课的内容

> 知识点 1：中学语文说课的内容

中学语文说课的内容一般包括说教材、说教法、说学法、说教学过程、说板书设计与作业。有的把板书设计与作业纳入教学过程，还有些说课会加上说教学反思。

（一）说教材

说教材主要说明"教什么"和"为什么要教这些"，即教师在自己钻研教材的基础上，说清楚本节课教学内容的主要特点，它在整个教材中的地位、作用和前后课程，说出如何根据课程标准、教材内容的要求及学情等确定本节课的教学目标、重点、难点。说教材时一般要说清楚五个方面的内容：① 课题；② 教学内容；③ 课程标准要求和学情；④ 教学目标；⑤ 教学的重点、难点。

1. 说课题

课题，就是所教课文的题目（如果说的是写作课、复习课、练习课、讲评课，就要根据习作或练习的具体内容来决定）。通常情况下，说课题要求板书，在说课开始时，教师即交代清楚课题，如果课需要两个以上课时完成，教师还应该将自己说的是哪个课时的课进行交代。

2. 说教学内容

说教学内容,即阐述本节课的教学内容,说清对教学内容的认识。有时某一节课的内容要通过几个课时才能完成,所以教师应首先说明课时的划分,以确定本节课的内容。针对课文本身,首先需要说明课文的主要内容和中心思想是什么。其次,如果课文是分几个部分写的,教师要说明每一个部分又各写了什么,写法上有哪些特色(如文章结构的特点,开头结尾、语言、叙述方式的特色等)及作者或写作的时代背景等。最后,教师要说明它在整个教材中的地位、作用和教材的前后联系、自己对教材的处理等。

3. 说课程标准要求与学情

课程标准是课堂教学的依据,也是说课中处理教材的依据。说课程标准要求是指教师说清课程标准对所说课及说课有关年级在知识和能力等方面的要求,此外,还包括说清在课堂教学中如何体现和落实课程标准的要求。

说学情,就是分析教学对象,它包括三个方面的内容:说学生的知识经验,主要包括基础知识和生活经验,这种知识经验对学习新知识产生什么样的影响;说学生的技能态度,这里包括学习技巧、技能态度;说学生的特点风格,主要包括年龄特点、心理特点、学习方式与风格等。

4. 说教学目标

说教学目标包括说本节课或单元课文的教学目标。

说教学目标包括三个方面的内容:一说目标的完整性(全面性)。《普通高中语文课程标准》(2017年版2020年修订)强调:"随着社会和教育事业的发展,语文课程更加强调以核心素养为本。"因此,教师应当围绕学生语文学科核心素养分析教学目标,指向学生语言、思维、审美以及文化的提升。二说目标的适切性,即教学目标要符合课程标准的要求,切合各种层次学生的实际。三说目标的可操作性,即教学目标要准确、具体、明确,能直接用来指导、评价和检查该课的教学工作。

5. 说教学的重点、难点

这部分说课主要说确定的重点和难点以及确定它们的依据,确定重点、难点的原因和突破的方法。教学重点除知识重点外,还包括能力和情感的重点。教学难点,是那些比较抽象、离生活较远或过程比较复杂,学生难以理解和掌握的知识。教师还要具体分析教学难点和教学重点之间的关系。

确定重点、难点要做到两看:一看教学内容,根据目标确定重点、难点;二看学生,学生是学习的主人,确定重点、难点一定要分析学生原有的基础、知识层次、心理特征、学习中可能遇到的困难、发展方向等,有针对性地确定,决不可盲目地求全求高。

(二)说教法

说教法,就是说教学方法,主要是说明"怎样教"和"为什么这样教"的道理,即说出选用什么样的教学方法,以及采用这些教学方法的理论依据是什么。

教学方法多种多样,各有各的优势、适用环境和局限性。说课时不能笼统地说哪种教学方法好,哪种教学方法不好。由于在教学中,教师往往要运用多种教学方法,所以说教法还应说出以哪种教法为主(即说出基本教法),哪些教学方法为辅,以及选择这些教法的理论依据。

中学语文常见的教学方法有：讲授法、谈话法、演示法、读书指导法、参观法、提问法、讨论法、研究法、观察法、欣赏教学法、愉快教学法、朗读法、合作探究法、做报告法、情境代入法、表演法、导读法、启发式教学法、程序教学法、多媒体教学法等。

（三）说学法

说学法主要指说明学生要"怎样学"的问题和"为什么这样学"的道理。说学法时，教师要讲清自己是如何激发学生的学习兴趣、调动学生的积极思维、强化学生的主动意识的，还要讲出自己是怎样根据年级特点和学生的年龄、心理特征，运用哪些学习规律指导学生进行学习的。

《义务教育语文课程标准》（2022年版）强调："增强课程实施的情景性和实践性，促进学习方式变革。"教师说学法时要秉持"以学生为主体"的教学理念，重点结合教学内容说出通过什么样的学习任务以及活动激发学生的学习兴趣、调动学生的积极性思维、培养学生哪些学习习惯和学习方法等。

（四）说教学过程

说教学过程是说课的重点部分，主要说明教学设计的整体安排、具体思路，课堂教学的结构安排和优化过程，以及教学层次衔接与教学环节转换之间的逻辑关系。说教学过程的重点是：说出课题如何导入，新课怎样展开等；说出教学过程中师生互动活动和必要的调控措施；说出教学方法，重点、难点的解决方法以及各项教学目标的实现方法等。教师应注意说教学过程不是宣读教案，更不应变为课堂教学的浓缩，应省略具体的细节而着重说清教学过程的基本思路及理论依据。

中学语文教学过程的基本环节包括以下几个部分：铺设引入阶段（导入新课、引进课题），学习新知识阶段（讲授新课），拓展延伸阶段，总结归纳阶段（内容小结），布置作业阶段。

在说教学过程时，教师要注意体现语文学科的特点，尽可能用语文式的简约、准确和优美的语言呈现内容。说教学过程要做到：提纲挈领说框架，精雕细琢说名称，详略得当说过程，选准切口说理论。

说课用来作为理论依据的通常是以下四类：① 课程标准，教材类型，语文学科的特点、规律；② 学科教育的基础理论，包括教育学、心理学、教学论及其他教育科学的基础理论；③ 教育教学专家的观点、言论；④ 一切已被社会认可或已形成广泛共识或已得到实践证明的事实、公理、规律、法则，或者约定俗成的习惯、行为、认识、观点等。说课时说的理论依据须注意突出重点、简洁明了、画龙点睛，不必每个教学举措都说理论根据。所说的理论根据还要做到准确、具体、贴切，与教学举措有紧密的内在联系，切忌教条式地照搬，或空话、大话、言之无物。

（五）说板书设计与作业

板书是一种被普遍采用的教学手段。在说课活动中，板书是听课者了解说课者教学思想、教学思路，对教材的理解深浅程度和判断教学效果的可视语言。所以，说课必须说板书设计，包括板书设计的思路、依据和板书的具体内容。

说课中的板书，一般有两种内容：一是课堂教学的板书，这种板书与实际的课堂教学所作的板书是完全一致的；二是说课者板书自己的说课思路，也可以称之为板书说课提纲。

板书的出现有以下几种方式：① 先说课后板书，即先把课说完，再一次性地展示板书；② 边说课边板书，随着说课内容的进展呈现相应的板书；③ 先板书后说课，即在说课之前，先把板书完整地展示出来，然后在说课的过程中相机说明和利用；④ 先板书一部分，再边说边完成全部板书。这四种板书方式各有利弊，因人因内容各异。

总之，对说课中的板书的总的要求是：简练、重点突出、结构严谨、生动直观又新颖大方。

说作业侧重说清作业设计的主要意图，明确作业设计的依据，确保作业设计具有一定趣味性、阶梯性、情境性、综合性以及应用性，检验作业设计是否能延续学生课堂学习的效果，促进学生知识的迁移、运用与创新，能否最终指向学生学科核心素养的提升等。

（六）说教学反思

教学反思是指教师对自己的教育教学实践进行再认识、再思考，并以此来总结经验教训，进一步提高教育教学水平。说教学反思一般属于课后说课，课前说课不需要说教学反思。

说教学反思通常从三个方面去说：一是说落实，也就是在教学过程中是否落实了教学目标，落实的程度如何，有没有突出重点、突破难点；二是说成败，教学过程哪些方面处理得好，是否得到了预期或者超出预期的效果，哪些方面没有想到，出现了什么样的问题，原因是什么；三是说改进，也就是需要努力的地方和准备如何去改进。

二、中学语文说课的价值

知识点2：中学语文说课的价值

（一）有利于语文教师的专业发展和能力提升

对于语文教师而言，说课是促进专业发展和提升专业能力的一个有效途径。开展说课活动需要语文教师在自己的理论知识充分积累和实践能力充分锻炼的情况下，展示自己的学科专业素养、教育专业素养和个人教学风格。教师在说课时需要不断思考语文课堂中"教"和"学"的关系，不断反思自己的教学行为和观念，从而获得新的经验。学校不仅可以将说课活动引入到新教师入职前的培训，还可以在日常的教学实践中，以及各种形式的赛课和微课当中充分开展说课活动。当语文教师的教学实践活动中加入更多的理论性的思考时，便能够在一定程度上实现语文教师的文化再造和观念更新。这种间歇性的说课活动能够促进语文教师在入职后不断学习，提升语文教师群体的理论水平，激发语文教师教研的积极性，培养更多的研究型教师，促进语文教师专业素养的发展。

（二）有利于语文教师个体和群体的综合评价

依据当下教育评价体系，学生成绩能够在一定程度上评价一位教师的上课效果，但是语文教师的过程性评价则需要从备课、上课、作业评改等环节中实施。由于时间和空间等各种条件的限制，备课、上课、作业评改等很难全程参与过程性评价。但说课活动时间可长可短，不受场地限制，不需要学生配合，简便易行，节省时间，因而通过开展各种形式的说课活动选拔和评价教师，比只检查教案来选拔教师更加科学和全面。说课不仅仅是语文教师教学思路、教学风格、教学技能的一种口头化语言的展示，更能够引起听课者的思想碰撞，能使参与者共同开展教研活动。说课的模式包罗万象、各有侧重，说课者的"说"能够充分调动听课者的"评议"，引导听课者换位思考，双方围绕一个课题交流互动，各抒己见。

（三）有利于提高教研员和教学督导的素质

大部分学校的常规教学检查是开展科组活动以及检查教案等，而教案只有在被检查时才能够公之于众。随着互联网的发展，语文学科的教案、课件等在网络上比比皆是，如果语文教师将网上的教案作为自己的教案，就很容易形成千篇一律、毫无创意的语文教案。中学语文说课中不仅仅需要教师说出自己的教学设计，而且对于课的结构、设计意图、设计理念等都需要有所展示。因此，这就要求教研员或者教学督导不仅需要充分了解说课的相关流程、理念等，还需要对教育学、心理学、教学标准、教材等有充分的研究，才能够在教师说课活动中进行深度评议。

（四）有利于实现学生发展的三大目标

《普通高中语文课程标准》（2017年版2020年修订）指出："语文课程应引导学生在真实的语言运用情境中，通过自主的语言实践活动，积累言语经验，把握祖国语言文字的特点和运用规律，加深对祖国语言文字的理解与热爱，培养运用祖国语言文字的能力；同时，发展思辨能力，提升思维品质，培育社会主义核心价值观，培养高尚的审美情趣，积累丰厚的文化底蕴，理解文化多样性。"教学的最终目的指向学生的发展。说课作为语文教学实践活动中的一环，通过教师在规定时间内解说自己的教学设想及理论，引发同行、专家等听课者的思考，帮助教师本人对课堂教学进行反思与建构，共同推进教学的完善，促进课堂教学目标的高效落实，实现学生发展的三大目标。新课程改革背景下，需要中学语文教师深层备课、高效上课、理性反思。只有将说课、备课、上课三个教学教研活动相结合，才能切实促进语文教师的专业发展和教学能力提升；只有将其积极落实到教学课堂中，才能帮助学生提升语文素养，促进学生发展。

> **练习题**

1. （单项选择题）下列哪项不属于中学语文说课必说的内容？（　　　）
   A. 说教材　　　　　　　　　B. 说教法
   C. 说教学反思　　　　　　　D. 说学情

2. （简答题）下面是《林教头风雪山神庙》的板书设计，请说出板书的特点以及设计的依据。

```
       林教头风雪山神庙
           紧
    忍 ─────────→ 狠
           逼
```

3. (简答题)说说中学语文说课的基本程序。
4. (设计题)请选择一篇课文,设计一份说课稿。

第三节 中学语文评课的依据与内容

评课,顾名思义,即对课堂教学的评价。评课是教学教研的一项常规性工作,评课者依据相关的政策法规、课程标准与教材、教育及心理学理论等,对课堂教学的成败得失及其原因作出中肯的分析与评价。评课者对照课堂教学目标,聚焦师生在课堂中的活动形式和活动质量,直指教学效果,对课堂教学整体作出价值性的判断。它有利于强化教学常规管理,提升教学质量,促进学生发展,推动教师专业化成长。

一、中学语文评课的依据

知识点 1:中学语文评课的依据

语文课程是一门学习祖国语言文字运用的综合性、实践性课程。工具性与人文性的统一,是语文课程的基本特点。这些特点也决定了中学语文评课与其他学科评课有不一样的特质,包括评课的依据。评课的依据指的是评价课堂教学的根据。中学语文评课的依据主要包括以下方面。

(一)政策法规

(1)《基础教育课程改革纲要(试行)》。"教师在教学过程中应与学生积极互动、共同发展,要处理好传授知识与培养能力的关系,注重培养学生的独立性和自主性,引导学生质疑、调查、探究,在实践中学习,促进学生在教师指导下主动地、富有个性地学习。教师应尊重学生的人格,关注个体差异,满足不同学生的学习需要,创设能引导学生主动参与的教育环境,激发学生的学习积极性,培养学生掌握和运用知识的态度和能力,使每个学生都能得到充分的发展。大力推进信息技术在教学过程中的普遍应用,促进信息技术与学科课程的整合,逐步实现教学内容的呈现方式、学生的学习方式、教师的教学方式和师生互动方式的变革,充分发挥信息技术的优势,为学生的学习和发展提供丰富多彩的教育环境和有力的学习工具。"[①]

(2)《中共中央 国务院关于深化教育教学改革全面提高义务教育质量的意见》。"提升智育水平。着力培养认知能力,促进思维发展,激发创新意识。严格按照国家课程方案和课程标准实施教学,确保学生达到国家规定学业质量标准。充分发挥教师主导作用,引导教师深入理解学科特点、知识结构、思想方法,科学把握学生认知规律,上好每一堂课。突出学生主体地位,注重保护学生好奇心、想象力、求知欲,激发学习兴趣,提高学

---

① 中华人民共和国教育部.教育部关于印发《基础教育课程改革纲要(试行)》的通知:教基〔2001〕17 号[A/OL].(2001-06-08)[2024-04-29]. http://www.moe.gov.cn/srcsite/A26/jcj_kcjcgh/200106/t20010608_167343.html.

习能力。加强科学教育和实验教学,广泛开展多种形式的读书活动。各地要加强监测和督导,坚决防止学生学业负担过重。"①

"优化教学方式。坚持教学相长,注重启发式、互动式、探究式教学,教师课前要指导学生做好预习,课上要讲清重点难点、知识体系,引导学生主动思考、积极提问、自主探究。融合运用传统与现代技术手段,重视情境教学;探索基于学科的课程综合化教学,开展研究型、项目化、合作式学习。精准分析学情,重视差异化教学和个别化指导。各地要定期开展聚焦课堂教学质量的主题活动,注重培育、遴选和推广优秀教学模式、教学案例。"②

"促进信息技术与教育教学融合应用。推进'教育+互联网'发展,按照服务教师教学、服务学生学习、服务学校管理的要求,建立覆盖义务教育各年级各学科的数字教育资源体系。加快数字校园建设,积极探索基于互联网的教学。"③

(3)《国务院办公厅关于新时代推进普通高中育人方式改革的指导意见》(国办发〔2019〕29号)。"深化课堂教学改革。按照教学计划循序渐进开展教学,提高课堂教学效率,培养学生学习能力,促进学生系统掌握各学科基础知识、基本技能、基本方法,培养适应终身发展和社会发展需要的正确价值观念、必备品格和关键能力。积极探索基于情境、问题导向的互动式、启发式、探究式、体验式等课堂教学,注重加强课题研究、项目设计、研究性学习等跨学科综合性教学,认真开展验证性实验和探究性实验教学。提高作业设计质量,精心设计基础性作业,适当增加探究性、实践性、综合性作业。积极推广应用优秀教学成果,推进信息技术与教育教学深度融合,加强教学研究和指导。"④

(二)课程标准与教材

1. 语文课程标准

中学语文评课要基于《义务教育语文课程标准》(2022年版)和《普通高中语文课程标准》(2017年版2020年修订)。评课以课程标准为指引,依据课程标准规定的课程性质、基本理念、课程目标、学科核心素养、课程内容的实施以及课程评价等,对课堂教学进行科学的评价。

2. 统编本中学语文教材

统编本中学语文教材也是中学语文评课的依据。

统编本教材的背景:落实立德树人根本任务。"思想政治、语文、历史三科教材意识形态属性强,是国家意志和社会主义核心价值观的集中体现,具有特殊重要的育人作用。在义务教育三科统编本教材投入使用后统编高中三科教材,有利于把落实立德树人根本

---

① 中华人民共和国中央人民政府.中共中央 国务院关于深化教育教学改革全面提高义务教育质量的意见[A/OL].(2019-06-23)[2024-04-29]. http://www.moe.gov.cn/jyb_xxgk/moe_1777/moe_1778/201907/t20190708_389416.html? eqid=eea7a8e8000b3e7300000006642ea62b.
② 同①。
③ 同①。
④ 中华人民共和国国务院办公厅.国务院办公厅关于新时代推进普通高中育人方式改革的指导意见:国办发〔2019〕29号[A/OL].(2019-06-19)[2024-04-29]. http://www.moe.gov.cn/jyb_xxgk/moe_1777/moe_1778/201906/t20190619_386539.html? eqid=ca2dfd1100018fd4000000046436cb34.

任务在整个基础教育阶段贯通起来,形成一体化人才培养格局。"①

统编本教材的基本原则:坚持以学生为本。遵循青少年认知规律和教育教学规律,贴近学生思想、学习、生活实际,精选基本学习内容,既关注学生全面发展,又关注学生个性发展,着力发展核心素养,提升综合素质,促进终身发展。

统编本语文教材的特点:坚持立德树人,整体规划、有机融入社会主义核心价值观教育;体现课标精神,落实语文学习任务群要求,强化核心素养的养成;创新教材体系设计,以人文主题和学习任务群双线组织单元;重视综合性和实践性;以任务为核心,突出真实情境下的语文自主实践活动;重视课文的经典性和时代性,提升选文品质;突出了中华优秀传统文化和革命文化,实现了继承传统与改革创新的统一。① 落实中华优秀传统文化教育:精选反映中华优秀传统文化的经典名篇,注重题材的多样性和体裁的覆盖面,从古风、民歌、绝句、律诗到词曲,从诸子散文到历史散文,从两汉论文、魏晋辞赋到唐宋明清古文,从文言小说到白话小说,均有呈现。共在中学教材中,初中选入古代诗文132篇(首),占全部课文的51.2%。其中古诗词85首,古文47篇;高中入选古代诗文82篇(首),占全部课文数的59.9%。其中,古代诗词曲赋38篇(首),古文44篇。② 强化革命传统教育:选取反映革命传统和革命精神的作品,讴歌革命领袖的丰功伟绩,赞颂革命英雄人物事迹,凸显革命理论文章的指导价值,激发学生热爱中国共产党、热爱祖国的情感。在中学教材中,初中包括毛泽东文章4篇(首)、鲁迅文章7篇;高中包括毛泽东文章5篇(首)、鲁迅文章5篇。此外,教材注重选取反映社会主义建设和改革开放时期的作品。这些课文,有的反映党领导人民建设社会主义的伟大成就,展现祖国日新月异的巨大变化;有的讴歌时代楷模,赞颂自力更生、执着探索、忘我奉献的宝贵精神;有的反映党在新时期的理论探索,体现出理论对实践的巨大指导作用。

(1) 统编本高中语文教材。

统编本高中语文教材框架设计:根据高中课程方案中的课程设置,确定高中语文教材总体设计框架。强化立德树人教育,以人文主题为线索组织单元。根据课程标准的精神,以培养语文学科核心素养为纲,以语文实践活动为主线,落实18个学习任务群的要求。

统编本高中语文教材编写思路:整体规划、有机渗透、自然融入社会主义核心价值观,落实立德树人的根本任务。以语文核心素养为本,以学习任务为路径,强化学生学习的主体性和实践性。重视整合与实践,创新单元内部组织方式,使语文学习更接近真实的语文实践生活。以学习任务为核心,强调真实情境下的语文活动,追求结构化的任务设计。既强调整合,又强调写作教学的相对独立性,让学生的书面表达训练落到实处。重视语言积累、梳理与整合,以不同形式强化语言建构与运用这一语文基础的素养。

(2) 统编本初中语文教材。

统编本初中语文教材总体框架设计如表12-1所示。

---

① 靳晓燕.教育部:编好三科教材 培育时代新人[EB/OL].(2019-08-28)[2024-04-29].http://www.gov.cn/xinwen/2019-08/28/content_5425125.htm.

表 12-1 统编本初中语文教材总体框架设计

板块名称	呈现形式	主要特点
阅读	(1)单元阅读课文； (2)从阅读课文延伸而来的"1+X"的扩展阅读	(1)用"人文主题"和"语文要素"两条线索组织单元； (2)不同年级有不同的阅读能力培养重点； (3)各单元区分为教读和自读两种课型； (4)设计以任务为引领的活动、探究单元
写作	(1)单元专题写作； (2)在阅读和综合性学习等内容中渗透片段写作和实用性写作	(1)专题写作选取重要的或学生容易出问题的写作能力点进行指导和训练； (2)专题写作力求做到一课一得； (3)渗透性写作重视阅读与写作的结合
口语交际	(1)七年级融合在综合性学习中，八年级以后有专题训练； (2)在阅读、写作等板块均有渗透	(1)专题训练内容以课标为依据设立； (2)渗透性的内容均为阅读欣赏和写作表达服务
综合性学习	原则上每册安排三次，分别为传统文化、语文生活和综合实践专题	(1)专题选取与学生的生活密切关联； (2)体现语文学习的过程性、综合性和实践性； (3)强调自主、合作、探究的学习方式
名著导读	(1)每册推荐两次，每次推荐三部(学生任选其中一部阅读)； (2)以文学名著为主，兼有纪实类、科普类、实用类作品	(1)重视阅读兴趣的培养，强调阅读习惯的养成； (2)强调阅读方法的引领，特别是引导学生掌握阅读一类书的方法； (3)引导学生学会围绕某一专题进行深入探究
课外古诗词诵读	每册安排两次，每次安排四首古诗词	(1)是单元古诗文教学的有效补充； (2)主要由学生课外自主完成
补白	主要是语言知识、文学知识、文化常识等	补充性阅读、学习

统编本初中语文教材编写思路：

第一，从阅读内容单元设置上说，利用双线组织单元，使工具性与人文性成为阅读素养的坚强的两翼，目标是强化能力，沉淀语文素养。

所谓"双线"，即按照"人文主题"与"语文要素"两条线索组织单元。

所谓人文主题，即按照内容类型进行课文组合，形成完整的单元。如七年级上册六个单元分别是：四时美景、挚爱亲情、学习生活、人生理想、生命之趣、想象的翅膀。这些主题均与生活密切相关，形成一条贯串整册教材的显在线索。所谓语文要素，包括基本的语文知识、必需的语文能力、适当的学习策略和学习习惯等。将这些要素分解成若干个知识或能力训练的"点"，由浅入深，由易及难，体现在各个单元的预习、阅读提示或习题设计之中。语文要素的确定，目的是保证语文综合素养的基本训练，使教学有一条大致可以把握的线索，也有层级序列较为清晰的梯度结构。

关于语文要素的落实，统编教材在不同年级有不同的设计。七年级以培养学生一般的语文能力为主，关注具有普遍意义的阅读方法和阅读策略。八、九年级则以文体阅读为核心，力求培养学生某一类文体的阅读能力。八年级以实用性文体为主，如新闻、传记、科普作品、演讲词、游记等，交叉安排说明性文章和散文等文学作品的阅读。九年级集中学习诗歌、小说、戏剧等文学作品，交叉安排议论性文章的阅读，旨在培养学生阅读说明性、议论性文章及实用类文本的能力，以及初步欣赏文学作品的能力。

第二，从阅读组织上说，建设"三位一体"的阅读教学体系，强化阅读能力与阅读习惯的养成，目标是扩大阅读面，提高阅读兴趣。

阅读是运用语言文字获取信息、认识世界、发展思维、获得审美体验的重要途径，是语文教学最重要的组成部分。新编教材的阅读教学，以各单元课文学习（分"教读课文"和"自读课文"）为主，辅之以"名著导读"和"课外古诗词诵读"，共同构建一个从"教读课文"到"自读课文"再到"课外阅读"的"三位一体"的阅读体系，以更好地贯彻课程标准提出的"多读书、读好书、读整本的书"的倡议，并达到课程标准提出的课内外阅读总量的要求。

教读课文：由老师带领学生，运用一定的阅读策略或阅读方案，完成相应的阅读任务，达成相应的阅读目标，目的是学"法"。如在七年级，一般每个单元有2～3篇教读课文，通过这些课文，渗透本单元的语文要素，进行方法、策略、技能方面的学习和实践。

自读课文：学生运用在教读中获得的阅读经验，自主阅读，进一步强化阅读方法，沉淀为自主阅读的阅读能力，目的是用"法"。如在七年级，一般每个单元有1～2篇自读课文，通过这些课文，学生可以用前边学到的经验进行实习，使自己的能力得到检验和巩固，沉淀为一定的语文素养。

课外自读：在本套教材中主要是强调由课内到课外的拓展阅读、整本书阅读、古诗词积累等，是课堂教学的有机延伸和有效补充。其中拓展阅读与单元教学相配合，是由某一篇文章向一组同主题、同题材、同作家或与之关联的整本书的拓展，在部分课文的后边配有相应的提示和要求。整本书阅读是这部分中非常重要的内容，教材既有"1+2"的名著推荐供学生自由选择，也提供了文本的简要解读和针对该文本的阅读方法，力求使整本书阅读成为课堂教学的一部分，使课外阅读成为学生们课外生活的一部分。

第三，从教学处理来说，加大两类课型的区分力度，体现由教师引导学习到学生自主学习的理念，践行叶圣陶一贯倡导的"教是为了不需要教"的教学思想。

关于教读和自读，上文有简单的解释，要达到这样的目标，到底需要怎样的教学辅助系统的支撑呢？在以前，我们往往用练习量的多少、有无阅读提示等加以区别，统编本教材则体现出更大的区分度。

教读课文：强调教师在场，强调教师的指导地位，指导学生通过一定的方式完成一定的阅读任务并建构出自己的阅读体验和阅读方案。这个过程中教师的引导、学生的自主都应得到充分的体现。基于这样的思考，教材设计了从课前"预习"到课后"思考探究""积累拓展"的课文助读系统。在教材中，"预习"的设计兼有助读和作业的双重功能，或激发学生的阅读兴趣，或调动学生的阅读期待，或与以前所学进行关联，或提供必要的文本解读需要的背景知识，或照应单元重点提示必要的阅读方法，或指出阅读中需要思考的问题等，目的在于引导、铺垫、提高阅读兴趣。"思考探究"和"积累拓展"两个层次的练习设计，目的在于体现思维的渐进性以及由课内到课外的延伸拓展、由理解把握文本到积累梳理语言材料内化为语文素养的过程。"思考探究"重在引导学生理解课文内容，感受作者情感，思考作品主题，学习写作技巧，品味精妙语言，解决疑难问题。"积累拓展"重在品味语句，积累文笔精华，并侧重拓展延伸，或仿写、续写、改写，或课外实践，或讨论话题，或比较阅读，力求让学生将文本与文本以外内容建立起广泛的联系。

自读课文：强调学生学习的主体地位和学生的自主学习，自主运用教读课文中获得的阅读经验、阅读策略，独立地、个性化地完成阅读任务。为了达成这样的目标，教材编者设计了"旁批+阅读提示"的组成样式。"旁批"随文设置，内容丰富，形式多样；或针对课文的关键之处、文笔精华以及写作技法做精要点评，或强调启发性和引导性，以问题的形式呈现，力避直接给出结论。这一板块的设置，主要是为学生自主阅读时提供思考或点拨重点、疑难、精妙之处。"阅读提示"配合单元重点或选取文章的独到之处进行指导，既指向学生的自主阅读、独立阅读，同时尽可能向课外阅读和学生的课外语文生活延伸，增加阅读量，培养阅读兴趣。①

（三）教育学、心理学原理

1. 教育学原理

教育学原理，即研究教育学中的基本理论问题，探求教育的一般原理和规律。重点关注教学理论和学习理论。

重要的教学理论主要有以下几个。① 行为主义教学理论。它有三个重要的学习原理，即条件反射、强化原理和观察学习。② 认知教学理论。它有四个重要原则：动机原则、结构原则、程序原则和强化原则。在教学方法上，主张"发现法"。认知教学理论强调学习过程，强调直觉思维，强调内在动机，强调信息提取。③ 情感教学理论。它主张：最好的教育，目标应该是培养充分发挥作用的人、自我发展的人和形成自我实现的人，建构意义学习，培养师生关系。④ 掌握学习理论。它主张：为掌握而教，能帮助学生树立信心，使人人都能学好。

重要的学习理论主要有以下几个。① 联结学习理论。它认为，一切学习都是通过条件作用，以刺激 S 和反应 R 之间建立直接联结的过程。在"刺激—反应"联结中，个体学到的是习惯，而习惯是反复练习与强化的结果。习惯一旦形成，只要原来的或类似的刺激情境出现，习得的习惯反应就会自动出现。② 认知学习理论。它认为，学习不是在外部环境的支配下被动地形成"刺激—反应"联结，而是主动地在头脑内部构造认知结构；学习不是通过练习与强化形成反应习惯，而是通过顿悟与理解获得期待。③ 建构主义学习理论。它认为，应当把学习者原有的知识经验作为新知识的生长点；教学不是知识的传递，而是知识的处理和转换；教师应该是学生建构知识的忠实支持者、学生学习的高级伙伴或合作者；教师必须关心学习的实质，以及学生学习什么、如何学习和学习效率如何等问题，必须明白要求学生获得什么学习效果。

2. 心理学原理

心理学原理，即研究心理学中的基本理论问题，探求心理的一般原理和规律。

重要的心理学原理主要有以下几个。① 最近发展区理论。维果茨基认为，学生发展有两种水平：一种是学生的现有水平；另一种是学生可能的发展水平，也即通过教学所获得的潜力。② 马斯洛需求层次理论。美国社会心理学家亚伯拉罕·马斯洛（Abraham Maslow）把人的需求分成生理需求、安全需求、爱和归属感、尊重和自我实现五类。它有两个基本的出发点：一是人人都有需求，某层需求获得满足后，另一层需求才出现。二是

---

① 王本华. 把握课程理念，用好统编初中语文教材[J]. 民族教育研究，2021,32(2):44-49.

在多种需求未获满足前,首先满足迫切需求;该需求满足后,后面的需求才显示出其激励作用。

评课者掌握了教育学、心理学的基本原理,即能科学把握教育学、心理学规律,更贴近教育的本质和人的心理实质,以更好地评价课堂教学中说课者对教育学、心理学规律的应用情况。

二、中学语文评课的内容

知识点2：中学语文评课的内容

中学语文评课的具体内容包括：教学思想、教学目标、教材处理、教学程序、教学方法和手段、教师素养、课堂文化和教学效果。

（一）教学思想

教学思想是课堂教学的灵魂,凸显了课堂的价值取向。它直接影响着教学行为和教学效果。评课者评价课堂的教学思想,要联系教育方针、政策、法规、现代教育的价值取向及相关教学理论和学科思想,要结合教学中的问题,有理有据地进行评析。

（二）教学目标

教学目标是教学的出发点和归宿,它是衡量一堂课好坏的主要尺度。教学目标要具有科学性、合理性、明确性和可检测性的特点。评价教学目标,要看它是否明确、具体、适宜。明确,即表达要清晰,表述要含有"行为、条件、标准"三个要素,且为陈述句;具体,即知识目标要有量化要求,能力、思想情感、素养目标要有明确要求,体现学科特质;适宜,即以课程标准为指导,体现教材特点,符合学生年龄特点和认知规律,难易适度。如《陈情表》的教学目标：① 理解本文的说理艺术,陈事、循情、察理;② 学习掌握若干文言词语,推敲词语,体会作者的言内、言外之意;③ 通过诵读,体会作者的复杂感情;激发学生的情感,传承中华民族的孝道品质。教学目标表达规范,明确具体,既体现了课程标准的特质,又符合文本特点,符合学生年龄特点和认知规律,难易适中。

（三）教材处理

教材处理,即对课文教学内容的选择与利用。教材处理的核心理念是对教材的整合和优化。如何对教学内容进行精选、整合,并充分有效地运用教材文本,成为教材处理的着力点。

中学语文课的教材处理,要求教师深入解读教材,弄清教材对课程标准要求的具体体现,深入了解教材的编排体系和特点,再确立教学目标和重难点。教材处理的方式可以是长文短教、短文细教、难文浅教、浅文趣教、美文美教、选点精读、课文联读、专题研讨等。教材处理可以是整体处理,也可以是局部处理。

（四）教学程序

教学程序主要包括教学思路和课堂结构。

教学思路是课堂实施的脉络和主线,它依据教学内容和学生水平而设计。它呈现了教学的路径,反映了教学策略的编排组合、衔接过渡、详略安排等。

评课者评价教学思路,首先应看教学思路是否符合教学内容实际和学生实际;其次,看教学思路的层次脉络是否符合知识逻辑,认知逻辑;最后,看教学思路是否具有独创性和实效性。

教学思路侧重课堂的纵向教学脉络,而课堂结构则侧重教学技法。课堂结构是指一节课的教学过程各部分的确立,以及它们之间的联系、顺序和时间分配。计算教学时间设计,能较好地了解授课重点、结构和课堂节奏。时间设计包含教学环节的时间分配、教师活动与学生主体活动的时间分配、学生的个人活动时间与学生集体活动时间的分配等。

(五) 教学方法和手段

教学方法是指教师在教学过程中为完成教学目标、任务而采取的活动方式,包括教师"教"的方式,还包括学生在教师指导下"学"的方式,是"教"的方式与"学"的方式的和谐统一。

中学语文课堂评价教学方法和手段需要抓住如下几点:① 贵在得法。选择什么样的方法和手段,需要量体裁衣,优选活用。如汪绍平老师讲解《将进酒》时,设计的教学方法为"读",依次设计的环节为:情境导读—初读感知—精读涵咏—悟读探究—美读体味,他紧扣"诵读",指导学生多维品读,纵深鉴赏,体会李白复杂的情感意蕴。② 方法多样。教学方法多样会让课堂灵动多变,激活学生学习的兴趣和热情。③ 方法创新。好的课堂,有方法的创新,有撬动学生思维的教学设计,有创新能力的培养,有独具风格的教学艺术。④ 技术融合。教师通过信息技术与语文学科的融合,不但丰富了语文课堂教学手段,还优化了课堂教学结构,提高了课堂教学效率。信息技术与语文学科的深度融合强化了学生的情感体验,提高了学生的审美情趣,提升了学生的人文素养。

(六) 教师素养

教师素养包括专业性知识、专业能力和专业精神。教学基本功是教师专业能力的重要组成部分,评课需要看教师的教学基本功。这些基本功包括:教师语言表达能力、板书能力、教态等。

中学语文教师需要有较好的语言表达能力。语言的质量直接影响课堂的质量,中学语文教师的课堂语言要准确清楚、精当简练、生动形象、有启发性。在某种意义上,教学是一种语言的艺术,教师的语言有时关系课堂的成败。教学语言的语调要高低适宜、快慢适度、抑扬顿挫、富于变化。

板书是指教师在教学过程中为帮助学生理解、掌握知识而利用黑板以凝练、简洁的文字、符号、图表等呈现的教学信息的总称。它不仅是一种直观表达的用具,能调控学生思路,构建知识结构,化抽象为形象,更是一门艺术,是教师的一项重要的基本功,也是评课的一个重要指标。好的板书能体现教学内容的系统、层次和重点,且言简意赅,科学合理,设计新颖,富有艺术性。

教态是指教师在教学中的表情、语言、手势和身姿的综合表现。教态是评课中教师基本功的一项指标。教师在课堂上的教态应该是明朗庄重、举止从容、态度热情、富有感染力的。教师良好的教态是课堂中的一道风景。

教师素养除了教师的基本功之外，还有教师的课堂智慧。教师应能机智地处理课堂中随机发生的教学事件，对于无法预见的情境能随机而变。如课堂上学生突然提出一个与教学毫不相关的问题，教师能智慧化解，生成一个全新的、有价值的问题，并和学生一起解决。教师的课堂智慧还体现在教师思维的引领方面。当学生碰到困难一筹莫展的时候，教师能根据学情，分解问题，把问题情境化，把难点化为一个个小问题，小问题又形成一个系统的问题链，通过对问题链的系统解决，使得困难迎刃而解。教师的课堂智慧使课堂的预设与动态和谐统一。教师的课堂智慧是课堂评价的一大亮点。

（七）课堂文化

所谓课堂文化，就是通过智慧型教师的教育智慧，创建、激发富有生命的、有效的课堂，从而形成学生对生命的理解、关怀与尊重，形成开放、自由、和谐、智慧的，提升教师和学生生命质量的课堂氛围。

良好的课堂文化是师生共同追求的目标，凸显了目标的基础性、理念的人本性、价值的导向性和模式的多样性。它体现了课堂中师生的思想意识、思维方式和学习方式。

福建师范大学教授余文森认为课堂文化是一种精神，表现为自由、民主、宽松、和谐（师生维度），好奇、情趣、形象、生动（知识维度），道德、人格、生命、灵魂（生命维度），在这样的课堂上，学生会感受到学习的乐趣、生活的意义、生命的价值和人格的尊严。

良好的课堂文化是中学语文课堂评价的又一大亮点。

（八）教学效果

课堂教学效果是评价课堂教学的重要依据。

评课者评价教学效果时需关注几个方面：① 学生是否独立思考、善于质疑、自评自纠？② 学生受益面如何，不同程度的学生在原有基础上是否都有进步？多维目标是否都达成？教师是否借助课堂提问、变式训练、当堂检测等测试手段，反馈学习效果？③ 利用课堂时间是否高效？学生是否学得轻松愉快？能否当堂问题当堂解决？学生的学习负担是否合理？④ 教师是否教会学生学会学习？教师教给学生的不只是知识，更重要的是学习方法。所以在一堂课中，教师不仅要教学生学会，更应该教学生会学，教师不仅要教学生想什么，而且要教会学生怎样去想，教师应该采用不同的方式、方法把学生的潜能、才能挖掘、开发出来。

练习题

1. （多项选择题）中学语文评课的内容包括（　　　　）。
   A. 教学思想　　　　B. 教学目标　　　　C. 教材处理　　　　D. 教学程序
   E. 教学方法和手段　F. 教师素养　　　　G. 课堂文化　　　　H. 教学效果
2. （简答题）中学语文课如何评价教学目标？
3. （论述题）有人说，课堂评价是一种反思的批判；又有人说，课堂评价是一种真诚的交流，谈谈你对课堂评价的理解。
4. （论述题）结合一堂中学语文课，撰写一份系统的课堂评价方案。

第四节　中学语文评课的原则与类型

一、中学语文评课的原则

评课的原则是指评课者在开展评课活动时必须遵循的基本准则,它反映了课堂教学的客观规律以及评课者对课堂教学客观规律的认识。中学语文评课应该遵循以下几项原则。

(一)目的性原则

语文评课的目的是语文评课活动所要达到的终极目标及结果。中学语文评课的目的包括三个方面:一是改进中学语文教学实践,检验课堂目标的设定是否符合要求。评课者要根据目标设定,对课堂整体的教学策略、教师行为、学生状态、师生互动进行评价。二是发现中学语文教学课堂存在的问题,提高中学语文课堂教学的效率,提升中学语文课堂教学的品质。评课活动能够从专业角度给予授课者反馈,让授课者清晰地了解自己课堂教学的优点与短板所在,从而有的放矢地优化课堂教学行为,促进课堂教学质量的提升。三是促进语文教师的专业素质发展,进而促进学生语文素养的提升。一方面,作为一线教师,无论是评课者还是授课者,都可以通过评课活动实现课堂教学的反思、改进,从而提升专业素养;另一方面,教师专业能力的提升反哺课堂教学,让学生的语文素养在更为有效的课堂教学中得到发展。

目的性原则为语文评课者指明了方向,引导评课者合理科学地评课,促进语文课堂教学评价工作的改革。

(二)针对性原则

在具体的评课实践中,针对性原则的第一个含义是指要基于学科特点,根据不同的课程类型、课程标准、授课方式等,将不同的对象具体化。评课者要站在学科的角度,关注课堂教学是否体现了本学科的特点,是否实现了本学科的价值;课堂教学活动是否指向学生学科核心素养的提升,课堂教学内容的选择是否符合本学科核心知识,从而有针对性地对课堂教学进行研究。

针对性原则的第二个含义是指以被评价对象为基点,在对授课者有所了解的情况下,评课者有时会针对预先的关注、听到的信息、掌握的情况、学生的反应等进行听课、评课。针对性的特点在于内容具体,指导到位,对于授课者指导作用较强。如学校的管理者听到了对某一教师授课的某种反映,管理者就会针对可能出现的情况去听课、评课。这种评课的特点是特殊性强、针对性强,评价时问题集中。

(三)实事求是原则

实事求是原则是指以客观公正的科学态度看问题、做事情。全面、客观、科学的评课,有利于学校完善教学体系,有利于教师业务素质的提高。实事求是原则要求评课者在评课过程中用一把尺子、一个标准去评价教师的课堂教学过程,评价的对象定位在教师的课堂教学过程本身,而不是定位在授课者。实事求是的评课原则还要求评课者能以课堂的真实情况为基础,以科学的理论为依据,不带任何偏见,不夹杂感情因素。评课者的评课视角应该是平视的,用公正、客观的心态来评价对方,不应用"仰视"或"睨视"的视角去看待授课者。

(四)激励性原则

激励性原则是指评课者要从调动教师教学的积极性、主动性和创造性出发,善于发现教师教学过程的闪光点,能给予授课者恰当的鼓励和评价。通过激励的导向作用,形成授课者钻研教材、改进教法的直接动力,使授课者明确自己的课堂教学行为在哪些环节是优秀的,以便于在以后的教学中更好地保持。评课者不能对授课者进行讽刺、挖苦、打压。评课要主次分明,在重点问题上要多加分析,抓要害,道理讲透,一般问题可一带而过,不要面面俱到,否则无论是对授课者还是听课者都起不到评课应有的效果。

(五)差异性原则

一是看课型的差异。针对不同的课型,评课者应采用不同的评价标准,不能用同一个评价标准来评价不同课型的课。二是要看教师的差异。对不同执教年龄的教师进行评课,要求自然不同;对不同职称的教师授课情况的评价,要求也应该有所不同。在具体评课时,评课者还要考虑教师的心理承受能力,对心理承受能力差的教师应含蓄、客气些;对心理承受能力强的教师可坦率、直接一些。三是要看学校和学生的差异。一般情况下,教师课堂教学内容和课堂教学形式的选择,是基于对学情的分析,评课要依据教学对象去确立课堂教学内容和课堂教学形式,通过观摩学生在课堂上的表现和课堂教学效果去评价,而不是根据自己或他人的教学经验去评价。差异性原则充分考虑了实际教学中的复杂因素,能有效避免出现一刀切的评课行为,更好地体现评课的价值。

(六)科学性原则

中学语文评课者的评课目标必须明确,评课内容必须具体,评课标准必须科学,评课的程序必须简化,评课的方法和手段必须具有可操作性。如评课者审视授课者的课堂教学内容是不是符合科学性要求,授课者的课堂教学方法是否具有科学性。评课者应运用先进的教育教学理论,解剖课堂教学的内容和组织形式,并根据课程、教材、学生学习需要等实际情况,对教师的授课行为作出评价。

(七)探索性原则

语文作为基础性学科,正处在一个不断探索、变化、发展、建构的新时期。中学语文教学过程是一个持续发展变化的动态过程,中学语文教学改革正在改变传统的教学模式,从灌输式、启发式、讲练式等转向探索知识、能力生成的新模式,这就要求中学语文评课者要用发展的眼光去看待授课者在中学语文课堂教学中的表现,应肯定教师在新课程标准改革背景下的每一点探索,并总结这种探索对于生成新的教学模式的意义。在评课过程中,评课者要充分考虑中学语文课程改革的方向及发展趋势,用动态的、发展的眼光评课、评教师。

（八）互动性原则

互动性原则的第一个含义是指师生互动。好的课堂必定是师生充分互动的课堂。课程改革要求的是以学生为本的课堂，特别强调教师对学生情感、态度、价值观的培养。这就要求教师要与学生展开充分的互动，倾听学生的心声，与学生共同探索交流。评课者在评课时要评价授课者是否做到与学生充分互动，是否尽到一个引导者的责任，是否让学生得到最大限度的发展。互动性原则的第二个含义是指评课者与授课者的互动。随着课程改革的不断发展，产生的新评课观认为评课是多向的、互动的活动，评课的本质特征是对话、沟通、共享、发展。评课者与授课者之间应建立一种民主的、建设性的、对话的伙伴关系。中学语文评课者应该意识到，在评课过程中不存在绝对的主导者，大家都是参与者、评论者，也是受益者。评课活动就是要在帮助他人的同时帮助自己，使多方受益。所以，中学语文评课者在评课的过程中应在评价他人的同时努力丰富自己。对于授课者的一些好的教学经验应当予以传播，对于一些适应中学语文课程改革发展的创新之处要共同分享。

总之，评课需要依据学科特点，遵循一定的原则，巧妙运用策略、技巧，只有这样才能达到评课的目的。

二、中学语文评课的类型

根据不同的分类标准，我们可以将评课划分为不同的类型。

（一）按目的划分

1. 诊断性评课

诊断性评课侧重于在评课中发现问题、提出问题，进而研究问题、解决问题。诊断性评课通常要经历"诊—断—治"三个阶段。所谓"诊"，是指评课者发现问题和提出问题，评课者通过对授课者的课堂教学进行分析，找出优点和缺点，分析特点。所谓"断"，是指评课者对提出的问题进行原因分析，评课者分析原因时一要注意借助教学理论和优秀教师成功的教学经验，二要与同行广泛地进行交流。所谓"治"，是指针对课堂教学中的问题提出改进教学的意见。诊断性评课中评课者通常是由教学经验丰富的教师来担任，而刚走上工作岗位的新教师，则可以借鉴诊断性评课的方法，较好地进行自我诊断。

2. 示范观摩性评课

示范观摩性评课是为推广优秀教师的教学经验，更好地发挥他们的示范作用而组织的公开课活动。一线教师会把所听的示范观摩课作为一个标准进行学习和模仿，授课者要说清教学的设计，说清这堂课在本学科、本单元中的教育价值等。通过专家评讲，听课者能明白这堂课好在哪里，哪里需要完善。在示范观摩性评课中，授课者应以介绍新思想、新思路为主，优点讲够，缺点讲透，引导听课者从源头上去认识、理解问题，以真正推动教师的专业发展。

3. 研究性评课

研究性评课的主要目的是研究学科教学中普遍存在的问题和困境，而不是评议某一位教师的教学水平。这种评课最好邀请学科专家介入,以便高屋建瓴、拨云见日;一线教师也可以在经验总结、问题反思、思想碰撞中,为课程知识、教学知识的创新作出自己的贡献。一般而言,研究性评课需要参加研讨的每个人都积极参与,针对教学研讨的主题大胆发言,表达自己的所感所想。

4. 互助性评课

互助性评课一般由两人或两人以上的教师组成小组,针对研究的内容制订计划、实施教学,通过评课对预设的课题进行研讨、分析,改进教学行为、提高教学水平。这是一种横向互助活动,不含有自上而下的考核成分,是同事之间的互助指导,评课者与授课者之间应建立一种民主的、建设性的、对话的伙伴关系。评课者站在授课者的角度,剖析教学目标、重点、难点、解决问题的方法;研究授课者的教法学法设计、教学环节;比较不同授课者面对突发事件时的处理能力、教学活动的组织能力等,以此帮助自己寻找适合的教学方法,达到最佳的教学效果。

5. 培训性评课

培训性评课的目的在于发现授课者在教学中存在的问题,评课者为授课者提供一定的建议以提高其教学水平。培训性评课一般以年级组或教研组为单位,骨干教师与青年教师共同参与。

6. 检查考核性评课

这是学校领导、地区教研员或上级行政管理部门,为了解教师的教学水平和教学问题而进行的带有检查性质的评课,或为竞聘选拔教师进行的带有考核性质的评课,一般不进行深度评议。这种评课活动可以为学校或区域的教师管理或培养方案提供决策的依据。

7. 展示性评课

展示性评课较多出现在各个学校的校庆或家长开放日上,在一些教学研讨如"同课同构"或"同课异构"活动中也较多采用。一般来说,展示性评课对听课人的意见的收集是通过让听课人填写评价表来实现的。在课前,展示性评价组织方将评价表和公开课简案分发到各听课人手中,请他们及时填写,课后上交。展示性评课是比较自由、轻松的,参与的对象可以有学生、家长、同事、专家等。

以上几种常见的评课类型,当其评课主体不同时,评课者评课的目的和关注重点也有所不同,如表12-2所示。

表12-2 不同评课主体的主要目的和关注重点

评课的主体	评课的主要目的	关注重点
校长、教研员	提高课堂质量、提高学生成绩	学生的课堂收效(学生本位)
培训者	促进教师的专业发展	教师的教学技能、教学习惯,专业发展阶段(教师本位)
学科专家	发现学科教学的普遍问题,从课例中总结规律、提升学理	从"类"的高度研究教学内容的提炼及其教学策略,即教学内容的知识(PCK)(学科本位)
同行同伴	汲取经验,用于自己的教学	具体教材(如某一课)的处理方式,微观的教学策略(个人本位)

需要说明的是,以上分类只是相对而言,实际的评课活动中,参与主体可以有多种身份,可以同时展开多个视角的关注;关注重点也因人而异、因课而异。

（二）按评课内容的侧重点划分

1. 全面评析式

全面评析式评课又称复盘式评课，是指对一堂课进行综合而全面的评析。全面评析式评课表的内容可根据具体情况进行设置，表 12-3 可作为参考。

表 12-3　全面评析式评课表

教学环节及时间分配	基本内容描述			课堂细节观察			教学效果评析			
	教学内容（教了什么）	教学目的（为什么教）	教学策略（怎样教）	教师行为	学生行为	课堂生成	课中与课后：听课者的思考	课后：学生反馈信息	课后：授课者的解释与反思	课后：听课者的群议
（1）										
（2）										
（3）										
（4）										
…										

说明：

(1) 课堂上的教师行为包括讲解、板书、提问、演示、发出指令、对学生行为的回应和评价、非语言的体态动作等。

(2) 课堂上的学生行为包括听讲、口头回答提问、书面写作（圈点批注、笔谈、做练习等）、自由讨论、动手操作等；还包括注意力的集中程度，有没有与学习无关的小动作、交头接耳等。

(3) 课堂生成是指在教学设计之外、在课堂上临时出现的教学活动或事件。

2. 专项评析式

专项评析式评课又称切片式评课，是指从一堂课的某个方面进行有针对性的评析，是一种局部评课法。例如，从教师的语言、板书、图表的使用，多媒体的辅助，导入设计、练习设计、学生活动的组织、教材的再处理、学科知识与技能的落实、学科思维的训练等视角进行专项评析。这不但可以节省时间，避免流水账式的、面面俱到的评课现象，更主要的是由于听课者所选取的评析专项往往是自己听课时印象最深、感触最大的地方，因此，评课容易从小处着手，评析得更为深刻透彻，对授课者和听课者都会有借鉴作用，是适用于大多数教师的一种评课方式。

3. 标准对照式

标准对照式评课是指以某一种教学理论或评课标准为标尺，对相应的教学活动进行评价：哪些教学活动是符合理论或标准的，哪些环节不符合。这种评课有助于教师学习教学理论，更直观地理解新的理念，适用于参加培训的教师将培训中所学的新知识、新理论转化到自己的教学实践中去，发挥培训对自身教育教学水平提升的作用。但是，这种评课有一个弱点：有的评课者往往会把某一种教学理论作为唯一正确的标准，排斥其他理论，从而影响评课的科学性。由于教学理论和课堂实际不可能完全一致，某一种教学理论不可能覆盖课堂的全部内涵，课堂的现实内涵比理论内涵要丰富得多，所以这种评课方式可能会导致有失偏颇，或者过于狭隘[①]。

[①] 朱华贤.在发现中追寻评课的更高境界[N].中国教育报，2008-5-16(6).

总之,评课的形式多种多样,根据不同的目的和需求还可以采用个别面谈式、分组评议式、调查问卷式、陈述答辩式等。不论采用什么评课形式、由谁来评课、评什么内容,必须坚持的原则是:以学论教,以评促教。评课的最终目的是促进教师的专业化发展,提升课堂教学质量,提高学生学习的有效性。语文评课方法有很多,对于教师来说,关键是要学会选择,适合的就是最好的。

> 练习题

1. (多项选择题)中学语文评课的原则有(　　　　)。
   A. 目的性原则　　　B. 针对性原则　　　C. 实事求是原则
   D. 激励性原则　　　E. 差异性原则　　　F. 科学性原则
   G. 探索性原则　　　H. 互动性原则
2. (简答题)根据评课的目的可以将评课分为哪几种类型?请你选择其中一种最熟悉的类型进行介绍。
3. (论述题)请你结合例子谈谈全面评析式评课和专项评析式评课的异同。
4. (实践题)请选择一堂语文课,选取一种评课方式,听课后结合所学内容进行评课的实践操作,并将自己的评课总结以文字的形式记录下来。

☞ 本章小结

中学语文说课活动是中学语文教师教育理论和教育实践高度结合的教育教研活动,随着教育实践的改革和发展,说课经历了初级探索阶段、理论研究阶段、说课经验推广阶段、说课实践促进理论发展阶段四个阶段。在不同的背景下关于说课有不同的理解。总的来说,狭义的说课是指教师把自己的教学设计和教学过程做一个口头化的理性说明。广义的说课是指教师在说课时要明确自己的教学理念、教学内容、教学方式、教学策略以及怎样在教学过程中体现教师的教师风格、教学智慧和教学技能。

中学语文的说课类型多样,按目的分为示范说课、教研说课、评比说课、考核说课等;按时间分为课前说课、课后说课;按课的类型分为新授课说课、复习课说课、练习课说课和讲评课说课;按说课的规模分为个别说课、小组说课等。一般我们按照"说教材—说教法—说学法—说教学过程—说板书设计与作业"的程序展开说课。

中学语文说课的内涵十分丰富,对教学的作用重大,有利于语文教师的专业发展和能力提升,有利于语文教师个体和群体的综合评价,有利于提高教研员和教学督导的素质,有利于实现学生发展的三大目标。

评课是教学教研的一项常规性工作,它指的是评课者依据相关的政策法规、课程标准与教材、教育学及心理学原理等对教学思想、教学目标、教材处理、教学程序、教学方法和手段、教师素养、课堂文化和教学效果等具体内容进行分析与评估。根据目的、评课内容侧重点等分类标准,我们可以划分出多种评课类型。在评课过程中,教师要遵循的原则有:目的性原则、针对性原则、实事求是原则、激励性原则、差异性原则、科学性原则、探索性原则以及互动性原则。

本章知识结构

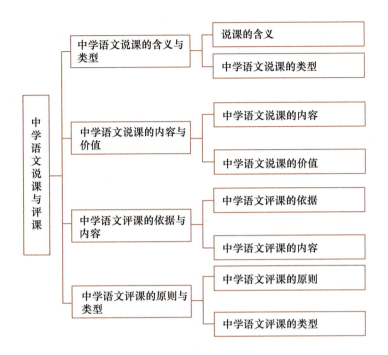

本章参考文献

[1] 蔡旺庆.师范生说课训练与指导[M].南京：南京大学出版社,2014.
[2] 常虹.浅议评价语文课的基本原则[J].辽宁教育,2011(3)：40-41.
[3] 陈大伟.观课议课与课程建设[M].上海：华东师范大学出版社,2011.
[4] 陈桂生.教育原理[M].3版.上海：华东师范大学出版社,2012.
[5] 顾志跃.如何评课[M].上海：华东师范大学出版社,2009.
[6] 黄淑琴,桑志军.语文课程与教学论[M].广州：广东高等教育出版社,2013.
[7] 林高明.有效评课的策略与方法[M].福州：福建教育出版社,2013.
[8] 刘彦昆.教师如何提高说课艺术(修订版)[M].长春：吉林大学出版社,2010.
[9] 刘跃夫.把说课引入到集体备课中去[J].中学语文教学,2011(10)：19-20.
[10] 迈尔.怎样上课才最棒：优质课堂教学的十项特征[M].黄雪媛,马媛,译.上海：华东师范大学出版社,2011.
[11] 沈毅,崔允漷.课堂观察：走向专业的听评课[M].上海：华东师范大学出版社,2008.
[12] 宋萑.说课与教师知识建构[J].课程·教材·教法,2012,32(4)：120-124.
[13] 孙培青.中国教育史[M].3版.上海：华东师范大学出版社,2009.
[14] 万然.以说课方式评价语文教师能力的利弊分析[D].长沙：湖南师范大学.2014.
[15] 王春宝.评课的几点原则与策略[C]// 国家教师科研基金办公室.国家教师科研专项基金科研成果(三).北京：CNKI会议论文,2016：55-56.

[16] 王光龙.语文教坛新星获奖说课点评[M].北京:语文出版社,2012.
[17] 王佳佳.中文师范生答辩式说课训练的探索[J].才智,2014(9):37-38.
[18] 王漫.转益多师:听课评课的要领[M].北京:北京师范大学出版社,2016.
[19] 严育洪.问诊课堂:教学望问切[M].北京:首都师范大学出版社,2008.
[20] 杨宏.农村语文教师说课能力培养刍议[J].现代教育科学(普教研究),2010(5):55-57.
[21] 杨绪明.高师学生语文说课实训研究[J].高等函授学报(哲学社会科学版),2012,25(3):46-49.
[22] 余文森,黄国才,陈敬文,等.有效备课·上课·听课·评课[M].2版.福州:福建教育出版社,2010.
[23] 张秋玲.语文教学设计:优化与重构[M].北京:教育科学出版社,2012.
[24] 张文质,陈海滨.今天我们应怎样评课[M].重庆:西南师范大学出版社,2011.
[25] 赵国忠.评课最需要什么:中外优秀教师给教师最有价值的建议[M].南京:南京大学出版社,2010.
[26] 郑金洲.说课的变革[M].北京:教育科学出版社,2007.
[27] 朱华贤.在发现中追寻评课的更高境界[N].中国教育报,2008-05-16(6).

后记

本书是在吸收借鉴新的教育理论和新的语文教学研究成果、研究新的语文课程标准的基础上完成的。我们希望从新时代的教育要求出发,探索中学语文教学的新内容和新方法,推动我国语文教育新发展,为提高语文教师的专业素养助力。全书共分为十二章,每一章前都设计有学习目标、学习重点、学习导引、引子等板块以指引学生的学习。很多章节的知识点讲解板块还提供了典型案例和案例分析,并在每节之后附有相应的练习题。此外,每一章最后还有小结和知识结构图,这些都有利于帮助初学者构建相关知识体系,从而全面有效地把握学习的内容。

为了高质量地完成本书的写作任务,我们特请来了多所学校和研究机构的经验丰富的教师和学者参与撰写。本书撰写的分工如下:

章节		撰稿人	单位
主编		周小蓬	华南师范大学
前言、学习建议		周小蓬	华南师范大学
第一章	第一节	周小蓬	华南师范大学
	第二节	周璇、张嘉蓉	广州市第二中学南沙天元学校、华南师范大学
第二章	第一节	欧治华	惠州学院
	第二节	古晓君	嘉应学院
第三章	第一节	余新明	广东第二师范学院
	第二节	李曙光	惠州学院
	第三节	李丽华	广州大学
第四章	第一节	吴篮鹏、陈楚敏	揭阳市揭东第一中学、广州大学
	第二节	吴篮鹏	揭阳市揭东第一中学
	第三节	王萍	华南师范大学
第五章	第一节	罗小娟、蔡锦姿	韩山师范学院、广州大学
	第二节	曾洁	广东技术师范大学
	第三节	张宝华、王敏媛	中山市教育教学研究室、中山纪念中学
第六章	第一节	张然、韩后	华南师范大学
	第二节	马琳	广东佛山南海中学
	第三节	谢诚	广东外语外贸大学南国商学院
	第四节	孙琪	佛山科学技术学院
	第五节	石了英	佛山科学技术学院

续表

章节		撰稿人	单位
第七章	第一节	郑有才	华南师范大学
	第二节	郭春曦	广州大学附中
	第三节	郑文富	广州中学
	第四节	李旭山	广东省实验中学越秀校区
	第五节	杨慧琴	贵州师范学院
第八章	第一节	林晖	广东白云学院
	第二节	陈楚敏	广州大学
	第三节	周周	贵州师范学院
第九章	第一节	郭跃辉	中山市教育教学研究室
	第二节	张家波	岭南师范学院
第十章	第一节	邵长思	广州七中
	第二节	方相成	丽水学院
	第三节	夏永声	韶关学院
第十一章	第一节	谢翌梅	韶关学院
	第二节	刘义民	嘉应学院
	第三节	娄红玉	广州市江南外国语学校
第十二章	第一节	周颖、郭雅秀	五邑大学
	第二节	江海燕	深圳市龙华高级中学
	第三节	周小华	佛山市顺德区杏坛中学
	第四节	肖康舒	肇庆学院

这里除了要感谢以上来自广东、浙江、贵州等省的学校和研究机构的教师和学者的大力支持外，还要感谢韩山师范学院文学与新闻学院赵松元和孔令彬两位先生，他们在前期为我们撰写这本教材做了大量支持性的工作！还要感谢华南师范大学文学院2019级研究生张嘉蓉同学，她协助周小蓬老师在统稿和编排中做了大量工作！在本书的编撰过程中，华南师范大学文学院2022级学科教学（语文）专业的叶定远等30余位研究生同学，以细致入微的洞察力与专业素养，默默为书稿的校对与修订贡献了宝贵的力量，在此向他们表示衷心的感谢！另外还要特别感谢北京大学出版社的领导和编辑们的大力支持，谢谢你们为出版这本书所做的努力，尤其感谢责任编辑周丹为本书的出版所做的大量工作！最后我们还要说明的是，本书引用了一些书籍、论文及一线教学的资料，这里也对相关作者一并表示感谢！

因为语文教学指导用书的编写涉及的方面很多，再加之编写时间有限，本书难免存在不足之处，恳请广大师生和其他读者给予批评指正。

编者

2024年4月